Princesa das Águas

OBRAS DA AUTORA PUBLICADAS PELA GALERA RECORD

Cinderela Pop
Princesa Adormecida
Princesa das Águas

Paula Pimenta

Princesa das Águas

16ª edição

Galera
RIO DE JANEIRO
2024

CIP-BRASIL. CATALOGAÇÃO NA PUBLICAÇÃO
SINDICATO NACIONAL DOS EDITORES DE LIVROS, RJ

P697p

Pimenta, Paula

16ª ed. Princesa das águas / Paula Pimenta. - 16ª ed. - Rio de Janeiro: Galera Record, 2024.

ISBN 978-85-01-07572-7

1. Ficção juvenil brasileira. I. Título.

16-33134

CDD: 028.5
CDU: 087.5

Ilustração de capa: Renato Guedes
Projeto gráfico e composição de miolo: Renata Vidal

Texto revisado segundo o novo Acordo Ortográfico da Língua Portuguesa.

Direitos exclusivos desta edição reservados pela
EDITORA RECORD LTDA.
Rua Argentina 171 - Rio de Janeiro, RJ - 20921-380 - Tel.: 2585-2000.

Impresso no Brasil

ISBN 978-85-01-07572-7

Para o meu primo Tomaz,
O atleta da família...
e um verdadeiro príncipe!

✦ ✦ ✦ ✦ ✦ ✦ ✦

Era uma vez uma princesa. Ela vivia em um reino onde tinha tudo que queria. Quer dizer, o que *achavam* que ela queria. Porque na verdade o que essa princesa almejava não estava ali. Ela sonhava com outras paisagens, outras cores, outros reinos. Queria voar, viajar, se apaixonar...

Até que um dia, conheceu um príncipe que era tudo que ela esperava. Por causa dele, a princesa teve contato com uma realidade que nem imaginava existir. Só que, para fazer parte daquele mundo, ela precisaria dar o que mais amava em troca...

A princesa entregou tudo que tinha. Até mesmo o que não convinha.

Mas então descobriu que o tempo todo, aquilo que mais desejava, ela já possuía...

Princesa das Águas

Acontece no próximo fim de semana a primeira seletiva de natação para as Olimpíadas. Estima-se que pelo menos vinte atletas brasileiros conseguirão se classificar nas diversas modalidades. Porém, todos os olhares estão voltados para Arielle Botrel, que com apenas 16 anos desponta como a mais jovem promessa atual dos 100 metros livres.

Arielle é filha do campeão mundial de natação Teófilo Botrel — que foi apontado como o "rei das águas" nos anos 1980 — e de Serena Shell, a famosa cantora que faleceu exatamente por complicações no parto de Arielle. Além dela, Teófilo tem cinco filhas mais velhas, que seguiram os passos da mãe e compõem a "girl band" Mermaid Sisters, cuja música "Na onda" está em primeiro lugar nas rádios.

Apenas a caçula optou por abraçar a carreira de Teófilo e, segundo a própria Arielle, isso é um incentivo a mais... Por não querer decepcionar o pai, seu objetivo é bater recordes a cada nova competição.

Bom para o Brasil, afinal tudo indica que a princesinha das águas ainda trará muitas medalhas para o nosso país! ■

Capítulo 1

Completamente revoltada, coloquei o jornal na mesa. Será que a imprensa nunca esqueceria o fato de minha mãe ter morrido por minha causa? Já era difícil ter que conviver com minha própria culpa, eu definitivamente não precisava que jornais sensacionalistas esfregassem isso na minha cara dia após dia! Se as pessoas quisessem mesmo que eu ganhasse qualquer medalha deveriam me poupar de estresses assim...

A recomendação de todos os técnicos para antes das competições era clara: dormir muito, alimentar-se bem e evitar preocupações. Pois então, senhores treinadores... Faltou apenas me explicar como dormir com tantos pensamentos rondando minha cabeça! Ou como me alimentar bem e ao mesmo tempo manter o meu peso, já que se engordar um grama prejudicarei o meu tempo na piscina! E evitar preocupações? Só se eu nascesse novamente, em outro corpo e em outra família! Como lidar ao mesmo tempo com a proximidade da maior competição da minha vida, com as provas do meu último ano da escola e, além de tudo, com o fato de a imprensa não me esquecer nem por um segundo?!

As vozes das minhas irmãs ensaiando varreram meus pensamentos para longe. Levantei depressa e fechei a porta com força. É, ainda tinha isso... Por menos que quisesse admitir, eu também gostaria de fazer parte da banda. Ouvi-las nas rádios e vê-las na TV cantando, dançando, recebendo aplausos e dando autógrafos... Quem eu queria enganar? É claro que gostaria de ter tudo aquilo também!

Quero dizer, não que eu não tenha fãs... Esse mundo dos atletas é bem unido, sempre aparecem uns colegas pra me ver nadar. E de vez em quando algumas crianças até se aproximam timidamente após minhas competições, geralmente para pedir uma selfie, já que minhas mãos estão sempre molhadas demais para autografar qualquer papel. Mas aquele brilho nos olhos e o sorriso eufórico que os fãs das Mermaid Sisters sempre têm... Ah, isso eu nunca vi em ninguém.

Aquilo tudo, porém, era culpa minha. Eu poderia, sim, ter seguido outro caminho; meu pai nunca me forçou a nada. Aliás, minhas irmãs contam que eu cantei antes mesmo de falar. Segundo elas, até o meu choro era melodioso. E, durante muito tempo, sempre que me perguntavam o que gostaria de ser quando crescesse, eu não tinha a menor dúvida... Imediatamente respondia: Cantora!

Porém um dia, quando eu tinha uns 6 anos, estava cantando sozinha no quintal enquanto brincava. De repente notei alguém me observando e me virei depressa, pensando que fosse alguma das minhas irmãs. Mas era meu pai. Ele estava chorando e, quando perguntei o motivo, apenas balançou a cabeça, dizendo: "Sua voz. Seu jeito de cantar. É como ver sua mãe novamente..."

E então nunca mais cantei. Pelo menos não em público. Eu não queria ver meu pai triste, como ele sempre ficava ao se lembrar da minha mãe. Eu não queria que ele lembrasse nem por um segundo que por *minha causa* ela não estava mais ali...

Foi a partir daí que eu praticamente me mudei para dentro da piscina. Fazer o meu pai feliz era a minha prioridade, e desde cedo entendi que nada o alegrava mais do que a natação.

No começo foi fácil. Minhas irmãs também gostavam de nadar e, como nossa diferença de idade é pequena, era uma festa ir para o clube com elas! Mas à medida que foram crescendo, o interesse delas foi diminuindo... Assim, quando a Ágata, a mais velha, fez 15 anos e foi convidada para participar de uma peça musical da escola, tudo mudou. Ela ensaiava em casa e as minhas outras irmãs a ajudavam, lendo a fala das personagens que contracenavam com ela. Por ser muito nova, me colocavam como plateia, e tudo o que eu tinha que fazer era aplaudir. Até que um dia, minha avó veio nos visitar e dividiu comigo a função de bater palmas. Creio que ela tenha pensado que faria aquilo apenas para levantar o moral das netinhas, mas quando minhas irmãs começaram a entoar juntas as canções da peça, percebi que os olhos da vovó subitamente se encheram de lágrimas. Perguntei se estava triste, mas ela nem respondeu, continuou olhando fixamente para a frente e assim que a primeira música terminou, ela se levantou depressa, abraçou minhas irmãs e disse: "Meninas, vocês têm um dom magnífico e eu não vou deixar que o desperdicem! A partir de hoje serei a empresária de vocês. Quero que cada uma aprenda um instrumento musical e que também entrem na aula de canto. Em poucos anos, garanto que vocês serão a maior sensação da música jovem brasileira!"

Claro que ela perguntou se eu também gostava de cantar, mas mesmo com 7 anos eu já sabia que não poderia fazer aquilo sem que meu pai ficasse sabendo... E eu realmente não queria magoá-lo, fazendo com que ele se lembrasse da minha mãe. Então apenas balancei a cabeça e disse que preferia nadar. Foi aí que o meu destino foi selado. Troquei os palcos pelas piscinas, os holofotes pelas raias, as melodias pelos treinos e os perfumes pelo constante cheiro de cloro.

E o mais incrível é que por bastante tempo eu fui feliz assim...

Arielle Botrel praticamente confirmada nos Jogos Olímpicos

No último fim de semana aconteceu a primeira seletiva de natação para as Olimpíadas. A grande revelação da natação brasileira, Arielle Botrel, não decepcionou. Além de atingir o índice para os 100 metros livres, ela confirmou que não tem adversários nessa prova em âmbito nacional. Portanto, suas marcas significam praticamente a classificação.

Na próxima semana ela embarca para a Suíça junto com outros 15 atletas brasileiros, para participar do Grand Prix de Zurique, mais uma preparatória para os Jogos Olímpicos. Segundo o técnico de Arielle, Sebastião Silva, ela está em sua melhor forma e voltará com ainda mais medalhas na mala. Não temos a menor dúvida disso, afinal o Brasil já está pequeno para a nossa princesa das águas... Se depender da nossa torcida, ela dominará o mundo! ■

• *Capítulo 2* •

— Arielle, acho melhor a gente não fazer isso. Se seu pai descobrir que você não foi direto pra casa vai te deixar de castigo por mais tempo que da última vez...

Fingi que não ouvi o Lino e abri minha bolsa para pegar o meu estojo de maquiagem. Eu não tinha treino no dia seguinte, que por sinal era um domingo! Que mal havia em fingir que eu era uma adolescente normal de vez em quando? Era tão boa aquela sensação de poder me divertir sem preocupação...

Mais cedo eu tinha conseguido escapar alegando que iria jantar exatamente na casa do Lino, pois sua família queria comemorar a nossa classificação na primeira seletiva das Olimpíadas. Não era mentira, os pais dele realmente fizeram um jantar, mas nada diferente dos outros dias. Acontece que eu estava mesmo em clima de comemoração. Por isso, assim que serviram a sobremesa, agradeci por tudo e disse que precisava voltar pra casa. Só que é claro que o Lino desconfiou... Nove da noite era cedo até para mim! Então ele disse que iria me levar, mas assim que entramos no carro, começou:

— Qual manchete vamos ler amanhã no jornal, Arielle? Que a *princesa das águas* estava dando braçadas em alguma balada em vez de descansar para representar bem o país na Suíça? Tenho a impressão de que os repórteres iriam adorar, já o seu pai... não posso dizer o mesmo.

— Não enche, Lino — falei, abrindo a janela. — Não pedi companhia, você que ofereceu. E eu não te repreendo quando você chega atrasado no treino porque ficou vendo a Michelle jogar, muito pelo contrário...

Ele revirou os olhos e deu a partida no carro. Sorri pra mim mesma, sabendo que tinha escolhido o argumento certo. Já havia alguns meses que o Lino estava de olho em uma jogadora de vôlei do nosso clube. Acontece que o treino dela terminava exatamente no horário que o nosso começava. Então, por querer conversar com ela um pouco, o Lino sempre acabava se atrasando e cabia a mim inventar desculpas para o nosso técnico... Ou seja, meu amigo me devia bastante, se quer saber!

Revirei um pouco mais a bolsa e encontrei o disfarce que eu havia levado.

— Vou sair com uma loira dessa vez? — o Lino perguntou enquanto eu colocava uma peruca.

Apenas assenti, olhando meu reflexo no espelho retrovisor. Seria impossível alguém me reconhecer daquele jeito.

Eu tinha aprendido a lição da pior forma possível. Um dia depois de um torneio em que fui mal, um site publicou várias fotos minhas em uma festa, alegando que aquele havia sido o motivo do meu fracasso. Eu sabia perfeitamente que não tinha nada a ver, já que aquelas fotos haviam sido tiradas muito tempo antes. Tentei explicar, mas logo percebi que as pessoas acreditam em tudo que sai na internet, sem questionar. Por essa razão, fiquei vários meses sem tirar os pés de casa — a não ser para ir ao clube e à escola — e só saí novamente depois de comprar várias perucas, todas elas em tons e estilos bem diferentes do meu cabelo, que é ruivo e ondulado. Além disso, passei a sobrecarregar na maquiagem, para ficar bem diferente da Arielle esportiva e de cara limpa que todo mundo estava acostumado a ver.

— O que está rolando na cidade hoje? — perguntei, passando delineador.

— Me diga você... — ele respondeu, sem desviar os olhos da rua. — Estou só te acompanhando para que não faça nenhuma bobagem. O meu plano para essa noite era apenas um: Netflix.

— Como sempre... — Terminei de me maquiar e guardei o estojo na bolsa. — Acontece que eu não sou como você, que se contenta em ver o mundo pela televisão. Não quero assistir à narrativa de outras pessoas, e sim fazer a minha própria história!

Na verdade eu sabia que o Lino não era nada conformista, muito pelo contrário. E nem mesmo era dessas pessoas caseiras, que adoram ficar trancadas no quarto. Acontece que, ao contrário de mim, ele tinha permissão para sair sempre que tivesse vontade... Por isso, podia se dar ao luxo de escolher ficar em casa ou não. Já eu, não tinha opção. Precisava pegar a oportunidade quando ela aparecia.

Sem responder, ele apenas digitou uma mensagem no celular enquanto estávamos parados esperando o sinal abrir, e pouco depois me entregou o aparelho. Vi que o Fabrício, um dos melhores amigos do Lino, havia mandado uma resposta.

> Tá rolando uma festa aqui no bar do meu irmão. É só pra maior de idade, mas acho que consigo liberar a entrada da Arielle. Ela não vai beber, não é? Senão vai me complicar...

Sorri e devolvi o celular para ele.

— Segue pra lá!

— Você não vai beber, não é? — ele perguntou com um ar de desconfiança.

— Duas cervejas?

— De jeito nenhum!

— Uma?

— Acho que é melhor te levar de volta pra casa.

Ele ligou a seta para começar a fazer o retorno, mas eu segurei a mão dele.

— Cara, você anda muito sério! Está parecendo até o Sebastião! Estou brincando, é claro que não vou beber! Amanhã tenho que estudar pra prova de Geografia de segunda-feira e também arrumar a mala pra Suíça, esqueceu? Não conseguiria fazer isso de ressaca.

Claro que conseguiria... Mas se a condição para eu entrar naquela festa era não chegar perto de nada alcoólico, tudo bem, não ia fazer falta. Eu estava tão animada para ver outras pessoas... Havia meses não colocava os pés na rua! Minha vida era apenas escola... treino... casa.

Abri a janela para sentir o ar da noite no meu rosto, aumentei o som do rádio e fiquei cantando alto, até chegarmos ao local da festa. De cara eu vi que estava lotado, pois a frente do bar estava intransitável! Mas por sorte logo encontramos o Fabrício, que fez sinal para que entrássemos pela porta de serviço.

O Fabrício cumprimentou o Lino e em seguida se virou pra mim:

— Meu irmão está gripado, por isso estou tomando conta do bar pra ele hoje. Mas se imaginar que eu te deixei entrar, ele me mata! E eu realmente não estou a fim de morrer agora, estou adorando me sentir meio dono do local...

Agradeci pelo favor, dei um abraço nele e disse que ia me misturar rápido com a multidão para que ninguém me notasse. Comecei a me distanciar, mas o Lino segurou meu braço.

— Não suma e não faça bobagem! Vou ficar ajudando o Fabrício aqui, qualquer problema me liga ou manda uma mensagem!

— Tá bom, *pai*! — brinquei. — Quando foi que eu fiz alguma bobagem?

— Quer que eu faça uma lista? Que tal aquela vez em que você saiu de casa para assistir ao ensaio das suas irmãs, mas no meio do caminho foi parar *sem querer* em um bloco de carnaval? Quando suas irmãs voltaram e seu pai descobriu que você nunca havia estado com elas, só faltou morrer, ligou pra polícia, foi aos prontos-socorros...

— Puro exagero dele! Minha intenção era mesmo ir ao ensaio, mas quando estava chegando vi toda aquela gente e resolvi participar um pouquinho. Eu nunca tinha visto nada tão animado e pessoas tão diferentes...

— E não podia ter avisado? — o Lino indagou. — E aquele dia em que você tinha prova na escola e acabou perdendo a hora por ter saído escondida e voltado pra casa praticamente de manhã? Você alegou pro seu pai que estava doente, mas, assim que ligou o computador, ele viu a matéria que aquele site de fofocas tinha postado, com você dançando no meio de vários garotos e com um copo de bebida na mão...

— Já falei que era *guaraná*! E você está estragando a minha noite com essas lembranças chatas! — Suspirei. — Além do mais, é exatamente por isso que eu estou disfarçada!

— Um belo disfarce, aliás — o Fabrício, que eu nem tinha percebido que estava escutando a nossa conversa, opinou. — Você ficou muito bem de cabelos loiros. Só não falo pra você tingir porque você já é linda naturalmente ruiva.

O Lino começou a rir e deu um soco de brincadeira no ombro do amigo.

— Tá dando em cima da Arielle? Cadê sua namorada?

— Longa história — o Fabrício disse, revirando os olhos e apontando para o telefone, que naquele exato momento tinha começado a tocar. Ele se afastou para atender, e o Lino então me pegou pelos ombros, fazendo com que eu olhasse diretamente pra ele.

— Ári, você é como se fosse minha irmã, e é exatamente por isso que eu me preocupo... Eu sei perfeitamente que é complicado ter 16 anos e ser obrigada a viver cheia de regras e com tanta disciplina. Mas isso tudo foi escolha sua. Se não quiser mais nadar, fale pro seu pai, ele vai ter que entender... Nenhuma das suas irmãs enfrentou problemas por não ter seguido a profissão dele. Ele nunca me pareceu decepcionado com nenhuma delas...

Balancei a cabeça, suspirando. O Lino não entendia nada... Se o meu pai não estava decepcionado com elas era exatamente porque tinha em quem canalizar suas expectativas. Ele já havia falado várias vezes o quanto se sentia realizado por eu seguir os passos dele e o quanto me ver nadar o fazia feliz... E na verdade eu gostava da natação, eu me sentia completa dentro da piscina. Mas não podia ter aquilo e também uma vida "meio" normal? Eu só queria poder sair de vez em quando, como eu estava fazendo ali. Ver lugares diferentes, conhecer pessoas novas. E talvez até... encontrar um amor. Todas as minhas irmãs já haviam namorado ao menos uma vez. Mas eu? Poderia contar nos dedos de uma das mãos quantos caras tinha beijado! Que vida era essa?!

— Vá curtir sua noite, mas, por favor, seja responsável. Lembre-se de que seu pai acha que você está na minha casa. Se voltar muito tarde, ele vai desconfiar que estava em outro lugar e, pior, vai perceber que eu ajudei! E aí eu nunca mais vou poder ser cúmplice das suas fugas...

— Não vou demorar! — Dei um beijo no rosto dele e fui rápido para o meio da pista. Eu sabia que ele estava certo, a gente não poderia ficar muito tempo. Mas algo me dizia que, mesmo que durasse pouco, aquela seria uma noite inesquecível...

• *Capítulo 3* •

Logo percebi que estavam tocando músicas muito animadas, um mix de antigas com atuais e, como ninguém conseguia parar de dançar, concluí que aquele DJ era muito bom. Resolvi ir até ele e pedir uma das minhas preferidas. Nas poucas vezes que conseguia sair, eu adorava fazer isso, solicitar alguma canção para os DJs. Quando eles podiam atender e a música começava a tocar, eu sempre me sentia muito especial de saber que aquela melodia era especialmente para mim!

Porém, ao chegar à cabine de som, não encontrei nenhum DJ lá, só uma garota, mais ou menos da minha idade, com fones de ouvido e dançando ainda mais animada que as pessoas da festa. Provavelmente o DJ havia ido ao banheiro e ela estava tomando conta.

Assim que me viu, a menina retirou os fones, sorriu e perguntou se podia me ajudar.

— Hum... Eu queria falar com o DJ, vim cumprimentá-lo pela ótima seleção musical! E também queria perguntar se ele podia tocar uma música pra mim...

— Qual música? — ela perguntou.

Olhei para a bancada onde estava a mesa de som, para ver se tinha algum caderno onde ela iria anotar para mostrar pro

DJ quando ele voltasse, mas só tinha uma playlist feita no computador, sem nenhuma caneta por perto. Como ela continuava me olhando com um ar inquiridor, falei, depressa:

— "The Sweet Escape", da Gwen Stefani.

Ela ergueu as sobrancelhas e sorriu. Em seguida recolocou o fone e começou a mexer na mesa de som. Poucos segundos depois ouvi a minha música ecoando pelo ar.

— Ei, você é a DJ?! — perguntei, admirada.

Ela sorriu ainda mais, estendeu a mão e falou:

— DJ Cinderela, ao seu dispor! Adoro essa música, seu gosto musical deve ser ótimo!

Aquele nome começou a apitar na minha cabeça. DJ Cinderela? Onde eu havia escutado aquilo? Um segundo depois, uma garota de óculos toda ofegante chegou perto dela e falou:

— Cintia, o Fredy acabou de me telefonar pedindo pra te avisar que está aqui. Mas disse também que alguns repórteres descobriram que ele vinha pra cá hoje e soltaram uma nota na internet. Por isso está lotado de fãs lá fora e também de fotógrafos. Ele estacionou na rua de cima, mas como não trouxe nenhum disfarce e está sem segurança, acha que não vai conseguir entrar...

De repente tudo se encaixou e eu entendi por que aquele nome era familiar... Aquela garota era a tal namorada DJ do Fredy Prince, o cantor mais famoso dos últimos tempos... Minhas irmãs o conheciam e inclusive já tinham feito uma participação em um show dele. Certamente elas teriam reconhecido aquela DJ no primeiro instante. Mas como a minha vida social era nula, demorei para ligar os fatos.

— Que raiva desses repórteres! — a DJ Cinderela, que, pelo que ouvi, na verdade se chamava Cintia, respondeu para a outra garota. — Se ao menos eu pudesse sair daqui por um tempo... Mas bem hoje o Rafa está doente, quem está tomando conta do bar é o irmão dele, que não entende nada de mixagem! E, além disso, se eu passar por aquela porta, é claro que esses urubus vão me seguir até o carro do Fredy! Por causa da gravação do álbum novo, ele chegou de viagem agora há pouco e já viaja amanhã cedo de novo. Estou com tanta saudade, queria pelo menos dar um beijo nele, é nosso aniversário de namoro...

— Tenho uma ideia... — falei, em um impulso, o que fez com que as duas me olhassem, surpresas, acho que tinham até se esquecido da minha presença. Fiquei meio constrangida, mas continuei a falar, olhando para a DJ. — Eu tenho um disfarce pra te emprestar... Aí você pode passar pelos repórteres sem ser reconhecida e ir até onde ele estacionou. Enquanto isso, se quiser, posso ficar aqui controlando o som. Na verdade eu não sei mixar nem nada, mas você pode me explicar pelo menos o que tenho que fazer pra trocar de música, acho que consigo fazer isso.

— Um disfarce? — A outra menina me olhou, meio desconfiada.

Eu me virei para os dois lados, constatei que as pessoas estavam muito mais interessadas em dançar do que na nossa conversa e então levantei um pouco a peruca, revelando meu cabelo verdadeiro.

— Caramba, eu poderia jurar que você era loira mesmo! Que peruca perfeita! — a Cintia falou, admirada.

— Acha que vão te reconhecer se estiver usando? — perguntei. — Apesar do seu cabelo ser castanho-claro, quase loiro, ele é bem mais comprido e inteiro, ao contrário da peruca, que tem franja...

Ela pensou um pouco e falou:

— Acho que vale a pena arriscar. Se me reconhecerem eu volto pra cá depressa. De qualquer forma não vou demorar, só quero mesmo ver meu namorado um pouquinho... Já tem mais de uma semana que a gente não se encontra! E, quanto ao som, não precisa se preocupar, a Belinha deve conseguir tomar conta pra mim por uns minutos. Tem tantos dias que ela está me vigiando que já deve ter até aprendido a mixar!

— Belinha? — perguntei, olhando para a outra garota, que não havia se apresentado ainda, mas só podia ser a própria.

— Muito prazer! — ela disse, sorrindo. — Quero dizer, meu nome real é Anabela. Mas prefiro ser chamada de Belinha. Eu estou fazendo uma pesquisa para o meu blog, vou fazer uma postagem sobre o trabalho de DJ, e por isso tenho acompanhado a Cintia. Você pode mesmo emprestar a sua peruca pra ela?

Eu assenti e comecei a tirá-la devagar. Minha intenção era fazer um rabo de cavalo e permanecer naquele canto escuro do bar até a DJ voltar, para não correr o risco de ser reconhecida. Porém, assim que meu cabelo caiu sobre os meus ombros, a Belinha ergueu as sobrancelhas e praticamente gritou:

— Você é aquela nadadora que aparece na internet todo dia! Arielle, né?

Pensei em por a peruca novamente, mas não ia adiantar nada, ela já tinha me descoberto, por isso apenas coloquei o dedo na boca e fiz:

— Shhhh!

A Belinha pediu desculpas no mesmo instante e perguntou, olhando em volta:

— Você está se escondendo de alguém?

Eu suspirei, negando com a cabeça, mas olhei para a DJ Cinderela e expliquei:

— Não estou me escondendo de uma pessoa só e sim de *várias*. Os repórteres também não me dão folga. — Depois, me virei para a Belinha e completei: — É por isso que você me vê na internet todo dia...

Pela expressão delas, vi que entenderam perfeitamente o meu dilema, então a Cintia falou:

— Venha pra dentro da cabine, tem uma cadeira aqui. Se ficar sentada ninguém vai te ver. Eu prometo que não vou demorar, em pouco tempo vou estar de volta com seu disfarce.

Eu aceitei a oferta e a ajudei a colocar a peruca. Em seguida ela deu umas instruções sobre o som para a Belinha e foi depressa em direção à entrada.

Sentei na cadeira para esperar e constatei que de fato ninguém me veria ali dentro. Mas eu também não veria ninguém... Típico da minha vida. Quando eu conseguia escapar, algo acontecia para atrapalhar. Mas, enfim, eu me solidarizava com o problema da Cintia, ou melhor, do namorado dela, que na verdade era muito maior que o meu... Se como atleta eu já sofria aquele assédio todo da imprensa, imagina um pop-star?

Suspirei e fiquei prestando atenção na Belinha, que começou a mexer na mesa de som. Ela fazia aquilo com facilidade, devia mesmo ter passado bastante tempo vendo a Cintia trabalhar. Porém, depois de colocar uma música, ela se virou pra mim e perguntou:

— Você veio sozinha?

Fiz que não com a cabeça, enquanto lembrava que, se o Lino me procurasse, dificilmente me encontraria. Eu só esperava que a Cintia realmente não demorasse, senão eu precisaria sair dali sem disfarce nenhum.

— Vim com um amigo — respondi.

— Namorado? — ela indagou em seguida.

— Não tenho namorado! — retruquei, me perguntando qual parte da palavra *amigo* ela não tinha entendido.

— Ah... — Ela olhou pra baixo, parecendo um pouco decepcionada. — É que todo famoso fala que é apenas amizade, quando na verdade é namoro.

Pensei um pouco. Ela não deixava de ter razão... Mas havia algumas exceções.

— A Cintia e o Fredy Prince não falam que são só amigos... — observei. — Sempre vejo os dois juntos superagarrados nas revistas.

— Ah, mas isso é agora que eles já namoram há um tempo! — ela explicou. — Eles ficaram meses tentando fazer com que as pessoas acreditassem que era só amizade. Até que eu percebi que não era nada disso, por causa de uma entrevista que fiz com ele em que ela estava junto... Ficou muito na cara que eles estavam apaixonados! Então eu coloquei essa informação no meu blog e aí já era. Todo mundo leu e eles acabaram admitindo... Eu ganhei milhares de seguidores depois disso!

Ela falou aquilo toda orgulhosa do seu "furo de reportagem", mas de repente eu gelei. Se o blog dela era tão conhecido como estava dizendo e se ela era tão abelhuda como parecia, eu estava perdida!

— Hum, Belinha, você poderia, por favor, não colocar nesse seu blog que me viu aqui?

Pela expressão que fez, percebi na hora que eu havia cometido um erro. Pelo visto ela nem estava pensando naquilo, mas agora eu havia plantado a ideia...

Subitamente ela franziu as sobrancelhas, parecendo meio ofendida, e falou:

— Você deve estar me achando a maior fofoqueira, né? Pois saiba que eu não sou um desses *paparazzi* que faz qualquer coisa por uma notícia! Inclusive, meu blog era apenas literário. Depois do sucesso das entrevistas que fiz com o Fredy é que eu notei que seria interessante variar. Por isso comecei a buscar outros temas, como essa matéria sobre a profissão de DJ que estou fazendo com a Cintia. Mas o blog não tem nada de sensacionalista, é puro entretenimento e informação!

— Claro, deve ser ótimo, vou até anotar o endereço para visitar quando chegar em casa... — falei, depressa, tentando agradá-la. E, um pouco depois, acrescentei, timidamente: — Posso contar com você então?

Ela pensou um pouco e aí falou:

— Com uma condição...

— Qual? — perguntei, apreensiva.

— Quero fazer uma entrevista com você. Eu tenho também um canal no YouTube e nunca entrevistei uma nadadora! Você é famosa, cheia de medalhas, linda... Tenho certeza de que meu canal vai bombar mais ainda se eu te entrevistar!

Eu estava pensando em um jeito delicado de recusar, pois meu pai e meu técnico não iriam gostar nadinha dessa história de uma entrevista não oficial, ainda mais tão perto das Olimpíadas. Mas ela pareceu tão sincera ao me elogiar e tão ansiosa para que eu aceitasse...

— Por favor... — ela falou, fechando as mãos na frente do peito, como se estivesse rezando para eu concordar.

Eu estava a ponto de dizer sim, quando a Cintia apareceu sem peruca, com o cabelo natural todo atrapalhado, e as bochechas completamente vermelhas. Eu estava me perguntando onde ela tinha guardado o meu disfarce, quando duas coisas aconteceram quase simultaneamente. Primeiro percebi dois fotógrafos se aproximando. Em seguida, logo atrás deles, vi o Lino fazendo sinal para eu sair depressa dali.

— Aqueles fotógrafos vieram atrás de mim, pois estão pensando que o Fredy está aqui dentro! — a Cintia explicou, aflita. — Duas fãs me reconheceram assim que passei pela porta do bar e ameaçaram me bater, dizendo que eu roubei o amor da vida delas! Entrei correndo de volta, mas elas conseguiram arrancar a sua peruca... Desculpa, eu vou te dar outra!

— Não se preocupe... — falei, saindo da cabine, disposta a correr em direção ao Lino, para que pudéssemos ir embora antes que os fotógrafos me vissem.

— Espera, Arielle, e a entrevista? — a Belinha gritou, assim que eu comecei a me misturar na multidão. Ao ouvirem aquelas palavras, notei que os fotógrafos me olharam e então me aproximei rápido do Lino, que imediatamente me puxou pela mão, para que saíssemos dali. Foi quando alguns flashes dispararam na minha cara. E eu percebi que estava encrencada. Mais uma vez...

Namoro nas águas

Será que a princesa das águas arrumou um príncipe? É o que parece. A nadadora Arielle Botrel foi vista saindo de uma casa noturna na noite passada de mãos dadas com Lino Lemos, seu colega de equipe e também classificado para as Olimpíadas. Os dois se recusaram a comentar sobre o possível "affair", mas segundo o treinador de ambos, Sebastião Silva, Arielle e Lino são apenas colegas. Ele ainda disse que nesse momento os dois estão plenamente focados nos treinos para os Jogos Olímpicos e, por isso, sem tempo para nenhum relacionamento amoroso.

Tendo em vista a animação do local onde foram vistos ontem, não parece que o foco deles nesse momento seja unicamente o esporte... O que indica que Sebastião está desinformado ou apenas quis encobrir o romance de seus atletas.

Só esperamos que aquele ditado que afirma que "sorte no amor, azar no jogo" não seja verdadeiro. Afinal, esperamos que os dois ganhem muitas medalhas para o nosso país! ■

• *Capítulo 4* •

— Arielle, será que eu vou ter que te amarrar dentro de casa, filha?! Quantas vezes já te falei que se quiser vencer no mundo do esporte é preciso ter disciplina? Você acha que os verdadeiros campeões levam uma vida desregrada?

Antes que eu pudesse responder ao meu pai, o meu treinador — que também estava lá e não parava de balançar freneticamente o jornal — falou:

— E não é só isso! Tem a sua imagem também! As pessoas vinculam os atletas à vida saudável, se espelham em vocês como exemplos de superação, perseverança e garra! Se de repente começarem a te ver como uma festeira, uma namoradeira, vão deixar de acreditar na sua vitória, deixar de ter empatia e parar de torcer por você! Sabe o que isso significa, Arielle?! Perda de patrocínio! E sem patrocínio, adeus treinos nas melhores piscinas, adeus competições internacionais, adeus *princesa das águas*!

Ele jogou o jornal na minha cama, onde eu estava tendo um lindo sonho antes de me acordarem aos berros, e então finalmente pude entender o motivo da bronca. Na primeira página da seção de esportes havia uma foto da noite anterior, mostrando eu e o Lino de mãos dadas, junto com uma manchete mentirosa. Então era isso... O que me surpreendia era que o Lino também não estivesse ali com eles, gritando, afinal, pelo que eu estava lendo, a reputação dele também estava em risco, para não falar na paquera com a menina do vôlei...

— Isso tudo é uma grande calúnia — falei, me levantando, enquanto amassava o jornal e jogava em um canto do quarto. — Vocês sabem muito bem que eu e o Lino somos praticamente irmãos! E o bar que a gente foi nem estava muito cheio, quero dizer, só a entrada, porque rolou um boato de que um pop-star estaria lá e...

— Arielle, você não entende? — meu pai me interrompeu. — O problema não é o bar e sim você ter saído enquanto deveria estar em casa tendo uma boa noite de sono para guardar energias para a competição na Suíça e, especialmente, para as Olimpíadas! Você acha que alguma das suas concorrentes tem ido para *noitadas*?! Aposto que todas elas estão dormindo ao pôr do sol e acordando praticamente de madrugada para treinar!

Eu duvidava muito, considerando a quantidade de festinhas que aconteciam nos quartos de hotéis dos meus colegas, quando nos hospedávamos durante as eliminatórias. Mas é claro que, como os repórteres não ficavam no pé deles, ninguém tomava conhecimento disso...

— Pai, ainda faltam mais de três meses para as Olimpíadas, até lá todo mundo já esqueceu. E eu não fiz de propósito, só queria comemorar um pouquinho, que é o que garotas da minha idade fazem quando ficam muito felizes por algum motivo!

— Sim, e foi exatamente por isso que eu concordei de você ir jantar na casa do Lino, que é o que você me disse que faria! Ou seja, além de tudo, agora está inventando mentiras!

— Além de *tudo* o quê? — comecei a ficar nervosa de verdade. — Eu estou cansada, pai! E, ao contrário do que vocês pensam, não é por não dormir direito! O meu cansaço é por não ter fins de semana, por precisar viver todos os dias como se o mundo fosse acabar amanhã e eu não pudesse cometer uma única falha! Estou exausta das cobranças de vocês, do público, dos patrocinadores, dos repórteres... Estou farta de não poder errar, de não poder ser uma garota normal, de não poder *viver*!

Eu me deitei novamente, caindo no choro, o que fez com que o meu pai e o meu técnico ficassem atônitos. Chorar não era algo que eu fazia com frequência, mas estava esgotada àquele ponto.

Talvez por causa dos gritos, minhas cinco irmãs adentraram o quarto, assustadas. Só assim mesmo para elas acordarem antes das dez... Aliás, isso era outra coisa que eu invejava na vida delas. Por causa dos shows, elas dormiam sempre muito tarde e acordavam na hora que bem entendessem. Muito diferente de mim, que na maioria dos dias já estava dentro da piscina às seis e meia da manhã... Bom, pelo menos por esse motivo eu tinha um quarto só meu, pois elas não queriam que o meu despertador as acordasse também.

— Deem bons conselhos para a sua irmã, ela está precisando — meu pai falou, depressa, e saiu, parecendo aliviado por não ter que lidar com as minhas lágrimas. O Sebastião foi logo atrás, mas antes de fechar a porta, ainda me lançou um último olhar de repreensão.

— O que houve, Ári? — a Aléxia se sentou correndo na minha cama e começou a acariciar o meu cabelo. As outras seguiram o exemplo dela e em poucos segundos fiquei até sem ar, pois elas me rodearam, cada uma querendo me consolar mais do que a outra.

— O de sempre... — falei, depois de me acalmar um pouco. — Saí escondida, o papai descobriu por causa de uma notícia sensacionalista e o Sebastião acha que minha carreira está completamente comprometida por causa disso.

— O que inventaram dessa vez? — a Ágata perguntou, passando um lencinho molhado pelo meu rosto.

Olhei para a Alice antes de responder:

— Saiu no jornal que eu e o Lino somos um casal — Ela colocou a mão na boca, meio horrorizada, enquanto as outras riam. — Não se preocupe, nós não somos! Você sabe perfeitamente que eu sempre o considerei um irmão por conhecê-lo desde pequena! Ele já era meu amigo antes de vocês namorarem!

— Eu fiquei com ele por três semanas quando tinha 13 anos! — a Alice negou com a cabeça. — Nunca considerei isso um namoro! Pode beijá-lo à vontade se quiser!

A Aléxia e a Ágata começaram a dizer que ela ainda era apaixonada pelo Lino enquanto a Alana e a Amanda retrucavam que ela nunca tinha gostado dele de fato, mas, enquanto elas brigavam, comecei a pensar em como seria bom se o meu maior problema fosse discutir a minha paixão (ou a falta dela) por um garoto.

Dei um suspiro e então elas pareceram se lembrar do meu dilema.

— Tenho uma ideia! Por que você não faz um comunicado no Facebook ou no Twitter falando que é tudo mentira? — a Aléxia, que era louca por tecnologia, opinou.

Balancei a cabeça, descartando a sugestão.

— Não quero chamar mais atenção para essa história, e na verdade o maior problema nem é esse namoro inventado...

— Não? — as cinco perguntaram praticamente juntas.

Deitei novamente na cama, abraçando um travesseiro e olhando para o teto.

— Não. Eu poderia enumerar pelo menos outros dez problemas maiores que esse. A começar com o fato de não poder ter um namorado real, já que o papai e o Sebastião certamente surtariam com essa "distração". Mas mesmo que eles não ligassem, onde eu poderia conhecer alguém, já que minha vida é apenas escola e natação? O mais irônico é que eu só tenho 16 anos e já viajei para mais países que a maioria das pessoas da minha idade, mas vocês pensam que foi bom?

Eu me sentei novamente, abri a gaveta do meu criado-mudo e peguei os postais dos países onde já tinha ido para competir. Eu havia participado de torneios na Inglaterra, nos Estados Unidos, no México, na Argentina e no Chile.

— A cada uma dessas viagens — continuei a falar —, tive que me contentar em conhecer as cidades olhando pela janela dos táxis no trajeto do aeroporto para o hotel. Além de ser sempre muito corrido, o Sebastião mal permite que eu saia do quarto, alegando que eu preciso descansar e focar na próxima competição! Então é isso que me resta, conhecer tudo por cartões-postais!

Enquanto elas olhavam os postais, me lembrei de cada uma daquelas viagens. Tudo que eu mais queria era conhecer os lugares, sem pressa... Eu queria ver as pessoas, entender os costumes, andar pelas ruas, comparar um local com o outro. Mas, em vez disso, tudo que conhecia eram hotéis e mais hotéis! Eu só queria pelo menos por alguns dias fazer parte de outro mundo, diferente do meu.

— Arielle, você está certa — a Alice falou, de repente. — Mas só cabe a si mesma mudar isso. Pensa que no começo também não queriam que a gente ficasse em reclusão para "descansar a voz"? Pois era exatamente isso que a vovó e os produtores gostariam que fizéssemos. Mas a gente nem ligou, senão cantar, algo que sempre fazemos por prazer, se tornaria apenas um trabalho chato!

Olhei para ela com mais atenção. Eu nunca poderia imaginar que minhas irmãs tivessem problemas parecidos com os meus. Aliás, que tivessem qualquer tipo de problema! A vida das cinco parecia tão glamorosa... Mas agora, ouvindo a experiência delas, eu podia perceber que estava passando pela mesma coisa. A natação, que costumava ser o que eu mais gostava de fazer na vida, estava se tornando uma obrigação maçante.

— Mas para que continuassem confiando na gente, tivemos que provar que poderíamos nos divertir sem que isso afetasse a nossa performance — a Amanda explicou.

— Sim, nunca deixamos de ter responsabilidade — a Alana tomou a palavra.

— Sabemos o que podemos ou não fazer, a banda vem sempre em primeiro lugar e só depois colocamos os interesses particulares de cada uma de nós — a Ágata completou. — Aos poucos eles entenderam que somos capazes de nos cuidar, que não vamos fazer nenhuma bobagem.

— Vá mostrando isso aos poucos para o papai e para o Sebastião. Quando não tiver nenhuma obrigação no dia seguinte, continue se divertindo, como você fez ontem. Mas, claro, não faça nada que possibilite que os jornais inventem algo a seu respeito — a Aléxia acrescentou. —Aliás, quer um conselho? Se avistar algum repórter, não fuja! Vá até ele e se mostre disponível para entrevistas. Você vai ver que vão te deixar em paz bem depressa. Já aprendemos isso também... Eles só querem o que não podem ter.

— Tenho certeza de que, se fizer assim, aos poucos você vai conseguir provar pro papai e pro Sebastião que não precisa viver enclausurada para ser uma campeã.

Claro, é melhor conversar com eles antes, explicar como se sente, que quer ter uma vida além das piscinas. Porém, caso continuem irredutíveis, quebre as regras! Mas com responsabilidade... — a Amanda finalizou, dando uma piscadinha.

Balancei a cabeça afirmativamente e sorri para elas, me sentindo bem mais leve. A Alice então bateu palmas e falou:

— Já que acordamos tão cedo, que tal fazermos algo bem legal, como panquecas com leite condensado para o café da manhã?

As outras aplaudiram, mas eu respirei fundo e disse:

— Quebrar as regras com *responsabilidade*, lembram? Não posso correr o risco de engordar em plena semana de competição internacional! E, além de tudo, tenho que arrumar a bagagem, viajo em três dias e não vou ter tempo durante a semana, por causa das provas na escola...

Elas olharam umas para as outras e então, enquanto a Ágata pegava uma mala em cima do meu armário, a Alice saiu correndo e pouco depois voltou com uma bandeja com vários potinhos de salada de frutas, que entregou para cada uma de nós. Todas se sentaram na minha cama e nós ficamos comendo, rindo e conversando, até que não sobrou nenhuma fruta nos potes.

E também nada pra colocar na mala...

Mais uma medalha para a princesa

Arielle Botrel continua honrando o título de princesa das águas. Ela acaba de ganhar o primeiro lugar nos 100 metros rasos feminino no Grand Prix da Suíça, a última competição preparatória antes das Olimpíadas. Seu namorado e colega de clube, Lino Lemos, conseguiu o segundo melhor tempo das eliminatórias nos 200 metros borboleta masculino.

Os outros atletas brasileiros também conseguiram boas marcas, o que mostra que podemos esperar um grande desempenho da equipe nas Olimpíadas, daqui a três meses! Sim, começou a contagem regressiva... Agora só faltam noventa dias. Prepare seu coração e a voz, para torcer e vibrar muito pelo nosso país! ■

• Capítulo 5 •

Saí da piscina e, tremendo, me enrolei na toalha que o Sebastião estendia para mim. Meu problema nunca havia sido entrar na água, mas sim sair... E ali, com a temperatura marcando 3 graus, eu realmente gostaria de ficar dentro daquela piscina aquecida para sempre! Se em plena primavera o tempo já estava assim na Suíça, eu nem queria imaginar como seria nadar ali no inverno...

Procurei o Lino, para dar parabéns pela ótima colocação, mas ele não estava por perto. Meu amigo vinha me evitando desde que a primeira notícia sobre o nosso suposto namoro havia sido publicada. Ele sabia que a culpa não era minha, afinal aquela história não tinha o menor fundamento, inclusive havia sido ele quem tinha pegado na minha mão para me levar embora depressa daquele bar. Mas eu entendia sua atitude. Ele com certeza não queria dar margem para que mais histórias fossem inventadas.

Porém, sem ele por perto, aquela viagem estava muito solitária. Nos torneios internacionais passados, por mais que eu não pusesse os pés para fora do hotel, era bom saber que o Lino estava na mesma situação que eu. Nós sempre fazíamos as refeições juntos, conversávamos após as provas, sentávamos lado a lado no avião... Agora era apenas eu.

Por isso, já no vestiário, quando três brasileiras da minha cidade — que eu sabia que faziam parte da equipe de nado sincronizado de outro clube — vieram falar comigo, fiquei feliz e aliviada por finalmente ter com quem conversar.

— Parabéns pelo 1º lugar, Arielle — uma delas, que eu sabia que se chamava Sula, me cumprimentou. As outras fizeram o mesmo e eu também as parabenizei. Naquele dia elas não tinham ido muito bem, mas já haviam sido classificadas para as Olimpíadas na seletiva anterior. Elas nadavam juntas fazendo coreografias, o que pela TV parecia simples... Mas uma vez fui tentar acompanhá-las e senti na pele a dificuldade! Era preciso muito ritmo, concentração e sintonia entre elas para fazer todos aqueles movimentos complexos e as acrobacias sem atrasar nem um segundo sequer! — O Lino foi muito bem também. Aliás, parabéns pelo namoro, eu não estava sabendo, pensei que vocês fossem só amigos... Ele é o maior gato, sorte sua!

Pelo amor de Deus. Será que eu ia ter que passar o resto da vida explicando para as pessoas que aquilo era apenas um boato? Pelo visto, sim...

— Olha, foi um repórter que inventou isso, não tem nada a ver. Nós realmente somos só amigos, nos conhecemos na infância, o meu pai é amigo do dele. Inclusive o Lino até já namorou uma das minhas irmãs e atualmente está interessado em outra pessoa. Eu o considero um irmão e tenho certeza de que ele pensa o mesmo de mim...

Elas ficaram olhando, meio desconfiadas, mas então a Sula falou:

— Se você diz... Bom, já que está solteira, vai à festa da equipe da Suíça hoje à noite? Ficamos sabendo que aqueles nadadores maravilhosos da Itália todos vão estar lá!

— Que festa é essa? — perguntei, sem ter a menor ideia do que ela estava falando.

— Como você não está sabendo disso? — Elas me olharam como se fosse um crime não ter conhecimento daquele fato. — A equipe de nado da Suíça vai fazer uma festa pra comemorar o encerramento do torneio. Todos os atletas estão convidados, vai ser na casa de um dos patrocinadores do evento, dizem que ele é muito rico, que só é amigo de gente famosa e mora em uma mansão! Eu não perco por nada...

Fiquei olhando pra Sula sem saber o que dizer. Claro que eu também queria ir. Porém, era óbvio que o Sebastião não concordaria com aquilo, minha última escapada ainda estava muito recente e, para completar, nosso voo de volta pro Brasil seria logo na manhã seguinte...

— Olha, aqui está o endereço — ela me estendeu um papel com todos os dados da tal festa. — Se animar, a gente deve aparecer lá por volta das oito da noite. Fala pro seu... *amigo* ir também. Fiquei feliz de saber que ele está desimpedido.

Ela deu uma piscadinha, e em seguida saíram do vestiário, conversando sobre outros assuntos.

Fiquei olhando para aquele papel um tempo e então guardei na mochila. Entretanto, a ideia de ir àquela festa não saiu da minha cabeça. Quando eu teria outra oportunidade dessa? Ir a uma comemoração na Suíça, com atletas do mundo inteiro? Provavelmente nunca mais!

Por isso, já na volta para o hotel, resolvi tocar no assunto com o Sebastião. Além dele, apenas o Lino estava no táxi.

— Aquelas meninas do nado sincronizado me falaram que vai ter uma festa hoje à noite, vocês estão sabendo?

O Lino continuou mexendo no celular, o que eu sabia que era apenas uma desculpa para não ter que conversar comigo, já que o chip internacional que nós havíamos recebido da organização do evento não tinha internet, servia apenas para telefonar em caso de emergência. Já o Sebastião apenas respirou fundo e revirou os olhos, como se aquilo encerrasse o assunto.

— Será que a gente pode dar uma passada lá, só mesmo pra socializar um pouquinho com o pessoal dos outros países? — insisti.

Ainda sem tirar os olhos do telefone, o Lino falou:

— Não, obrigado. Peguei um resfriado por causa desse frio todo e preciso dormir cedo para me recuperar. Não posso me dar ao luxo de ficar doente a poucos meses das Olimpíadas.

O Sebastião levantou uma sobrancelha, olhando pra mim, e falou:

— Devia aprender a ser responsável com o seu *namorado*, Arielle... — Em seguida ele riu, como se tivesse acabado de contar uma ótima piada, mas aquele comentário só fez com que o Lino fechasse mais a cara e até chegasse um pouco para o lado, como se a simples possibilidade de ter um relacionamento amoroso comigo fosse repugnante. Ao ver que ninguém tinha achado graça, o Sebastião continuou: — Agora sério: você não sabe até hoje que essas festas são apenas uma forma de espionagem industrial? As pessoas se aproximam, perguntam da sua técnica de nado, dos seus tempos em cada modalidade... E, claro, tudo regado a muita bebida alcoólica! Já vi isso várias vezes. Atletas que sem perceber entregam a estratégia toda para o adversário.

— É preciso ser muito sonso pra fazer uma coisa dessas! — falei, indignada. — Eu não tenho a menor intenção de beber, só queria mesmo conhecer pessoas diferentes e visitar algum lugar de Zurique que não fosse o hotel... Que mal tem isso? Se vocês não estão interessados, será que eu posso ir sozinha de táxi então? Prometo que não vou demorar e até levo o telefone para avisar caso aconteça algum imprevisto...

— Arielle, chega! Poucos dias atrás você inventou de ir a uma festa e todos nós sabemos no que deu! Pensei que eu e o seu pai houvéssemos deixado bem claro em nossa última conversa que isso não é bom para a sua imagem... Pode gritar, pode chorar, mas você está sob a minha responsabilidade. E exatamente por isso eu digo pra tirar essa ideia da cabeça! Você e o Lino ficarão no hotel até amanhã cedo quando iremos para o aeroporto. Não é apenas a sua reputação que está em jogo, mas a minha também.

Ele não falou mais nada até chegarmos, quando apenas explicou que era para pedirmos o jantar em nossos quartos e nos encontrarmos com ele na manhã seguinte para tomarmos o café da manhã às 6h no saguão.

Entrei revoltada no elevador. Mais uma vez eu estava em um país diferente e tinha que conhecê-lo através da janela. Eu não tinha pedido para ir a uma *rave* ou a uma boate, queria apenas dar uma passadinha em uma festa cheia de pessoas como eu, atletas, que com certeza também estavam preocupados com os Jogos Olímpicos e por isso mesmo ninguém exageraria ou faria algo de mais...

Me joguei na cama e coloquei o fone de ouvido, para ver se escutando músicas eu conseguia me acalmar um pouco. Porém, a primeira que tocou foi uma das Mermaid Sisters. Era uma das minhas preferidas da banda e o refrão dela dizia:

"Nunca é tarde para se conhecer
Nunca é cedo para te conhecer
Atrás do pôr do sol se esconde uma nova vida
Só pra mim e pra você..."

Olhei para o teto, pensando naquelas palavras. Será que eu me conhecia o suficiente? Como sabia quem eu era de verdade se a vida inteira fui criada praticamente em um aquário, sem ter conhecimento que existia um oceano do lado de fora? O que será que o mundo reservava para mim? Nas poucas vezes que eu conseguia furar o bloqueio, podia enxergar um vislumbre da imensidão que me rodeava, mas eu nunca ficava tempo suficiente para mergulhar naquelas águas desconhecidas.

De repente, a voz das minhas irmãs na música fez com que eu me lembrasse da última conversa que havia tido com elas e o conselho que tinham me dado: "Quebre as regras, mas com responsabilidade..."

Comecei a sentir uma espécie de frio na barriga. Se eu quebrasse as regras, como realmente queria fazer, podia me encrencar pra valer com meu pai e meu treinador. Mas se não fizesse aquilo, eu poderia passar o resto da vida imaginando o que teria acontecido se tivesse seguido o meu coração.

A música terminou, e a que veio na sequência me fez sentir que aquilo era um sinal... "The Sweet Escape", a mesma que eu tinha pedido para a DJ Cinderela tocar, a melodia que fazia meu peito borbulhar de expectativa a cada vez que eu a ouvia. A trilha sonora das minhas escapadas...

De repente eu soube o que deveria fazer. Eu precisava sentir por mais tempo a euforia que aquela canção provocava em mim. Então abri minha mala depressa, peguei um dos vestidos que minhas irmãs haviam colocado lá dentro — e que eu tinha certeza de que não usaria por causa do frio — e o vesti em um impulso. Em seguida revirei minha bolsa e constatei que a única maquiagem que eu havia levado era um rímel a prova d'água e batom... Melhor que nada.

Quando fiquei pronta e me olhei no espelho, surpreendentemente gostei do resultado. O vestido era xadrez, curto, e eu coloquei também uma meia grossa e uma bota. O vermelho dos meus cabelos estava bem vivo e a maquiagem ficou natural. Mas o melhor eram os meus olhos, que estavam com um brilho que eu ainda não conhecia...

Coloquei aquela música novamente, peguei uma escova, pra fingir que era um microfone, e cantei bem alto na frente do espelho, sem dar a mínima para o que meus vizinhos de quarto iriam pensar. E ao sentir a prévia da liberdade que em breve experimentaria, decidi que eu estava certa. Naquela noite, apenas o que *eu* pensava iria importar.

• Capítulo 6 •

Sair do hotel foi mais fácil do que eu esperava. Eu fiquei com receio do Sebastião estar na porta do elevador, de guarda, por isso escondi todo o meu cabelo em um gorro preto, para que a cor deles não chamasse atenção, e camuflei a maior parte do rosto com um cachecol. Só os meus olhos ficaram de fora. Porém, ao olhar para os lados, vi que nem precisava ter me preocupado... A área estava livre, então só precisei correr para um táxi que estava estacionado bem na frente da recepção.

À medida que ele ia deslizando pelas ruas de Zurique, fui tentando absorver cada detalhe daquela cidade à noite. Prédios antigos se misturavam com monumentos novos, construções modernas dividiam o espaço com o cenário que já existia centenas de anos antes, luzes fortes e fracas iluminavam as avenidas e vielas por onde passávamos.

Resolvi pegar na bolsa um folheto sobre a história da cidade que eu havia ganhado ao chegar ao hotel, para tentar reconhecer pelo caminho alguns pontos turísticos, mas antes que eu pudesse ler uma linha, o taxista parou em frente a uma grande casa e apontou para o taxímetro, sinalizando que havíamos chegado. Ótimo, saber que estava a menos de dez minutos do hotel me fez ter ainda mais certeza de que eu não estava fazendo nada de errado.

Eu sabia que a língua mais falada no local era o alemão, e como não entendia uma palavra do idioma, me limitei a apenas pagar o valor que ele mostrou, sem nem mesmo poder agradecer. Ele me devolveu o papel com o endereço da festa que eu havia entregado pra ele ao entrar no táxi e falou algo que eu não entendi. Apenas abri um sorriso sem graça, me dando conta no mesmo instante de que eu provavelmente passaria a festa inteira me comunicando por gestos! Mas logo vi que eu não precisava me preocupar, pois assim que passei pela porta notei que a maioria das pessoas estava conversando em inglês. Eu não era fluente, mas pelo menos conseguia me virar naquela língua...

Comecei a andar pelo local, que já estava cheio. A casa realmente era enorme e de cara reconheci algumas pessoas que eu havia visto mais cedo na competição. Porém, logo percebi que não eram apenas nadadores que estavam ali, mas também atletas de várias outras modalidades. Alguns sorriam para mim, outros acenavam e aos poucos fui me sentindo à vontade, constatando que eu estava certa... Não tinha nada de mais naquela festa, eram apenas pessoas jovens querendo se conhecer e divertir.

— Ei, olha quem veio! — Eu me virei para trás e vi a Sula com as duas amigas. Sorri para elas, que se aproximaram para me cumprimentar. — Não imaginei que você fosse mesmo vir, seu treinador tem fama de ser muito chato, achei que ele não ia deixar... Onde está o seu amigo?

Ela olhou para os dois lados procurando o Lino, e eu expliquei que ele tinha preferido ficar no hotel porque viajaríamos bem cedo no dia seguinte.

— Já? Nem vai curtir a cidade um pouquinho? Nossa treinadora sempre marca nossos voos de volta para alguns dias depois do torneio, assim podemos fazer um turismo básico! Que pena que você não é do nosso clube... Bom, vamos circular, acabei de saber que o Erico Eggenberg, aquele jogador de tênis lindo, é filho dos donos da casa e está aqui! Necessito conhecê-lo!

Ela então se virou e começou a andar com as amigas na sua cola, mas logo parou e me olhou novamente. Pensei que ela fosse me chamar para ir com elas, mas tudo o que disse foi:

— Aqui dentro tem aquecimento, acho melhor você tirar esse gorro e cachecol, senão vão achar que as brasileiras são umas caipiras!

Dizendo isso, ela apenas acenou e em seguida as três sumiram na multidão. Fiquei parada um tempo me sentindo meio estranha. A Sula não deveria ter me chamado para dar uma volta com elas? Seria o que eu faria, se estivesse com amigas e encontrasse uma conhecida sozinha... E, de certa forma, eu havia presumido que se tinha me falado da festa eu poderia contar com a companhia dela. Subitamente um pensamento me ocorreu... Será que ela me tinha convidado só por causa do Lino?

Balancei a cabeça e disse a mim mesma que não importava. Eu conseguia me divertir sozinha.

Acabei mesmo guardando o cachecol e o gorro na bolsa, não porque a Sula tivesse sugerido, mas porque realmente estava quente, e continuei andando pela festa. De repente vi um cachorrinho passando pelas pessoas, com uma bola de tênis na boca. Ele era todo peludo, com orelhas compridas e parecia ainda ser filhote. Na penumbra que estava no local, não consegui distinguir se era marrom ou preto. Algumas pessoas mexiam com ele, que apenas abanava o rabinho, sem parar. Ele parecia estar procurando alguma coisa. Achei aquilo estranho e sem perceber comecei a segui-lo, para descobrir aonde estava indo.

Repentinamente ele entrou em uma sala e ficou eufórico por ter encontrado alguém. Como havia várias pessoas conversando em grupinhos obstruindo a minha visão, demorei um tempo para distinguir quem ele tinha visto, mas subitamente notei um garoto agachado, pegando a bola na boca do cãozinho e tornando a jogá-la para longe. Ele mais uma vez saiu correndo e pouco depois voltou todo feliz com a bola. Achei graça da brincadeira e tive vontade de também atirar algo para ele buscar, porém logo vi que outras pessoas estavam tentando atrair sua atenção, mas o bichinho só queria saber do cara da bolinha.

Umas três idas e vindas depois, o garoto pareceu se cansar, levantou e foi conversar com uns amigos. Como sempre tive a teoria de que quem gosta de animais tem um bom coração, resolvi chegar mais perto só pra enxergar direito quem era a pessoa que tinha deixado aquele filhote tão feliz, já que por causa da baixa luminosidade eu ainda não tinha conseguido avistar o rosto dele.

Fui pedindo licença para passar pelos grupos e quando finalmente consegui chegar perto, levei um choque... Era o menino mais bonito que eu já tinha visto na vida! Quero dizer, ele não era tão menino assim... Parecia ter uns 19 anos e, pelo corpo másculo, presumi que devia ser um atleta. Mas com certeza não era da natação, senão *certamente* eu já o teria notado antes!

Resolvi me posicionar meio atrás de um móvel, para observá-lo sem que as pessoas percebessem. Assim, reparei que tinha cabelos castanhos, com uma franja que ele não parava de colocar para trás, pois ela teimava em cair nos olhos... Aliás, que olhos! Eles eram azuis, mas em um tom que eu só havia visto antes uma vez, ao mergulhar em uma piscina bem funda. Aqueles olhos também me davam vontade de mergulhar no fundo deles...

Continuando minha análise, vi que ele era alto, mas não absurdamente alto. Se por algum motivo nos abraçássemos, a minha cabeça se aconchegaria exatamente em seu peito, que a propósito parecia bem definido, pelo que pude perceber através da camisa branca que ele estava usando.

De repente caí na real. O que eu estava fazendo?! Hipnotizada por um garoto com quem eu nem mesmo havia falado? E aquele pensamento de nos abraçarmos, de onde tinha surgido? Eu devia estar louca...

Olhei uma última vez na direção dele, disposta a virar as costas e sair dali, mas bem nesse momento alguém contou uma piada ou fez algum comentário que o fez sorrir...

Na natação, a diferença de meros segundos para pular na piscina em uma competição já causa um grande atraso em relação aos outros nadadores e os técnicos sempre perguntam se estamos com chicletes agarrados nos pés. Foi exatamente a sensação que tive ao ver aquele sorriso. Era como se eu estivesse grudada no chão, mas, em vez de chicletes, com algum tipo de cola muito potente, pois mesmo que eu tentasse não conseguia me soltar! O sorriso dele me paralisou totalmente...

Fiquei mais um tempo prestando atenção de longe, mas nesse momento um garçom apareceu com uns canapés, e então, com a desculpa de me servir, resolvi me aproximar, para tentar descobrir mais sobre ele.

Logo notei que estava falando uma língua difícil de entender, provavelmente alemão... Era bem a minha cara... me interessar por um garoto e não conseguir me comunicar! Continuei a prestar atenção na conversa, mesmo sem entender nada, mas de repente a sala encheu, pois algumas pessoas apareceram com um bolo e começaram a cantar parabéns naquela língua estranha. Com surpresa, descobri que era exatamente para ele!

Sem saber o que fazer, passei a bater palmas também, tinha tanta gente ali que ninguém poderia dizer que eu não conhecia o aniversariante. Ele soprou as velas e foi quando percebi que elas eram em formato de números... Um 2 e um 0. Quer dizer que ele estava fazendo 20 anos... Fiquei feliz por constatar que havia errado a idade do menino por muito pouco. Ao final dos parabéns, todos disseram, várias vezes: "Erico, Erico, Erico!" Então era esse o nome dele...

Eu ainda estava saboreando aquela descoberta, quando vi que algumas pessoas começaram a cumprimentá-lo. Em um ímpeto resolvi que eu iria fazer o mesmo! Com certeza ele me acharia meio louca por parabenizá-lo sem nem conhecê-lo, e eu sabia que nem conseguiria dizer parabéns propriamente, já que não falávamos a mesma língua... Mas eu realmente não podia perder a oportunidade de olhar nos olhos de um deus grego daqueles!

Fui me aproximando discretamente e logo quando eu estava bem perto, o celular dele tocou. Ele atendeu, começou a conversar, e eu então passei reto, para esperar até que a chamada terminasse. Porém, por causa do barulho, ele foi se direcionando para fora da sala, para conseguir escutar o que estavam falando do outro lado da linha. Olhei para os lados e, como ninguém estava prestando atenção, resolvi segui-lo, pois não queria perdê-lo de vista.

A festa estava cada vez mais movimentada e barulhenta, por isso percebi que ele foi evitando a multidão, passou por um corredor, e cheguei a pensar que ia embora. Só que ele de repente parou em frente a uma porta de vidro, por onde saiu. Fui até lá e vi que a tal porta dava para um jardim maravilhoso e imenso, que ficava bem ao lado da entrada da casa. Notei que a única iluminação vinha de uma piscina enorme, bem azul.

O local estava completamente vazio, pois com o frio que estava fazendo ninguém se aventuraria a ficar ao ar livre. Levei um tempo apenas admirando aquele cenário. A lua refletida na água, o vento balançando levemente alguns pinheiros, um caminho de pedras branquinhas... E no meio dele aquele garoto lindo, que continuava falando ao telefone.

Como ele estava de costas, resolvi abrir a porta cuidadosamente, apenas para ver tudo aquilo sem ser através do vidro. Mas no momento que fiz isso, descobri que eu não tinha sido a única a seguir o Erico... O cachorrinho também estava ali, e pelo visto não queria sair de perto dele nem por um segundo, pois antes que eu tivesse a chance de segurá-lo, passou na minha frente e saiu correndo pelo jardim.

Sem saber se ia depressa buscá-lo ou se saía correndo dali, para que ele não visse que o cachorrinho havia fugido por minha culpa, acabei ficando sem ação e continuei parada. Exatamente por isso, pude ver praticamente de camarote todos os acontecimentos que se desenrolaram a seguir, mesmo que tenham se passado quase ao mesmo tempo e em poucos segundos...

Primeiro, o cachorro passou correndo por ele, que olhou depressa para a porta — certamente pensando que a havia deixado aberta — ao mesmo tempo em que tentava segurar o bichinho, que parecia disposto a ir até um portão que dava para a rua. Porém, como estava falando ao telefone, acabou se enrolando e o aparelho praticamente voou pelos ares. Ele fez o que pôde para capturar o celular antes que mergulhasse na água, mas por causa do movimento brusco, o Erico acabou escorregando no chão molhado, e também afundou na piscina, batendo a cabeça na borda.

Coloquei a mão na boca para abafar um grito e quando percebi que ele não voltou logo para a margem, saí correndo pelo jardim. Sem pensar duas vezes, mergulhei, e no fundo daquele azul-anil que eu conhecia tão bem vi o que eu mais temia... A cabeça dele estava sangrando, ele tinha desmaiado e engolia muita água.

E o pior é que tudo aquilo havia acontecido por minha causa...

Capítulo 7

Eu já tinha resgatado uma pessoa alguns anos antes, uma menina, que nadava ao meu lado, teve câimbra e quase se afogou. Porém, naquela ocasião havia sido fácil, pois, além de ser uma criança, ela queria que eu a ajudasse e cooperou. Dessa vez a situação era completamente diferente. Pra começar o Erico era bem maior do que eu e estava desacordado. Além disso, eu estava de roupa, o que dificultava os meus movimentos, e ele também, o que aumentava ainda mais o peso. Ah, e tinha também o frio... Naquele momento provavelmente o termômetro devia estar marcando no máximo *um* grau, e a sensação era a de estar nadando no meio do Oceano Ártico.

Só que não tive tempo de pensar em nada disso. Apenas o puxei à tona e passei o meu braço por baixo da axila e do queixo dele, para que ele mantivesse a boca fora d'água. Em seguida fui nadando assim até a borda e constatei que por sorte a piscina estava bem cheia, o que facilitou que eu o empurrasse para fora.

No momento em que fiz isso, o cachorrinho veio correndo e começou a pular em mim, como se estivesse me agradecendo por ter salvado a vida do seu amigo. Mas ao lançar o primeiro olhar para o Erico, meu coração parou. Ele não parecia tão vivo assim... Estava roxo, eu não sabia se por ter engolido água ou pelo frio, e a cabeça dele continuava sangrando. Rapidamente corri até a grama para pegar a minha bolsa, que eu havia me lembrado de jogar no chão antes de pular. Lembrei que eu tinha colocado meu gorro e o cachecol lá dentro, e com os dois tentei fazer uma espécie de torniquete para estancar o sangue. E aí comecei a gritar por socorro, o mais alto que pude. Mas alguns minutos se passaram sem que ninguém aparecesse. Eu devia imaginar, afinal, estava muito tarde para alguém estar na rua naquele clima gélido e lá dentro da festa o som estava muito alto. Claro que ninguém escutaria...

Vi que ele não estava respirando, por isso, sem pensar duas vezes, apertei seu nariz e fiz respiração boca a boca, agradecendo mentalmente pelo meu pai ter me ensinado a técnica quando eu ainda era criança. Eu não sabia se estava fazendo aquilo corretamente, porém alguns segundos depois ele tossiu e cuspiu um volume considerável de água.

— Deu certo! — falei, sem lembrar que o garoto falava outra língua.

Ele abriu os olhos, me olhou com uma expressão confusa e então os fechou novamente.

— Não, não, você não pode dormir! — falei, sacudindo-o de leve.

A batida que ele tinha dado na beira da piscina havia sido forte, podia ter causado alguma concussão e se dormisse ele corria o risco de nunca mais acordar...

Gritei mais uma vez por socorro e como ninguém apareceu, resolvi correr até lá dentro para buscar ajuda. Porém, no momento em que eu comecei a me levantar, ele segurou a minha mão ainda com os olhos fechados, como se pedisse para eu ficar ali. Sem saber o que fazer, peguei na minha bolsa o celular, que eu havia levado em caso de emergência. Se algo era mais urgente que aquilo, eu não podia imaginar. Telefonar para um pronto-socorro não ia adiantar nada, pois eu não saberia me comunicar, então liguei para a única pessoa que poderia me ajudar naquele momento, mesmo sabendo que aquilo me custaria muito caro, não literalmente...

O Sebastião atendeu com a voz sonolenta, mas ao mesmo tempo preocupada. Ele sabia que eu não usaria aquele celular sem ser por um motivo muito sério, e aí despejei tudo de uma vez:

— Um menino se afogou aqui na festa da equipe da Suíça e eu consegui tirá-lo da água, mas ele não está bem. Ele bateu a cabeça na piscina e está sangrando! Não posso sair de perto pra pedir ajuda, pois ele morreria de frio ou pela concussão... Eu sei que desobedeci você, mas, por favor, me ajuda, não quero que ele morra!

— Já estou indo, sei onde é — foi tudo que ele falou antes de desligar.

Respirei um pouco aliviada e passei a me concentrar em mantê-lo acordado.

Coloquei a cabeça dele no meu colo e chamei:

— Erico?

Ele não teve reação.

— Erico! — falei, mais alto.

— Você me tirou da água e sabe meu nome...

— Você fala *português?* — perguntei, surpresa, pois, apesar do sotaque carregado, pude entender perfeitamente as palavras dele.

Ele não respondeu, mas abriu devagar aqueles olhos mais lindos do mundo, o que fez meu coração disparar mesmo naquela situação desesperadora.

Ele me respondeu com outra pergunta:

— Você é uma sereia? — e em seguida suspirou e tornou a fechar os olhos.

Percebendo que ele estava alucinando, insisti:

— Por favor, não durma! O que eu posso fazer pra te manter acordado?

Sem abrir os olhos, ele falou:

— Cante. Sereias costumam cantar.

— Eu não sou uma sereia, você caiu na piscina, bateu a cabeça, desmaiou, e eu tive que pular também pra te ajudar!

Ele nem se moveu.

— Erico... Se você ficar com os olhos abertos, eu canto!

Ele demorou um pouco, mas acabou abrindo aqueles olhos, que eram ainda mais luminosos e azuis do que a piscina na nossa frente. Fiquei alguns segundos deslumbrada, mas de repente eles ameaçaram fechar novamente, então resolvi realmente cantar para tentar mantê-lo acordado, mesmo que meu queixo estivesse batendo muito por causa do frio. A primeira música que me veio à cabeça foi a que eu tinha cantado antes de sair do hotel.

"If I could escape and recreate
A place as my own world
And I could be your favorite girl, forever
Perfectly together
Tell me boy now wouldn't that be sweet?
If I could be sweet
I know I've been a real bad girl
I didn't mean for you to get hurt, whatsoever
We can make it better
Tell me boy now wouldn't that be sweet?[1]"

Enquanto cantava, fui pensando em como cada parte da letra realmente parecia se encaixar em algum momento da minha vida, inclusive aquele ali, mas de repente ele me interrompeu, dizendo:

— It would be really sweet. But you already are my favorite girl.[2]

---

1 Se eu pudesse escapar e recriar
Um lugar como se fosse meu próprio mundo
Eu poderia ser sua garota favorita, pra sempre
Ficaríamos perfeitamente juntos
Diga-me, garoto, isso não seria adorável?
Se eu pudesse ser adorável
Eu sei que tenho sido uma garota muito má
Eu não tinha a intenção de te machucar, ou o que quer que seja
Nós podemos melhorar isso
Diga-me, garoto, isso não seria adorável?
2 Seria realmente adorável. Mas você já é a minha garota favorita.

Percebi que ele estava comentando o que eu tinha acabado de cantar, o que me deixou ainda mais perplexa...

— O que é isso, você é poliglota? Até agora já te vi falando três línguas!

Porém, em vez de responder, a cabeça pendeu para o lado, e ele tornou a desmaiar.

— Erico, Erico? — Bati de leve no rosto dele, que permaneceu estático. Comecei a chorar de desespero, se algo sério acontecesse com aquele menino eu nunca me perdoaria! Comecei a rezar baixinho para ele sobreviver, e bem nesse momento o cachorro, que continuava fielmente ali do lado, começou a latir e foi correndo em direção ao portão. Notei um táxi parado e quando o passageiro saiu dele, vi que era a pessoa que eu mais desejava encontrar naquele momento.

— Sebastião! — comecei a gritar para que ele passasse por ali, antes que andasse até a porta da frente. Ele entrou por onde apontei e assim que chegou ao meu lado, uma ambulância estacionou, para o meu completo alívio. Ele então fez sinal com as mãos para que os médicos também passassem por ali.

Expliquei depressa para o Sebastião o que havia acontecido, apenas ocultando o fato de que eu estava espiando o Erico antes de vê-lo escorregar na piscina por causa do cachorro... que *eu* havia soltado sem querer...

— Ele vai ficar bem? — perguntei várias vezes enquanto o colocavam em uma maca e o enchiam de cobertores. Só quando o Sebastião começou a conversar com os médicos em alemão que eu lembrei que ninguém me entendia ali! Quer dizer, quase ninguém... Eu ainda não havia tido tempo de processar a informação de que poderia ter conversado com o Erico na festa no meu próprio idioma sem que nada daquilo tivesse acontecido.

— Arielle — o Sebastião disse, tirando o próprio casaco e colocando em minhas costas —, entre naquele táxi agora. Eu pedi pro taxista esperar e ele já sabe que é pra te levar de volta pro hotel. Vou ter que ir lá dentro pra tentar descobrir se alguém conhece esse rapaz. Para dar entrada no hospital os médicos vão precisar saber pelo menos o nome dele!

— Mas isso eu sei... — falei, meio sem graça. O Sebastião colocou as mãos na cintura, começando a perceber que talvez aquilo não tivesse sido um simples acidente, e então completei: — Erico. O nome dele é Erico.

O rosto do meu treinador ficou pálido. Em seguida ele balançou a cabeça com desgosto, apontou novamente para o táxi e falou:

— Vá embora agora e deixa que eu resolvo isso aqui. Com certeza a imprensa inteira de Zurique vai aparecer em poucos minutos e não quero que te associem a esse acidente!

— Mas por que apareceria? — perguntei, enquanto ele me empurrava pelo portão.

Ele respirou fundo e respondeu:

— Porque esse rapaz é simplesmente o filho dos donos dessa mansão... Que são ninguém menos que os patrocinadores do torneio e também duas das pessoas mais ricas da Europa!

Olhei meio assustada para ele, vislumbrando a confusão que aquilo podia dar.

— Ah, e, além disso, não são apenas os pais que vão entrar em choque se algo acontecer com o filho. O Erico é o atleta queridinho da nação, simplesmente a maior promessa da Suíça para as Olimpíadas. E sem ele, o país provavelmente ficará sem medalha de ouro.

Imediatamente me lembrei do que a Sula havia dito... Erico Eggenberg, o campeão de tênis... Eu também já tinha lido umas reportagens sobre ele! Como eu pude não me lembrar daquele rosto?

Eu estava pensando nisso quando várias pessoas começaram a aparecer no jardim, atraídas pelo barulho da sirene. O Sebastião então me enfiou no táxi, que instantaneamente deu a partida. Eu ainda dei uma última olhada para o Erico dentro da ambulância e desejei estar ali segurando a mão dele...

Eu só esperava que ele melhorasse logo. Algo me dizia que meu mundo nunca mais seria o mesmo depois de ter mergulhado naqueles olhos azuis.

Capítulo 8

Enquanto olhava o céu entre as nuvens, não tive como não me lembrar da cor dos olhos dele. Quero dizer, "lembrar" era a palavra errada, pois na verdade nada dele havia saído do meu pensamento desde a noite anterior. Aliás, eu nem mesmo tinha dormido, pois assim que troquei a roupa molhada por uma seca, desci novamente para o saguão do hotel e fiquei esperando até que o Sebastião voltasse com alguma informação. Porém, quando finalmente chegou, ele não tinha nada diferente para me contar, apenas disse que logo que saí apareceram dezenas de repórteres e que com isso a festa acabou. Então, só fui realmente dormir durante o voo e, apenas ao chegar de volta ao Brasil, tive alguma notícia do Erico.

Nós estávamos esperando as malas, ainda no aeroporto, quando o Lino me cutucou. Assim que me virei, ele me estendeu o celular, enquanto vigiava se o Sebastião estava olhando. Peguei da mão dele depressa e fiquei surpresa e ao mesmo tempo feliz com a notícia que li. Ele estava bem!

Salvo por uma sereia

Ontem à noite um acidente marcou a confraternização final do Grand Prix de Zurique. Uma festa foi oferecida aos atletas pelos patrocinadores do evento, mas após escorregar na beira da piscina, o tenista Erico Eggenberg bateu a cabeça e desmaiou. As circunstâncias do acidente ainda não foram esclarecidas, mas segundo Erico, que passa bem, ele teria sido salvo por uma garota.

"Se ela não tivesse visto e me tirado da piscina, eu provavelmente teria morrido afogado. Não lembro como ela era, pois além de estar muito escuro, eu estava zonzo. Mas sei que parecia uma sereia... Além de nadar, ela tinha uma bela voz, pois cantou para me animar até que o socorro chegasse."

Porém, segundo o técnico brasileiro de natação Sebastião Silva, que chamou o resgate, ele estava chegando à festa com uma de suas nadadoras quando avistou um rapaz caído na beira da piscina, sozinho.

O importante é que Erico está bem e, de acordo com o relatório dos médicos, estará perfeitamente apto para participar das Olimpíadas no Brasil, daqui a três meses. Já o mistério da garota salva-vidas deve continuar em aberto, pois Erico e seus pais não quiseram abrir uma investigação, e — apesar de Erico ter dito em uma de suas redes sociais que gostaria de agradecê-la pessoalmente, ela ainda não se manifestou.

Provavelmente era mesmo apenas uma sereia... ■

— Sua mala está vindo, Srta. Sereia. Posso te ajudar a pegá-la na esteira? — o Lino perguntou, piscando para mim, assim que devolvi o telefone.

Ele já sabia tudo que havia acontecido na noite anterior, pois o Sebastião fez questão de me dar a maior bronca ainda no café da manhã, dizendo que assim que chegássemos iria contar pro meu pai que eu havia saído sem a permissão dele. Então, assim que ele caiu no sono durante o voo, o Lino perguntou o que tinha acontecido e eu acabei me abrindo. Contei a história verdadeira, sem ocultar nada, portanto ele entendia o quanto eu estava preocupada e como aquela informação poderia me acalmar.

— Obrigada, Lino... — falei, baixinho, olhando pra ele.

— Por pegar sua bagagem de 10 toneladas? — ele perguntou, rindo.

— Por tudo.

Apesar de melancólica, eu estava feliz porque percebi que o meu amigo havia finalmente deixado cair aquele muro invisível que tinha colocado entre nós durante uns dias. Ele então sorriu pra mim, pegou as malas na esteira e saímos abraçados da sala de desembarque.

Quando cheguei em casa, fui direto para o meu computador. Algo mencionado naquela notícia tinha ficado na minha cabeça, e eu precisava conferir.

Digitei "Erico Eggenberg" no Google e imediatamente aquele rosto mais lindo do mundo apareceu... Dei um sorriso inconsciente e no mesmo instante comecei a procurá-

-lo nas redes sociais. Encontrei rápido, ele realmente era bem popular, mas logo vi que só postava reportagens dos torneios dos quais participava, fotos das medalhas que ganhava... Cheguei à conclusão de que o tal apelo dele, mencionado na notícia que o Lino me mostrou, provavelmente havia sido apagado.

Suspirei, olhei as fotos por mais algum tempo, e, aproveitando que estava no computador, resolvi checar meu e-mail.

A maioria das mensagens era de spam, mas uma me chamou atenção.

De: Blog da Belinha
Para: Arielle Botrel
Assunto: Entrevista

Querida Arielle, não sei se você se lembra de mim. Nos conhecemos no bar que a DJ Cinderela toca. Na ocasião você emprestou para ela uma peruca e com a confusão que deu por causa de uns fotógrafos, acabamos não nos despedindo.

Em primeiro lugar, queria dizer que adorei te conhecer, já te achava muito talentosa pelo desempenho nas piscinas, mas você é também muito simpática e bonita!

Gostaria de saber se é possível agendarmos aquela entrevista para o meu canal no YouTube (ou para o blog, caso você não queria fazer em vídeo), como eu te pedi lá no bar... Sei que você não gosta muito de repórteres, mas prometo que essa será uma entrevista diferente, eu gosto de fazer perguntas inusitadas. Ah, e é claro que você pode responder só as que quiser e até vetar alguma parte que não gostar, antes que eu publique.

E então, posso contar com você? Por favorzinho? Eu pretendo fazer uma cobertura das Olimpíadas no blog, mas, como te disse, nunca entrevistei uma atleta. Isso seria um mega atrativo!!!

Aguardo ansiosamente a sua resposta!

Beijos da Belinha

P.S. Consegui seu contato no clube em que você treina. Na verdade eu pedi seu telefone, mas eles não quiseram dar de jeito nenhum. Como insisti bastante, acabaram me passando seu e-mail, espero que não tenha problema.

P.S. 2 A Cintia (DJ Cinderela) comprou uma peruca nova pra você. Ela disse que vai me dar para te entregar, caso a gente combine a entrevista.

Terminei de ler o e-mail e fiquei um pouco pensativa... Parecia que tinha tanto tempo desde o dia em que eu havia conhecido aquela menina, mas na realidade não se passara nem duas semanas! Não que tanta coisa tivesse acontecido naquele período, mas praticamente tudo desde então havia sido intenso... A matéria no jornal, a repreensão do meu pai, o afastamento do Lino, a conversa com as minhas irmãs, a viagem, o acidente na piscina... e aquele par inesquecível de olhos azuis.

Li o e-mail mais uma vez, eu não queria mesmo dar uma resposta negativa para ela, mas sabia que meu pai provavelmente me colocaria de castigo pelo resto da eternidade quando soubesse que eu havia desobedecido ao meu treinador na Suíça. Mas eu ainda tinha esperança de que o Sebastião ficasse com pena de mim e não dissesse nada... Por isso, resolvi esperar e deixar pra responder mais tarde. Porém, no momento que eu ia apertar a tecla para desligar o computador, algo me veio à cabeça... A Belinha tinha dito que queria me entrevistar para o canal do YouTube dela. E se...

Acessei o Google novamente, mas dessa vez, na frente do nome dele, acrescentei a palavra "vídeos". Ao ver o primeiro resultado, percebi que eu havia me esquecido de procurar em uma rede social... O Erico tinha uma conta no *Snapchat*!

Peguei depressa o meu telefone na bolsa, que ainda estava com tal o chip internacional que tinham me dado e em poucos segundos o troquei pelo brasileiro. Ah, como era bom ter internet no celular novamente!

Acessei, então, o Snapchat, que eu usava apenas para acompanhar o dia a dia de alguns famosos e amigos, e coloquei o nome de usuário do Erico. Atualizei o aplicativo, esperei um pouco e de repente vi que ele havia postado recentemente. Cliquei depressa e na mesma hora o rosto dele surgiu na minha tela. Senti meu coração disparar ao vê-lo. Ele era ainda mais lindo do que eu me lembrava... Mas a euforia diminuiu um pouco quando notei que ele estava falando em alemão. Eu não ia entender nada! Me concentrei então nos detalhes. Vi que ele encontrava-se em uma cama de hospital, mas aparentava estar realmente bem, sorrindo e tudo... E que sorriso!

Continuei a assistir e, para a minha surpresa e alegria, depois de alguns snaps, ele começou a falar em inglês! Revi várias vezes até conseguir traduzir e anotar tudo, pois eu queria guardar aquelas palavras antes que se passassem 24 horas e o vídeo desaparecesse.

"Olá, vou repetir o que eu disse, agora em inglês, porque quero que uma certa pessoa entenda e não tenho certeza se ela fala alemão... Bom, espero que ela saiba inglês. Vocês devem ter visto nos jornais que sofri um acidente ontem à noite. Não se preocupem, eu estou bem e vou continuar jogando. Foi apenas um susto, eu caí e levei uma pancada na cabeça, mas não tive que levar pontos nem nada. O médico apenas pediu para eu descansar alguns dias, pois assim logo estarei bem. Mas tem algo que não sai da minha mente e que eu gostaria muito de esclarecer: a minha queda foi em uma piscina, eu desmaiei e quando acordei pensei ter visto uma garota ao meu lado... Ela disse que havia me salvado, mas eu estava tão abalado, e o local, tão escuro que não me recordo do rosto dela. Quer dizer, lembro que a achei bem bonita na hora... Mas os detalhes realmente sumiram da minha lembrança. Não sei se na verdade ela é um anjo... ou uma sereia, pois além de ter me tirado da água, lembro que cantou para que eu ficasse acordado. Mas se você for uma garota real e estiver vendo isso, pode me mandar uma mensagem, por favor? Gostaria muito de te agradecer."

O vídeo acabou e eu ainda fiquei alguns segundos parada, olhando para a tela. Ele estava mesmo grogue na hora do acidente, tinha até se esquecido de que havíamos conversado em português... Mas pelo menos lembrava um pouco de mim... e disse que eu era bonita!

Então eu me levantei, liguei o som do meu quarto e — ouvindo a música que cantei pra ele — deitei na minha cama e comecei a recordar os detalhes da noite anterior... Repassei desde o primeiro momento, em que eu o havia visto brincando com aquele cachorrinho, até o último, desmaiado dentro da ambulância. Eu me lembrei dele nos meus braços, me pedindo para cantar. E também de como segurou a minha mão, para impedir que eu saísse de perto. Por último, me lembrei do momento em que meus lábios tocaram os dele, na respiração boca a boca. Naquele momento tudo que eu queria era que ele sobrevivesse, mas agora eu não podia deixar de imaginar em como seria bom repetir aquela experiência sem que ele estivesse correndo nenhum risco de vida...

✦ *Capítulo 9* ✦

Fiquei horas abraçada ao meu travesseiro, muito eufórica para dormir, até que as minhas irmãs chegaram do ensaio e quiseram saber como tinha sido a viagem.

— Inesquecível... — falei, suspirando.

— Hmmm — a Ágata retrucou com um sorriso curioso enquanto se deitava ao meu lado. — Pode desenvolver essa resposta, por favor?

— Não — respondi, rindo, escondendo meu rosto no travesseiro.

— Não, como assim? — a Amanda se deitou do meu outro lado. — Já revelou quase tudo só com esse sorrisinho aí! Passe a ficha do garoto!

— Não tem garoto nenhum... — respondi, ainda com o rosto escondido, sentindo uma euforia estranha por dentro.

— Ah, não? — a Aléxia disse, se sentando na beirada da cama. — Então quem é esse gato que você estava fuxicando no Facebook?!

Me sentei na velocidade da luz e tomei o meu laptop das mãos dela.

— Ahhh, Arielle... — todas elas começaram a dizer entre risos enquanto faziam cosquinha em mim, até que eu soltasse o meu computador.

Elas então começaram a vasculhar o perfil dele, sem que eu pudesse impedir, pois duas me seguraram enquanto as outras três se amontoaram em cima do meu laptop.

— Erico Eggenberg, campeão de tênis — a Alice leu em voz alta. — Vinte anos! Ah... quer dizer que nossa irmãzinha gosta de homens mais velhos...

— Ele não é tão mais velho assim, temos apenas três anos de diferença! — expliquei. — Ele fez aniversário ontem! E eu faço 17 em poucos meses...

— Ah, já fez as contas? Está sério mesmo, hein? Aposto que até já juntou os sobrenomes, para ver como vai ser quando vocês se casarem! Arielle Botrel Eggenberg... Uau, ficou bem chique!

Ignorei a Amanda, que havia feito a última observação, e consegui finalmente me soltar. Tornei a pegar o computador, mas então a Alana disse:

— Qual é, Arielle! Todas as vezes que nos envolvemos com alguém, contamos umas para as outras... Você não confia na gente? Podemos te ajudar, te dar dicas de conquista...

— Mas não tem envolvimento nenhum, eu só o vi uma vez e nem mesmo conversei com ele!

Eu realmente não podia chamar aquilo que tivemos de *conversa*...

— Ah, foi amor à primeira vista... — a Alice disse, olhando para as outras, como se tivesse descoberto todos os meus segredos.

— Não tem amor nenhum! — respondi, brava. — Eu só estava olhando as redes sociais dele por curiosidade, não é nada de mais...

A Ágata passou a mão no meu cabelo como se eu fosse muito inocente e falou:

— Você não estaria tão nervosa assim se não fosse nada... Nem com essas bochechas coradas de embaraço e muito menos com aquela carinha sonhadora que vimos quando entramos aqui no seu quarto. Você pode não querer admitir nem pra si mesma, irmãzinha, mas às vezes o nosso coração resolve tomar as rédeas da nossa vida e só nos resta aceitar... Se isso aí que eu estou vendo nos seus olhos não for paixão, e das grandes, então não sei o que é...

As outras começaram a rir, mas eu nem liguei. As palavras da minha irmã continuavam a ecoar no meu ouvido. Até aquele momento eu pensava que o que eu estava sentindo era apenas atração física, um interesse natural por ele ser tão bonito e charmoso. Porém, eu já tinha conhecido outros caras bem lindos e nenhum deles havia me hipnotizado como o Erico fez no primeiro momento em que bati os olhos nele. E nenhum tinha me despertado aquela vontade de tomar conta, de cuidar, de ter certeza de que ele estava bem. E muito menos feito com que eu sentisse aquele frio na barriga que parecia não querer mais ir embora, assim como a vontade de ficar pensando só nele 24 horas por dia... Será que isso era se apaixonar?

Não... provavelmente era só algum transtorno provocado pelo cansaço e pela mudança de fuso horário!

As minhas irmãs continuaram olhando cada linha do perfil do Erico, e iam lendo em voz alta. Com isso, acabei descobrindo que ele tinha duas irmãs mais novas, que havia morado a infância inteira na França, que fazia faculdade de Engenharia Aeroespacial, que havia começado a jogar tênis por influência de um tio aos 3 anos de idade, que seu hobby era astronomia e que adorava animais... Essa última parte eu até já imaginava, pelo carinho que ele teve com o cachorrinho na noite anterior.

— Ei, ele mora na Suíça? — a Amanda perguntou de repente.

— Nossa, ainda bem que você não é detetive, ia morrer de fome! Está explorando o perfil do menino há pelo menos 15 minutos e agora que descobriu o mais básico? — debochei.

— Eu sabia que ele era estrangeiro, mas pensei que morasse aqui no Brasil! — ela respondeu, colocando a mão na cintura. — Nem pense em ter um relacionamento a distância, Ári, isso é nocivo, é prejudicial à saúde! Vocês lembram perfeitamente como era quando eu namorei o Julio, e ele nem morava em outro país.

Assenti para ela, mostrando que me lembrava. A Amanda havia tido mesmo um curto namoro com um garoto de outra cidade, que acabou exatamente por causa da distância. As brigas deles por ciúmes e saudades eram terríveis, e ela inclusive ficou rouca de tanto gritar no telefone, o que afetou a banda inteira.

— É verdade — a Alana concordou. — Mas já que a Arielle disse que não é sério, não tem problema. Se for mesmo só um amor platônico, mal não vai fazer...

Fiquei calada enquanto elas continuavam a discutir a minha vida amorosa, ou melhor, a *falta* dela, até que a Aléxia subitamente desligou o computador, afirmando:

— Nenhum amor não correspondido faz bem. Só serve para deixar as pessoas tristes e melancólicas, desejando algo que não podem ter. E acho que essa não é exatamente a melhor época para a Arielle ficar assim. As Olimpíadas estão chegando, esqueceram? Se ficar deprimida, o rendimento dela com certeza vai cair! Melhor cortar o mal pela raiz.

Todas elas concordaram e então a Ágata voltou a se sentar ao meu lado e me disse baixinho:

— Eu realmente estou com uma intuição de que isso é sério... Só de olhar, vejo que você está diferente. Mas exatamente por isso, é melhor mesmo esquecer de uma vez, senão vai ficar cada vez mais difícil... Você não faz parte do mundo dele!

Eu sabia de tudo aquilo, mas ouvir em voz alta fez o meu coração doer... Assim, não sei se pelas emoções da noite anterior, por praticamente não ter dormido ou pela viagem longa de avião, comecei a sentir um nó no meu peito e aí, por mais que eu me esforçasse para segurar, algumas lágrimas começaram a escapar! Quanto mais eu mandava que ficassem dentro dos meus olhos, mais elas caíam.

Minhas irmãs, vendo aquilo, olharam umas para as outras e então se levantaram ao mesmo tempo para me dar um grande abraço que até me deixou meio sufocada. Bem nesse momento meu pai abriu a porta do meu quarto.

— Que festa é essa? Nem me convidam? — ele perguntou, brincando. Mas de repente olhou para mim e sua expressão se tornou preocupada. — Mas o que é isso, minha filha? Quando chegou da viagem você estava completamente aérea, parecia que estava com a cabeça na lua... Depois colocou uma música alta, pensei que estivesse até dançando para comemorar seu ótimo resultado no torneio. E agora imaginei que você estaria superfeliz contando tudo para as suas irmãs, mas aí me deparo com você triste, chorando? O que está acontecendo?

— Ora, você não percebeu, pai? — a Alana falou, abrindo espaço para que ele pudesse me ver direito.

Ele apenas balançou os ombros, e aí a Amanda disse, rindo:

— Está muito na cara... e não tem nada a ver com tristeza.

E então a Alice completou:

— A sua filhinha caçula está apaixonada...

• Capítulo 10 •

— Arielle, seus braços estão parecendo os de um boneco de pano! Onde está o vigor? E essa pernada? Desse jeito você vai ficar em último lugar nas Olimpíadas!

Cheguei à margem respirando com dificuldade. Os gritos do Sebastião haviam me feito nadar mais depressa, mas eu realmente não estava no meu melhor dia. Eu não tinha me recuperado do cansaço (nem das emoções) da viagem, ainda estava sofrendo com a diferença de fuso, e, além de tudo, vinha dormindo mal... Bastava colocar a cabeça no travesseiro para a minha mente começar a divagar e então meus pensamentos me enchiam de perguntas que sempre começavam com "e se". *E se* eu escrevesse para o Erico me identificando como a garota que o salvou? *E se* eu descobrisse que ele estava pensando em mim o mesmo número de vezes que eu estava pensando nele? *E se* isso acontecesse, como poderíamos ter qualquer envolvimento, já que morávamos em lugares tão distantes? Além disso, *e se* os repórteres descobrissem tudo e tornassem a minha vida um inferno?

Mas também poderia não acontecer nada disso, já que o mais provável seria apenas ele me agradecer... Afinal, um ponto importante que minhas irmãs não haviam descoberto era se ele tinha namorada. No perfil dele no Facebook não havia essa informação e nem em nenhum outro lugar. Aliás, a maioria das notícias que conseguimos encontrar — que, pra dificultar, no geral eram em francês ou alemão — falava muito mais sobre o placar dele nas quadras de tênis que no campo amoroso...

Eu não sabia que pensar cansava tanto! A sensação que eu tinha é que havia feito cinco mil metros em nado borboleta, meu pior estilo...

Acho que o Sebastião notou que eu não estava bem, pois falou para o resto da equipe que o treino tinha acabado naquele dia, e então me chamou para uma conversa particular.

— Arielle, sei perfeitamente o que está acontecendo — ele falou logo que eu saí do vestiário, já com uma roupa seca. — O seu jeito mudou depois daquela noite na festa da Suíça. Você era brincalhona, rebelde, intensa... Agora está aí, toda melancólica e sonhadora! Além disso, ficou dispersa e impaciente. Já tem mais de 15 anos que sou técnico de adolescentes, já vi isso acontecer outras vezes... Queda de rendimento pode ter várias causas, mas nenhuma é mais devassadora quanto uma paixão!

Eu não estava nem contestando mais, pois já tinha percebido que não adiantava... Pelo visto, na minha testa estava escrito "Estou apaixonada!", em letras garrafais.

Ele continuou:

— Eu vi como estava segurando o rosto daquele rapaz com carinho quando cheguei naquela festa. Percebi também como olhou para ele já dentro da ambulância, como se não quisesse que ele fosse embora. E notei o seu desespero quando cheguei ao hotel, estava ávida por notícias.

— Eu fiz tudo isso por preocupação! — justifiquei. — O Erico quase morreu na minha frente! O que você queria que eu fizesse? Como você agiria naquela hora se fosse eu?

Ele não respondeu, apenas respirou fundo e falou:

— Quero fazer um trato com você... Eu te disse que iria contar para o seu pai tudo que aconteceu na Suíça e, como você deve ter percebido, já tem três dias que voltamos e eu ainda não falei nada.

Eu ia dizer que ele não tinha dito nada porque simplesmente não havia se encontrado com o meu pai, mas resolvi escutar, pra entender que trato era aquele.

— Falta menos de três meses para as Olimpíadas! Se nesse período você ficar afastada de qualquer encrenca e se concentrar apenas nos estudos e nos treinos, eu não conto pro seu pai que você me desobedeceu e fugiu do hotel para namorar!

— Namorar?! — exclamei, sem acreditar naquilo. — Eu já te expliquei que eu nem ao menos conhecia o Erico! E eu não teria fugido se você tivesse ido à festa comigo...

— Arielle, não vamos começar de novo, eu já expliquei! Saia das nuvens e volte para a água, aonde você pertence! As Olimpíadas estão chegando, acho que você não tem dimensão do quanto isso é importante para a sua carreira!

Não é o momento de participar de comemorações, agora a fase é de recolhimento, de concentração! E é por isso também que eu não quero contar para o seu pai. Sei que se vocês brigarem, isso vai abalar ainda mais o seu emocional. Imagina o que ele faria se soubesse que você está...

— Apaixonada? Ora, mas isso eu já sei! Minhas outras filhas me contaram tudo!

Me virei e vi meu pai todo sorridente. Gelei na mesma hora. Sim, minhas irmãs haviam contado para ele que eu estava morrendo de amores pelo... *Justin Bieber*!! Parece cômico, mas na hora foi trágico... Eu não gostava nem de lembrar o momento em que a Alice havia revelado para ele que eu estava gostando de alguém. Fiquei branca, muda, e quase morri do coração pensando que meu pai iria cortar minha internet, meu celular e tudo de que eu mais gostava, já que para ele eu só tinha direito de gostar de natação e mais nada. Mas assim que ele, ainda com os olhos arregalados, perguntou por quem, minha irmã deu a resposta mais ridícula que eu já tinha ouvido na vida: "Pelo Justin Bieber, claro! Quem não é louca por ele?! A Arielle está triste porque ficou sabendo que ele estava no mesmo aeroporto que ela na Suíça, mas como já estava atrasada para o voo, acabou não conseguindo pegar um autógrafo."

Era uma explicação ridícula, mas surpreendentemente funcionou. Meu pai começou a rir, falou que achava que eu já tinha passado da fase de "tiete", mas que não era pra eu ficar triste, pois iria comprar para mim o novo álbum do Justin. Minhas irmãs não desmentiram e então o meu iPod acabou ganhando músicas a mais.

Mas o Sebastião não sabia daquela história e no momento em que meu pai apareceu, eu já previa o que estava prestes a acontecer.

— Contaram tudo? — o Sebastião falou, atônito, olhando para mim, para o meu pai e para mim novamente.

— Claro, não tive como esconder que estou louca pelo *Justin* — falei, arregalando os olhos para o meu treinador captar que deveria ficar calado e até comecei a cantarolar baixinho "Baby", lembrando a tempo que meu pai também não sabia que eu gostava de cantar.

— Justin? — o Sebastião olhou mais admirado ainda. — Mas o nome dele não é Erico? É sim, Erico Eggenberg, o tenista! Eu ainda ontem procurei notícias na internet, para saber se ele tinha se recuperado do afogamento na festa. Acabei encontrando uma matéria em alemão que dizia que ele já estava quase bom e que poderia vir para as Olimpíadas! Ah, e ele ainda disse que gostaria de te agradecer por tê-lo salvado...

— Erico Eggenberg? Festa? Afogamento? Que história é essa? — meu pai esbravejou.

Percebendo que tinha dado uma mancada, o Sebastião falou:

— Acho que é melhor deixar vocês dois conversarem, tenho que ver se ficou alguma toalha esquecida na piscina...

— De jeito nenhum — meu pai falou, entrando na frente do meu treinador. — Já entendi que a Arielle anda mentindo pra mim e quero saber a verdade!

O Sebastião então respirou fundo e contou a versão dele dos fatos, enquanto eu ficava corrigindo e falando mil vezes que nada daquilo teria acontecido se ele tivesse ido comigo à festa, como eu sugeri desde o começo.

Meu pai ouviu tudo atento e ao final, em vez de gritar comigo como eu esperava, apenas sentou, colocou a mão no rosto e ficou virando a cabeça de um lado pro outro. Eu e o Sebastião nos olhamos e aí falei:

— Pai? Está tudo bem?

Ele continuou calado por um tempinho, mas de repente me encarou com a expressão mais triste que eu já tinha visto nele.

— Não, Arielle, não está nada bem — ele disse, devagar. — Sabe o que é ter um sonho que não depende de você? Ou melhor, pode imaginar como é passar anos pensando que você compartilha esse sonho com uma pessoa, depositar todas as suas esperanças nela, e quando finalmente aquele desejo está prestes a se realizar, tudo inesperadamente sai dos eixos e você percebe que durante o tempo todo esteve sozinho?

Ele abaixou a cabeça novamente, e eu reparei que estava realmente triste. Vi que o Sebastião olhava para mim como se eu fosse uma insensível, e eu então ajoelhei na frente do meu pai e falei:

— Papai, eu compartilho o sonho com você. Sei que você está falando das Olimpíadas, que quer que eu seja campeã. E eu vou ser, prometo!

Ele levantou o rosto, ainda com olhos tristes e falou:

— Não é tão simples, minha filha. Você pode achar que é implicância nossa, mas os sentimentos contam muito! — Ele olhou para o Sebastião, que só assentiu. — Na época que eu nadava, quase consegui a medalha de ouro nas Olimpíadas, você sabe...

Sim, eu sabia, havia escutado aquela história desde que nasci. Nos anos 1980, meu pai era o favorito da equipe de natação do Brasil, era praticamente certo que ele tiraria o primeiro lugar nos Jogos Olímpicos. Porém, um dia antes da prova principal, uma nadadora de outra equipe inventou para uns repórteres que os dois estavam tendo um caso. Ela inclusive deu um jeito de tirar uma foto abraçada com o meu pai, o que só aumentou os rumores. Quando ele viu a notícia, ficou desesperado, porque nessa época já namorava a minha mãe, que, por ser uma cantora famosa, estava em turnê pelo Brasil, portanto completamente inacessível. Ele tentou de todo jeito entrar em contato com ela para explicar que aquela informação era uma grande mentira, mas acontece que naquela época ainda não existia celular, então não era fácil falar com alguém no momento em que quiséssemos. E também não tinha internet, ou seja, para negar um boato, os famosos não podiam recorrer a uma rede social e contar a verdade diretamente para seus fãs. Eles dependiam da boa vontade de alguma revista, jornal ou TV para publicar uma declaração do artista (ou atleta, no caso do meu pai) negando o fato, o que podia demorar dias.

Só que isso fez com que meu pai passasse a noite em claro, imaginando o que se passava pela cabeça da minha mãe naquele momento, se ela estaria se vingando (meu pai é muito ciumento!), se aquilo iria acabar com o namoro deles...

No fim das contas nada disso aconteceu. Minha mãe, que era supersegura de si, nem tinha ligado... Disse que já imaginava que se tratava apenas de sensacionalismo e sabia muito bem que aquela mentira tinha partido da tal nadadora, que ela sempre soube que era louca pelo meu pai. E ele, por causa do desespero que passou, acabou comprando um anel e pedindo minha mãe em casamento o mais rápido possível, para reafirmar seu amor por ela.

Porém, se no lado amoroso tudo deu certo, o mesmo não aconteceu no profissional. Por não ter descansado bem, meu pai acabou ficando em segundo lugar, o que ninguém esperava... Ele realmente era o favorito. E era por isso que agora ele colocava todas as suas expectativas em mim. Queria que eu passasse a sua história a limpo. Que eu conquistasse aquela medalha que ele jamais ganhou.

— Pai, confie em mim... — falei, fazendo com que ele me olhasse. — Eu não vou deixar que nada nem ninguém prejudique meu desempenho. Prometo que vou treinar pra valer nesses três meses.

Ele olhou para o chão e falou:

— E esse seu namoradinho?

Eu suspirei e respondi:

— Não tem namoradinho nenhum... O Erico é apenas esse garoto que eu ajudei, mas nós nem conversamos. Fiquei um pouco encantada por ele, mas quem não ficaria? Você por acaso já viu a aparência dele? Deve ter centenas de fãs, por que olharia justo pra mim, que moro a milhares de quilômetros? Ele nem sabe que eu existo, juro. Então não precisa se preocupar, não é um amor real. Acho que seria mais fácil eu ficar com o *Justin Bieber* do que com ele!

— Filha, acho que você podia escolher qualquer um dos dois... Qualquer garoto em sã consciência gostaria de namorar você! Mas promete que vai fazer essa escolha só depois das Olimpíadas?

Eu ri, disse que ele estava louco, mas prometi. Ele, então, me abraçou e falou que era pra irmos logo pra casa, pois eu precisava descansar...

Na saída do clube passamos pela piscina e eu lembrei mais uma vez dos olhos do Erico. Foi aí que me dei conta de que o pior de tudo era que eu não estava mentindo. O Erico não era real. Era apenas algo que meu coração inventou...

Blog da Belinha

Olá, pessoal! Como anunciei para vocês há algumas semanas começo a fazer hoje aqui no blog algo muito diferente... Uma cobertura das Olimpíadas!! Por que hoje? Porque estamos a exatamente um mês dos jogos começarem! Sim, a contagem regressiva está quase no fim!

Mas não pensem que aqui vocês encontrarão o placar dos jogos ou horário das partidas, afinal, isso você pode ver em vários outros sites. Aqui vou dar apenas notícias exclusivas, em primeira mão, comentar sobre os atletas e até tentar entrevistar alguns deles... Aguardem!

Para começar, vou contar para vocês uma notícia superexclusiva, eu pesquisei e vi que ainda não saiu em lugar nenhum! Aliás, fiquei sabendo dessa informação ontem de uma forma inusitada... Eu estava escondida, lendo um livro em uma cabine do toalete de uma festa (já que os meus pais me levaram para uma confraternização chatíssima do trabalho deles), quando entraram duas mulheres. Pelo que pude deduzir, elas trabalham no setor de marketing das Olimpíadas (ou algo assim), pois começaram a conversar sobre isso. Claro que na mesma hora peguei o meu celular e gravei tudinho para não esquecer nada e poder narrar pra vocês! Afinal... ninguém me pediu segredo, não é? ☺

As duas disseram que os atletas estão superpreparados e em poucos dias começaremos a receber as primeiras delegações estrangeiras, que chegarão ao nosso país bem antes para fazerem suas aclimatações. Segundo elas, esse é um fator importante para o sucesso dos atletas, pois estudos mostram que quanto mais estão adaptados ao local dos jogos, menos queda de rendimento eles têm.

Mas é aí que vem a melhor parte. Pensando nisso e também visando um maior entrosamento entre os atletas de todas as nacionalidades, o setor de marketing propôs uma grande novidade que já foi inclusive aceita pela maioria das equipes participantes dos jogos: uma espécie de prévia das Olimpíadas, que acontecerá antes dos jogos começarem oficialmente. Porém, as disputas não serão nada esportivas...

Segundo dados, os brasileiros gostam de assistir aos Jogos Olímpicos, inclusive no início a audiência bate recordes. Porém, no decorrer das semanas, os índices vão diminuindo. Isso se dá porque, passada a novidade, as pessoas que realmente seguem acompanhando dia após dia são apenas os atletas ou entusiastas de alguma modalidade esportiva específica. Dessa forma, essa prévia das Olimpíadas geraria um engajamento maior do público, pois antes mesmo de os jogos começarem, as pessoas já conheceriam vários atletas e até simpatizariam com alguns deles, fazendo com que a torcida se tornasse maior e, claro, a audiência também.

A prévia se dará por meio de programas de auditório, que passarão diariamente na TV aberta em vários horários, durante as duas semanas anteriores às Olimpíadas. Esses programas imitarão alguns que já existem e que costumam incendiar os ânimos dos telespectadores. Porém, serão rebatizados para que combinem mais com a ocasião. Serão eles:

Big Atleta Brasil - Nesse programa acompanharemos 15 atletas que ficarão confinados em uma casa por no máximo 15 dias, onde terão à disposição academia, piscina, quadra e tudo mais que precisarem para treinar. Porém, o que vale é a interação entre eles, pois, dia após dia, um deles será eliminado. O que sair por último, no 15º dia, será o campeão.

Dança dos Atletas - Como naquele programa com famosos, os atletas terão que competir por meio da dança de salão. Eles se apresentarão para uma banca de jurados e para a plateia do programa. Os telespectadores também poderão votar.

Atleta Chef - Aqui o que manda são os dotes culinários! Os participantes terão que cozinhar na frente dos jurados e oferecer os pratos para degustação. Já estou com a boca cheia d'água só de imaginar as iguarias de vários países!

The Atleta's Voice - Os atletas mais afinados soltarão a voz, como no programa original, e concorrerão entre si. Mal posso esperar para saber para quem as cadeiras vão virar!

Miss Atleta - Esse é especialmente para as beldades das Olimpíadas. Como em um concurso de beleza tradicional, as representantes de cada país passarão por provas de simpatia, trajes de banho, roupa de gala e os jurados atribuirão notas até chegar à vencedora.

Linguagem do amor - Com certeza esse deve atrair a atenção dos mais românticos, como eu, pois esse programa nada mais é do que uma espécie de "namoro na TV"! No primeiro dia, conheceremos três atletas do sexo masculino, de nacionalidades diversas, que dirão para o público por que querem uma namorada. Por votação popular, apenas um deles será o escolhido e então conheceremos as pretendentes, que serão dez garotas, também atletas e de vários países, que por três dias disputarão entre si o coração do rapaz. Mas tem um detalhe muito importante... Para evitar que algumas concorrentes sejam favorecidas, por talvez falarem a língua do disputado rapaz, toda a comunicação deverá ser feita por gestos! Boca fechada, pois qualquer palavra desclassificará a pretendente. Será que é possível se apaixonar sem conversar e em tão pouco tempo? É o que vamos descobrir!

O setor de marketing informou ainda que o comitê olímpico de cada país é o responsável por escolher os atletas que participarão da prévia, que cada atleta só poderá participar de um dos programas e que, nos compostos por jurados, as bancas serão formadas por diferentes nacionalidades para que não haja favorecimento.

Elas não disseram um nome específico para essa prévia, mas eu acho que devia se chamar "Gincana Olímpica", pois parece um pouco com aquelas gincanas da escola, mas só com atletas olímpicos! O que vocês acham?

Na verdade, o nome não importa, tenho certeza de que vai ser sucesso com o título que escolherem! Quer apostar que esses jogos despertarão mais torcida do que os das Olimpíadas em si? Algo me diz que essa será apenas a primeira entre as várias apostas que você fará nos próximos dias...

Até breve!

Belinha

• Capítulo 11 •

Os dias começaram a passar muito depressa. Ou talvez tenha sido eu que ocupei cada segundo deles. Mas a verdade é que, quando dei por mim, faltavam apenas trinta dias para as Olimpíadas. Só quatro semanas. Setecentas e vinte horas. Para o maior evento da minha vida...

O meu colégio, que já costumava ser flexível comigo por causa dos treinos e competições, ficou ainda mais. Adiantaram minhas provas do final do semestre para que eu ficasse livre, e então a minha vida passou a ter apenas uma cor: azul. Eu não saía mais de dentro da piscina.

Apesar de todos os meus pensamentos terem se voltado para os jogos que estavam se aproximando, eu abria uma exceção para aquela parte das lembranças que insistiam em me levar de volta para a Suíça. Ou melhor, para o *Erico*...

Visitar o perfil dele nas redes sociais virou minha rotina diária, eu já tinha decorado cada uma de suas fotos, não cansava de ver seus vídeos e tinha até aprendido um pouco sobre a técnica de tênis, para ficar mais por dentro do seu mundo... Mas ele provavelmente também estava se concentrando no treino, pois agora raramente postava alguma coisa.

Tentei encontrar a data em que ele chegaria ao Brasil, mas tudo que descobri foi que o centro de treinamento onde a equipe da Suíça ficaria até começarem as Olimpíadas seria em Brasília e que os jogos dele seriam em datas diferentes das minhas competições. Ou seja, isso me desanimou completamente! O que adiantaria estarmos no mesmo país se eu nem ao menos teria chance de encontrá-lo? Lembrei da minha irmã falando sobre relacionamentos a distância e tudo que aquilo acarretava, e então resolvi que o melhor era realmente cumprir o que havia prometido ao meu pai: limpar minha mente e me preocupar apenas com o que interessava naquele momento, a proximidade das Olimpíadas.

Por isso, quando um dia, logo depois do treino, o Sebastião chamou o Lino e eu para conversar, fiquei surpresa com o que ele propôs.

— Vocês já devem estar sabendo dessa ridícula prévia dos jogos — ele disse, com entonação de pergunta, embora tivesse soado mais como uma afirmação do que qualquer outra coisa.

O Lino concordou com a cabeça, mas eu não tinha a menor ideia do que o meu treinador estava falando. Então apenas franzi as sobrancelhas, o que fez com que ele perguntasse:

— Arielle, em que mundo você vive? Só se fala disso na televisão, na internet e em todos os lugares!

Aquilo me deixou meio brava. Não era exatamente isso que ele e o meu pai queriam? Que eu deixasse o resto do mundo de escanteio até o final das Olimpíadas? E agora ele ainda vinha brigar comigo por ser obediente?

Eu ia começar a dizer isso, mas ele balançou a mão com impaciência, como se me mandasse deixar pra lá, e já começou a explicar:

— Tem uma blogueira que escreveu sobre uma espécie de olimpíada alternativa e o post viralizou. Na verdade, ela ouviu umas mulheres conversando sobre o assunto em um banheiro, mas era só brincadeira, um sonho que uma delas havia tido e estava comentando com a outra, especulando como seria se fosse verdade. Porém, a blogueira, além de inserir um bocado de informações que tirou da própria imaginação, deu a notícia como se fosse real... Não teria nada de mais, só que as pessoas adoraram tanto a ideia que fizeram um grande abaixo-assinado para que o Comitê Olímpico do Brasil colocasse aquilo em prática! Claro que as TVs não perderam tempo, algo que já nasce com audiência garantida não dá pra desperdiçar! A repercussão foi tanta que a tal blogueira ficou superfamosa, está sendo vista como uma "gênia do marketing", foi convidada para cobrir todo o evento, vai entrevistar atletas...

— Mas como vai ser essa olimpíada alternativa? — perguntei.

Ele então me explicou que seria tipo uma gincana que aconteceria em programas de auditório nos moldes de alguns que já existiam. Mal pude acreditar que as pessoas estivessem dando atenção a algo assim, sendo que os verdadeiros jogos estavam prestes a começar!

— Boa sorte para os participantes — falei, revirando os olhos e já me dirigindo para o vestiário.

— Espera, Arielle. — o Sebastião me segurou antes que eu desse dois passos. — A principal questão é que os patrocinadores de vocês dois estão querendo saber de qual dos programas dessa gincana vocês vão participar!

Comecei a rir, pois realmente achei que ele estivesse brincando. Quando vi que continuava sério, falei, abismada:

— Você e os patrocinadores estão tão malucos quanto essas pessoas do abaixo-assinado e a tal blogueira, né? Os jogos estão batendo na porta! Eu tenho ocupado cada segundo da minha vida treinando, pois você, meu pai e o mundo inteiro sempre pareceram pensar que eu só servia pra isso. Porém, agora que eu realmente tenho que me dedicar 24 horas por dia, vocês estão sugerindo que eu simplesmente pare e vá participar de uma... *gincana*?!

— Ninguém está sugerindo que você pare! — ele respondeu, nervoso. — Você vai continuar treinando diariamente. Mas temos que agradar os patrocinadores! E também os seus fãs, as pessoas que vão torcer por você nas Olimpíadas. Elas querem te ver também nessa brincadeira, claro, afinal, imagina se a *princesinha das águas*, a maior esperança do nosso país, vai ficar de fora? De jeito nenhum!

Ainda sem acreditar, falei, com ar de desprezo:

— Ah, e o que você sugere, que eu participe do concurso de *Miss*?

— A Michelle vai participar desse... — o Lino disse, se referindo à namorada. Desde o nosso *suposto* envolvimento inventado pelos repórteres, ele havia assumido o relacionamento com a jogadora de vôlei dos sonhos dele, não só para fazer com que ela acreditasse que não tinha nada comigo, mas também para a mídia parar de fazer fofoca. — Não leva a mal, Ári, mas eu acho que ela ganha...

— Conhece a palavra ironia? — perguntei, sem paciência. — Eu falei brincando! Eu preferia morrer a participar de um concurso de beleza! Pior do que esse só mesmo aquele do namoro mudo! Que ideia mais idiota...

— Arielle, na verdade eu pensei em te inscrever no de culinária — o Sebastião falou depressa para acalmar os ânimos. — Seu pai vive falando que a Alana, sua irmã, sabe fazer pratos deliciosos... Pensei que ela poderia te ensinar algo fácil e bem brasileiro, para fazer com que os telespectadores torçam bastante pela sua comida...

— Tipo arroz e feijão? — perguntei, incrédula.

— Na verdade pensei em uma feijoada... Tenho certeza de que qualquer jurado iria adorar!

Respirei fundo, já cansada daquela conversa.

— E você, Lino, vai participar de qual? — perguntei com a mão na cintura. Pelo que eu conhecia do Lino, tão sério e meio tímido, dificilmente ele toparia entrar em uma fria daquelas!

— Pensei no concurso de canto... — ele disse com naturalidade. — Passar tanto tempo com você e com suas irmãs fez com que eu aprendesse um pouco de técnica. E acho que esse será o que menos tomará o tempo dos treinos.

O Sebastião bateu palmas.

— Bravo, Lino! Como sempre, a decisão mais ajuizada! Está vendo, Arielle? Qual a dificuldade em sair um pouco do planejado?

— Ah, agora você diz isso? — comentei, realmente brava dessa vez. — Passei a vida inteira tentando fazer com que você e meu pai entendessem isso, mas vocês sempre disseram que é a rotina que faz o atleta, que a diversão só atrapalha...

— Bom, eu não chamaria isso de diversão — ele falou, meio sem graça, mas sem perder a pose. — Afinal, vocês terão que fazer o possível para ganhar a gincana também, já que o público com certeza vai considerar isso uma verdadeira prévia dos jogos, inclusive em relação aos resultados. E então, posso te inscrever no *Atleta Chef*? Pena que você não canta como suas irmãs, não é? Com certeza uma voz como a delas comoveria o mundo...

O Lino deu um risinho, pois sabia muito bem do meu segredo em relação ao canto, mas assim que lancei um olhar feio pra ele, falou:

— Não vejo a hora de provar sua feijoada, Ári, se precisar de um cobaia, pode me chamar!

— Nada disso, Lino — o Sebastião reprovou —, você não pode correr o risco de ter uma intoxicação alimentar nessas alturas do campeonato!

— O que você está insinuando? — perguntei, indignada.

Ele não respondeu, mas saiu rindo com o Lino, me deixando sozinha. Olhei para a piscina e, sem pensar, mergulhei novamente. Para esfriar a cabeça, com certeza eu precisaria de muita água gelada nos próximos dias...

• Capítulo 12 •

— Hmmm... está muito bom! — meu pai falou depois de ter provado minha feijoada. — Parabéns, filha! Confesso que pensei que você não seria capaz de aprender a cozinhar em tão pouco tempo!

— Com uma professora como eu, quem não aprende? — a Alana disse, rindo, também degustando minha obra de arte. — Agora a Arielle vai ganhar o primeiro lugar não só nas Olimpíadas, mas na prévia também!

— Não tenho dúvidas disso — meu pai falou depois de outra garfada.

Suspirei enquanto tirava o avental. É claro que estava bom, a minha irmã vinha fazendo com que eu repetisse aquele prato dia após dia... A tal Gincana tinha que começar logo, pois eu já não aguentava mais sentir nem cheiro de feijão!

A cada dia eu ficava mais ansiosa também pelo início dos Jogos Olímpicos, especialmente por não querer decepcionar o meu pai. Ele estava muito confiante e eu nem queria imaginar a tristeza que tomaria conta dele caso eu não vencesse. Mas o fato é que eu não estava nem um pouco otimista... Continuava a treinar, horas e horas por dia, mas com a chegada de algumas concorrentes no país e com as notícias que saíam sobre elas, pude constatar que eu não estava fazendo nada de mais. Todas as nadadoras estavam se preparando incansavelmente.

— Arielle, o Sebastião acabou de ligar, mas pensei que você ainda estivesse cozinhando, por isso não te chamei — a Ágata entrou na cozinha com o telefone sem fio na mão. — Ele disse que tem que conversar com você a respeito de uma entrevista coletiva que você vai dar amanhã... Bom, eu falei que você retornaria quando terminasse.

Respirei fundo, cansada só de pensar. Eu não queria dar mais entrevista nenhuma... Era difícil entender como tudo podia mudar em tão pouco tempo! As regras do meu pai e do meu técnico sempre haviam sido fugir da imprensa, não responder perguntas, não falar da minha vida pessoal... E agora, de repente, tudo que eles queriam era me entregar em uma bandeja para que os repórteres me dissecassem. Chegaram a contratar uma assessoria de imprensa! Eu já tinha dado mais entrevistas nos últimos dias do que na minha vida inteira! E as perguntas eram sempre as mesmas... Se eu esperava ganhar, como eu estava me preparando, se temia algum adversário, planos para o futuro... Não seria bem mais fácil simplesmente olhar as respostas uns dos outros e copiar? Mas o Sebastião insistia que quanto mais vezes eu ficasse em destaque nesse momento, melhor seria para a minha imagem, pois isso atrairia audiência e consequentemente mais patrocínio.

Ignorei o telefone que a minha irmã continuava estendendo em minha direção e fui para o meu quarto. Resolvi ligar o computador, afinal tinha mais de uma semana que eu não checava meu e-mail. Devia ter dezenas de mensagens acumuladas...

Eu estava certa. Passei um tempo respondendo algumas mais urgentes e de repente cheguei em uma que me deixou com a consciência pesada só de ler o nome de quem a havia enviado. Era novamente da Belinha, aquela garota que vinha tentando me entrevistar. Ela parecia tão boazinha e eu nem mesmo havia respondido ao outro e-mail dela, recebido uns dois meses antes... Mas eu não tinha dado uma resposta exatamente porque seria obrigada a negar a entrevista, já que sabia que meu pai e meu técnico não concordariam com aquilo. Só que agora, na atual circunstância, eu não tinha mais motivos para dizer não. Se eu já estava sendo obrigada a dar tantas entrevistas, podia perfeitamente realizar o desejo da menina e responder mais uma!

Cliquei rápido para abrir a mensagem, disposta a dizer que ela podia marcar uma data. Mas quando li o conteúdo, me surpreendi...

De: Blog da Belinha
Para: Arielle Botrel
Assunto: cobertura do evento e peruca

Olá, Arielle, espero que você ainda se lembre de mim... Te mandei um e-mail há um tempo, na época, tudo que eu queria era entrevistar uma atleta para colocar um conteúdo diferente no meu blog... Naquela ocasião eu nem imaginava que a minha vida estava prestes a sofrer a maior reviravolta! Meu blog, que era basicamente literário e que apenas vez ou outra trazia uma postagem sobre outro tema, agora está até parecendo um noticiário esportivo!

Bom, estou contando tudo isso, mas acho que você já deve saber das novidades, não é? Claro que sim, afinal, li que você vai participar do programa de culinária na Gincana Olímpica! Então provavelmente já sabe que estarei lá conversando com todos os participantes na cobertura do evento! Quem diria... Eu queria apenas uma entrevista rapidinha para as minhas redes sociais, e agora vou falar com você em rede nacional! Uau!

Por falar nisso, vou estar também naquela entrevista coletiva sobre a Gincana, que você e alguns outros atletas de esportes aquáticos da nossa cidade vão dar na semana que vem. E estou escrevendo exatamente por isso. Ainda estou com a peruca que a DJ Cinderela pediu pra te entregar. Você quer que eu a leve na coletiva ou prefere combinar de pegar comigo em algum lugar depois? Afinal, sei que você usa isso como um disfarce e se eu te entregar na frente de todo mundo, acho que era uma vez sua identidade secreta, né? ☺

Querida, desde já boa sorte na gincana! Desculpa a franqueza, mas você não tem cara de quem cozinha muito bem... Com esse corpo todo escultural, na verdade parece que nem passa perto da cozinha! Eu acredito naquele ditado que diz que cozinheiras magras não são confiáveis! Hahaha! Mas algo me diz que posso ter uma surpresa...

Beijinhos da Belinha

Fui ficando mais surpresa a cada linha do e-mail. Então ela era a blogueira responsável pela tal "*Bobeira* Olímpica"?! Eu devia ter imaginado... Pensando bem, desde o primeiro instante que a conheci naquele bar, ela me pareceu mesmo meio lunática. E também *xereta*. Mas por outro lado eu estava feliz por ela, já que o que mais queria tinha acontecido, que era destaque para o tal blog. Pelo que o Sebastião tinha contado, ela estava bem famosinha agora... Mas ainda assim queria me devolver a tal peruca e se preocupava em como fazer isso para não me prejudicar.

Com a opinião dividida entre considerar a Belinha uma boa pessoa ou não, comecei a olhar as outras mensagens, mas de repente lembrei que a minha irmã havia dito que o Sebastião tinha telefonado para falar de uma entrevista coletiva no dia seguinte... Com certeza era a mesma a que a Belinha se referia, pois, olhando a data, vi que o e-mail dela era da semana anterior! Só faltava aquela doida aparecer lá com a minha peruca na mão!

Liguei depressa para o Sebastião, que confirmou que a tal coletiva seria com todos os atletas de esportes aquáticos da cidade que iriam participar da Gincana Olímpica...

Exatamente como a Belinha tinha explicado. Sem perder tempo, respondi ao e-mail dela.

De: Arielle Botrel
Para: Blog da Belinha
Assunto: Re: cobertura do evento e peruca

Oi, Belinha, aqui é a Arielle. Desculpa não ter respondido ao seu outro e-mail, estou treinando o tempo todo, e meus e-mails estão acumulados... Pra você ter uma noção, eu nem sabia que você era a blogueira responsável pela ideia inicial da Gincana Olímpica! Estou realmente super por fora, mas meu técnico tem me atualizado sobre as notícias.

Bom, não sei se você vai ler esse e-mail a tempo, pois acabei de descobrir que a coletiva que você falou já é amanhã, mas, caso leia, não precisa levar a peruca, tá? Depois a gente combina!

Até amanhã!

Arielle

Desliguei o computador e decidi que o melhor que eu tinha a fazer naquele momento era dormir. O dia seguinte pelo jeito seria cheio... Treino pela manhã, entrevista à tarde e à noite, provavelmente eu teria que fazer novamente aquela feijoada... Além disso, eu queria aproveitar o máximo possível a minha própria cama... Em poucos dias eu já teria que viajar para o Rio de Janeiro, por causa da Gincana Olímpica, e só voltaria depois que as Olimpíadas terminassem...

Suspirei, pensando que mal podia esperar para tudo aquilo acabar! Eu só queria a minha vida de volta... Na verdade, uma vida da qual eu nunca tinha sido a dona realmente, pois se ela fosse totalmente minha, eu poderia decidir o que fazer com os meus dias.

Cansada, abafei a cabeça com o travesseiro, torcendo para aquilo abafar também os meus pensamentos, pois eles sempre iam em direção ao meu desejo de ter mais liberdade. Algo que eu sabia que só dependia de mim.

Alguns segundos antes de dormir, a imagem do Erico veio à minha mente. Será que ele já estava no país? Mas também, o que aquilo importava? Mesmo que estivesse, certamente ninguém me deixaria ficar nem um segundo ao lado dele! Respirei fundo, pensando que, se eu não tomasse as rédeas da minha vida, os outros continuariam sempre a fazer isso por mim.

Fechei os olhos com força, decidida a dormir logo.

Pelo menos nos meus sonhos eu podia ter o controle da minha própria história...

◆ Capítulo 13 ◆

— Arielle! Não te vejo desde aquela festa na Suíça! Aliás, você foi embora de lá sem nem dar um tchauzinho, que mal-educada!

Eu estava terminando de preencher um formulário com meus dados na entrada da entrevista coletiva, mas levantei a cabeça e dei de cara com a Sula, a garota da equipe de nado sincronizado. Imediatamente me lembrei da nossa última conversa na tal festa... Ela havia comentado que o Erico estava lá e que ele era lindo... Naquele momento eu nem tinha ideia de quem ele era. Ah, se eu soubesse... Ah, se *ela* soubesse tudo que aconteceu depois que me largou sozinha no meio daquelas pessoas todas que eu não conhecia!

— Oi, Sula! — falei, meio sem graça. — É verdade, desculpa. O meu técnico é muito rígido, você sabe... Então tive que ir embora cedo, nem deu tempo de te encontrar para me despedir.

Nada daquilo era mentira...

— Não tem problema, estou brincando! — Ela deu um tapinha no meu ombro, rindo. — Estou tão feliz por você estar aqui! As meninas da minha equipe não vão participar da Gincana Olímpica, a nossa treinadora disse que só uma de nós poderia, por causa do número de vagas nos programas... Claro que eu fui a escolhida, não é?

Dei um sorriso meio amarelo. Eu não tinha a menor dúvida de que ninguém havia escolhido, e sim que ela tinha imposto aquilo. Pelo pouco que eu a conhecia, já percebera que ela fazia questão de ser o centro das atenções do que quer que fosse.

— Mas e aí, de qual dos programas da Gincana você vai participar? Não me diga que é do *Miss Atleta?* — ela sugeriu, rindo, como se aquilo fosse uma grande piada.

— Vou tentar o de culinária... — falei, tentando enxergar onde o Lino estava, para ter uma desculpa pra sair de perto daquela garota desagradável. Mas ela o encontrou antes de mim.

— E não é que o seu amigo realmente tem namorada? — ela comentou, apontando para um canto, onde pude ver o Lino e a Michelle agarrados, em um beijo que parecia não ter fim. —Aquele dia em Zurique pensei que era só invenção sua, para encobrir algum envolvimento entre vocês dois. Mas eu devia imaginar que um cara lindo daquele ia querer alguém no mesmo nível...

Ok, eu já tinha entendido que aquela garota não me achava bonita! Mas ela precisava ficar jogando isso na minha cara? Tudo bem que eu não era nenhuma Miss Universo, digna de participar de um concurso de beleza, mas eu nunca havia tido problema com a minha aparência... Na verdade até gostava do que via no espelho. Meu corpo era esguio e definido por causa da natação, meu cabelo era comprido, cheio, e com um tom avermelhado que eu adorava, meu rosto era delicado... E todo mundo dizia que o meu sorriso era lindo. Eu podia não ser uma top model, mas feia, eu também não era. Quero dizer, pelo menos na minha opinião...

Por sorte, nesse momento avistei a Belinha, a menina do blog.

— Sula, desculpa, mas tenho que cumprimentar uma amiga que acabou de chegar... — falei, já me direcionando para onde a tinha visto entrar. Na verdade eu não podia considerar a Belinha uma *amiga*, mas pra me livrar daquela conversa chata, eu inventaria até que ela era minha "BFF"!

Porém, assim que viu de quem eu estava falando, a Sula agarrou o meu braço e disse empolgada:

— Não acredito, você conhece a Belinha? Preciso que ela me entreviste!

— Não se preocupe, parece que ela vai falar com todos os participantes, ela que vai fazer a cobertura do evento... — falei, tentando me esquivar, me lembrando do que havia lido no e-mail que a Belinha tinha me enviado.

— Não, isso ela vai fazer para a emissora que vai televisionar a prévia, o que eu quero é que ela me entreviste para o *blog* dela! Fiquei sabendo que ela vai escolher a dedo os atletas que vai entrevistar, para o conteúdo não ficar maçante. E você sabe, estar no blog da pessoa que praticamente inventou a Gincana Olímpica é tipo um troféu a mais, tudo que ela coloca lá agora é traduzido e vira notícia em todos os países que estão participando das Olimpíadas! — E em tom sigiloso, ela completou: — Ouvi dizer que o blog dela está tendo quase um milhão de acessos... *por dia*! Por favor, me apresenta pra ela?

Fiquei meio impressionada e até um pouco arrependida por não ter dado logo aquela entrevista que a Belinha tinha pedido. Agora provavelmente ela nem estava mais interessada, já que pelo visto atletas do mundo inteiro estavam fazendo fila para serem entrevistados por ela...

— Hum, na verdade eu não sou tão amiga dela assim, eu a encontrei só uma vez quando...

— Arielle, querida!

Antes que eu pudesse completar a frase, a Belinha me avistou e veio em minha direção com os braços abertos, como se realmente fôssemos melhores amigas. Enquanto ela me abraçava efusivamente, vi que a Sula estava me lançando uns olhares desconfiados, como se eu tivesse mentido apenas para não ajudá-la. Mas, no segundo em que o abraço acabou, ela se aproximou depressa, deu dois beijinhos no rosto da Belinha, enlaçou o braço no meu e disse:

— Muito prazer! Meu nome é Sula, também sou amiga da Arielle! Sou da equipe de nado sincronizado e queria te dizer que a ideia que você teve da Gincana Olímpica foi a melhor da vida!

A Belinha ficou sem graça e começou a dizer que a ideia não havia sido exatamente dela, mas a Sula completou:

— Ah, não precisa de modéstia, meu bem! Eu sigo seu blog e sei o quanto você é criativa! Aliás, eu já seguia muito antes de você ficar famosa...

A Belinha agradeceu e então se virou pra mim dizendo:

— Vi seu e-mail ontem, desculpa não ter respondido, mas eu estava em Brasília, vim direto do aeroporto pra cá! Fui convidada para cobrir a chegada da Tocha Olímpica ontem, mas como os atletas da Suíça também desembarcaram lá hoje cedo, aproveitei para já conversar com alguns deles! Foi a maior correria...

Eu abri a boca pra dizer que não tinha problema, mas no segundo em que ouvi a palavra "Suíça", meus lábios tomaram vida própria e o que saiu foi:

— A equipe da Suíça já chegou?!

Fiquei sem graça e comecei a gaguejar algo sobre as minhas concorrentes de lá, mas nesse momento alguém chamou a Belinha, por isso ela rapidamente se despediu de mim, dizendo que depois a gente conversaria melhor. Em seguida ela deu um sorrisinho para a Sula e se afastou.

Aproveitando, me virei para a Sula e falei:

— Meu técnico deve estar me procurando, ele é meio desesperado, não posso me afastar um minuto que já se preocupa. Tenho que ver onde ele está...

— É aquele ali? — Ela apontou para o Sebastião, que estava a uns três metros de nós, em uma conversa animada com outros treinadores e acenou assim que eu o vi. — Acho que ele sabe exatamente onde você está. E não está parecendo nem um pouco desesperado...

Dei um sorriso amarelo, sem saber o que dizer, mas a Sula então, parecendo se lembrar de algo, perguntou, enquanto me olhava de cima a baixo:

— Mas, voltando ao começo da nossa conversa, eu estava falando exatamente da Suíça, olha só que coincidência! Você saiu da festa cedo, mas deu tempo de ver a ambulância chegando para resgatar o *Erico Eggenberg*, não é?

Só de ouvir o nome dele senti o meu rosto queimar. Esse era o problema de ser ruiva: por qualquer motivo eu enrubescia! Porém, antes que eu pudesse responder, o Lino se aproximou com a Michelle. Mais uma vez a Sula se adiantou e os cumprimentou com beijinhos.

— Oi, Lino, lembra de mim? Do nado sincronizado... Já nos esbarramos em algumas piscinas — ela então deu uma piscadinha pra ele, o que fez com que a Michelle fechasse a cara e segurasse a mão do Lino com mais força.

Ele ficou sem graça e apenas assentiu. Para tentar desfazer aquele clima estranho, comentei:

— Pensei que a entrevista seria só com atletas de esporte aquático... Que bom que você veio também, Michelle!

— Só vim pra dar apoio moral pro meu namorado — ela respondeu, enfatizando a palavra *namorado* enquanto olhava para a Sula. — Pelo menos isso eu posso fazer, já que na Gincana eu não vou poder ajudá-lo muito... Eu desafino até no chuveiro! Se pelo menos eu tivesse o dom de cantar que você tem, Arielle... O Lino me explicou que você não vai entrar na competição de canto para não magoar o seu pai, mas eu sinceramente acho um desperdício. Se sua voz for parecida com a das suas irmãs só posso dizer que é uma pena, eu realmente gostaria de te ouvir!

Sorri, sem jeito, ao mesmo tempo em que lançava um olhar para o Lino, que queria dizer: "Eu vou te matar por ter contado pra ela a história do meu pai!" Acho que ele captou a mensagem, porque rapidamente se despediu dizendo que tinha que resolver uns assuntos e saiu puxando a Michelle pela mão.

Assim que sumiram de vista, olhei para a Sula, que continuava firme ali, mas agora com uma expressão meio estranha. Por receio de ela estar processando o que a Michelle havia dito, resolvi mudar logo de assunto e comentei:

— A entrevista está demorando pra começar, né?

Ela, no entanto, cruzou os braços e, como se o Lino não tivesse interrompido e eu não tivesse dito nada, voltou ao assunto anterior:

— Mas voltando à festa na Suíça... Você disse que viu a ambulância que levou o Erico, né?

Eu ainda estava nervosa pelo que a Michelle tinha dito, por isso sem pensar respondi:

— Vi — mas logo acrescentei "não" e em seguida falei que nem sabia quem era Erico.

Ela então deu uma risada e balançou a cabeça de um lado para o outro, mas de repente ficou séria e disse:

— Claro que sabe... O tenista lindo que caiu na piscina lá na festa e foi salvo por uma garota. E que depois ficou procurando por ela todo apaixonado...

— Todo apaixonado? — falei, sem conseguir me conter.

— Coitadinho — ela disse com as sobrancelhas franzidas. — Tenho umas amigas na Suíça, que são amigas do Erico, que me contaram que ele ficou com o coração partido quando a tal garota não atendeu ao pedido que ele fez para que ela aparecesse. E elas falaram também que mesmo sem lembrar direito da aparência dela, ele nunca esqueceu o momento em que estava em seus braços e ela cantou para ele. — A Sula parou um pouco de falar, deu um suspiro e completou: — Elas falaram que até hoje ele tem esperanças de encontrá-la...

Já tinha um tempo que eu estava tentando afastar o Erico do meu pensamento, mas ao ouvir o relato dela, foi como se uma avalanche que estivesse sendo contida de repente derrubasse o obstáculo e invadisse tudo com força total. Eu também não tinha esquecido aquele momento com ele... E pelo número de vezes que eu acessava a internet tentando ter notícias de sua passagem pelo Brasil, certamente eu também esperava encontrá-lo, nem que fosse para tentar descobrir por que aquele tormento dentro do meu peito não passava.

— Mas você não viu mesmo quem foi a garota que o salvou, não é? — a Sula perguntou, chamando novamente minha atenção. — Porque você sabe... Eu vou encontrá-lo nos próximos dias, e realmente gostaria de ajudá-lo a achar essa menina. Se você tiver qualquer pista, quer dizer, caso tenha visto alguém por perto na hora que saiu da festa...

Em vez de responder, perguntei depressa:

— Você vai encontrá-lo?

Ela deu um risinho e limpou uma sujeirinha imaginária na roupa, antes de dizer:

— Ah, sim... Tenho uma tia que mora no Rio, ela é uma das produtoras da Gincana Olímpica. Disse que soube por fontes seguras que o Erico vai participar... E como os meus treinos a partir de agora não vão ser tão pesados, para não ter o risco de sofrer alguma lesão bem na véspera das Olimpíadas, perguntei se poderia ajudá-la no meu tempo livre, tipo como estagiária. Ela concordou, então certamente vou encontrar o Erico na emissora!

Eu fiquei calada, pensando em como gostaria de estar no lugar dela e se teria alguma possibilidade de cruzar com ele, já que eu também teria que ir à emissora para participar do programa de culinária, mas então a Sula chegou mais perto e falou, baixinho:

— Posso te contar um segredo? — Fiz que sim com a cabeça, e aí ela continuou, rindo: — Acredita que por um momento cheguei a pensar que você poderia ser essa musa do Erico? —Arregalei os olhos e comecei a negar com a cabeça, mas ela insistiu: — É que quando avisaram lá na festa que uma pessoa tinha se afogado e estava sendo levada por uma ambulância, todo mundo correu pro quintal. Nesse momento eu te vi entrando correndo em um táxi, mas na hora fiquei tão impressionada com o acidente e tudo mais que nem parei pra pensar. Só depois, quando vi um vídeo dele falando que tinha sido salvo por uma menina e que ela talvez não falasse a mesma língua que ele, foi que comecei a cogitar essa possibilidade... Mas como você não se manifestou, não atendeu ao apelo dele, pensei que eu estava enganada, que não era você, afinal nenhuma mulher seria tão tapada a ponto de não atender à súplica de um príncipe daqueles!

Tive vontade de dar um soco naquela boca, para que parasse de falar. Eu já me achava tapada o suficiente, não só por não ter procurado o Erico, mas por várias outras razões... Não precisava de outra pessoa esfregar isso na minha cara também! Mas tudo que eu disse foi:

— É mesmo...

Ela nem me ouviu e continuou:

— Só que há pouco, alguns fatos fizeram com que eu voltasse a pensar nisso. Primeiro você ficou toda empolgada quando a Belinha disse que a equipe da Suíça chegou ao país... — Eu ia contestar, mas ela fez sinal para que eu esperasse. — Além disso, sempre que via suas irmãs na TV, eu ficava pensando por qual motivo você trocaria aqueles aplausos calorosos pelas piscinas geladas. Cheguei à conclusão de que você provavelmente era a ovelha negra da família, imaginei que simplesmente não tivesse jeito pra música e usasse a natação para compensar. Mas agorinha, ao ouvir a namorada do seu amigo falar que você também canta e que só não faz isso por algum motivo familiar... Bem, qualquer pessoa com um mínimo de lógica juntaria os fatos. Você indo embora da festa na maior correria, o apelo dele nas redes sociais sem resposta, o fato de você cantar em segredo...

Ela ficou me olhando, como se estivesse esperando que eu confessasse. Como eu sabia que quanto mais eu falasse, mais me enrolaria, apenas concluí:

— Tudo coincidência.

— Que pena! — ela deu um suspiro triste. — Porque além de tudo, a minha treinadora é muito amiga de um dos técnicos da equipe da Suíça e ele contou que depois daquela festa o Erico virou outra pessoa. Parece que único assunto dele é a tal garota que o salvou, a quem ele chama de "sereia"... Um apelido que combinaria bem com você, afinal, você nada e canta... Mas o fato é que todo mundo está superpreocupado de o Erico ir mal nas Olimpíadas, já que não tira isso da cabeça! A última esperança deles é que essa garota seja alguma atleta e que ela e o Erico se encontrem durante os jogos, pois assim ele vai ser capaz de se concentrar em alguma outra coisa... Por esse motivo que eu estava querendo ajudar. Depois da nossa viagem pra Suíça, eu realmente me apeguei àquele país... — Ela parou por uns segundos, suspirou e voltou a falar: — Por isso, se fosse você, seria ótimo, assim a gente poderia dar um jeitinho de vocês se encontrarem antes mesmo dos jogos começarem... Tenho certeza de que seria excelente para o desempenho olímpico dos dois! Ninguém precisava ficar sabendo, claro, a gente podia manter isso em segredo... Mas não é você mesmo, né?

Eu fiquei calada, sentindo que minha consciência tinha se dividido em duas, como nos desenhos quando sobre os ombros do personagem apareciam um anjinho e um diabinho. Naquele instante, o anjo me dizia para ficar quieta e sair logo de perto daquela garota. Mas o diabo me mandava confessar para ter a chance de ser feliz... como eu nunca havia realmente sido.

Nesse momento, anunciaram que a entrevista iria começar. A Sula então deu de ombros e começou a se encaminhar para o local.

— Sula, espera.

Sabe quando você tem certeza de que está prestes a fazer uma coisa da qual vai se arrepender profundamente, mas mesmo assim não resiste e acaba fazendo por impulso? Pois é...

Ela se virou com um ar inocente, como se não tivesse ideia da razão do meu chamado, e ficou esperando que eu falasse mais alguma coisa.

Respirei fundo e disse, baixinho:

— Ninguém precisa ficar sabendo, né?

Ela imediatamente abriu o maior sorriso e começou a gritar:

— Eu sabia! Eu tinha certeza!

Olhei para os lados e falei depressa :

— Shhh... — mas ela veio depressa e fez com que eu olhasse pra ela.

— Ora, não precisa ficar inibida... Eu no seu lugar teria feito a mesma coisa lá na festa! Imagina, ver um cara lindo daqueles se afogando... Bem, eu não pularia de roupa naquela água gelada, mas com certeza mandaria alguém pular! Só não entendo por que você não se identificou quando ele perguntou quem você era...

— Em primeiro lugar porque eu não queria chamar atenção da imprensa, em segundo, porque o sonho do meu pai é que eu ganhe as Olimpíadas e para isso ele acha que eu tenho que me concentrar ao máximo e não pensar em outras coisas, em terceiro porque eu nem devia ter ido àquela festa... — Respirei fundo antes de continuar. — Então, por favor, não fale sobre isso com ninguém. Seria péssimo se me descobrissem, eu poderia mesmo me desconcentrar com a repercussão que isso poderia ganhar...

— Claro que não, Arielle... — Ela pegou minhas duas mãos. — Eu também acho que isso pode prejudicar o seu desempenho e o dele, o que seria uma tragédia para os dois países, afinal, vocês, nas respectivas modalidades, são as maiores esperanças para as medalhas de ouro! Só fico chateada porque, como eu disse, o Erico continua procurando essa garota que o salvou... Lembro que quando ele falou sobre ela, quero dizer, sobre *você*, no Snapchat, ele estava com um olhar tão ansioso, como se realmente estivesse louco para saber quem era a tal menina. Confesso que fiquei morrendo de inveja! — Ela parou de falar um pouco, olhou para os lados e então aproximou o rosto e completou um pouco mais baixo: — Você acredita em amor à primeira vista? Acho que isso pode ter acontecido com vocês...

Eu não respondi, mas senti o meu coração disparar. Se aquilo se chamava amor, eu não sabia, mas aquele borbulhar no peito que eu estava sentindo e o frio na barriga que desde aquela noite na Suíça nunca mais tinha me abandonado, era algo que eu nunca havia sentido.

— Arielle, a entrevista vai começar, não me ouviu te chamando? — o Sebastião fez sinal para que eu entrasse depressa no auditório onde ela aconteceria. Na verdade não, eu não tinha ouvido. Desde o momento que a Sula havia falado que o Erico ainda pensava em mim, eu não tinha escutado qualquer outra coisa.

Obedeci depressa, mas antes de passar pela porta, a Sula apertou o meu ombro, sussurrando:

— Depois a gente conversa, mas juro que vou dar um jeito de vocês se encontrarem, não se preocupe. Eu adoro ajudar casais apaixonados! Concentre-se agora apenas nas perguntas da entrevista, deixa pra pensar no Erico mais tarde...

A Sula então deu uma piscadinha sorrindo para mim e foi em direção ao lugar designado para ela. Eu ainda fiquei parada um tempo pensando em como a gente pode se enganar com as pessoas. Até quinze minutos antes, eu a achava uma garota fútil, afetada e intrometida. Porém, agora eu via que não era bem assim... Ela parecia querer ajudar genuinamente, não só a mim, mas também ao Erico. E, por que não dizer, às equipes do Brasil e da Suíça.

Seguindo o conselho dela, resolvi deixar para pensar naquilo depois. Fui para o meu lugar me sentindo diferente... Como se a Tocha Olímpica que havia chegado no dia anterior tivesse de alguma forma acendido uma fagulha de esperança no meu coração.

Blog da Belinha

Hello, galera! A minha cobertura das Olimpíadas continua! Muito obrigada a todos que têm comentado e divulgado o blog para os amigos! Novos seguidores, sejam bem-vindos!

Hoje trago para vocês o resultado da enquete que eu fiz na semana passada, sobre qual atleta masculino das Olimpíadas você "pegaria"!

Com 77% dos votos, o ganhador foi o tenista Erico Eggenberg, da Suíça! Nada surpreendente, não é? Não tenho a menor dúvida de que aquele par de olhos azuis vai ser o responsável pelo maior ibope das Olimpíadas!

Tenho que dizer que conheci o Erico pessoalmente, no dia em que ele chegou ao Brasil com a equipe da Suíça, e posso garantir que ele é ainda mais bonito pessoalmente! E simpático! Acreditam que ele estudou português por quatro anos, desde as últimas Olimpíadas, só porque sabia que a próxima seria aqui e ele queria se comunicar por conta própria e não através de um intérprete? Fofo e confiante, não é? Afinal, por essa informação deduzimos que anos atrás ele já presumia que seria classificado para os Jogos Olímpicos... Sorte a nossa! Com certeza nosso país está ainda mais bonito com a presença dele!

Por hoje é só, pessoal! Não percam o próximo post! Prometo que ele vai agradar aos fãs de esporte, mas também aos meus antigos seguidores, aqueles que me acompanham desde a época em que eu só escrevia sobre literatura. Não pensem que eu perdi o meu gosto por leitura, muito pelo contrário... No momento tenho lido vários romances em que os personagens adoram nada menos que... esportes! Estou preparando um Top 5 para indicar para vocês! Garanto que com essas dicas todo mundo vai entrar ainda mais no clima das Olimpíadas!

Até mais!

Belinha

Capítulo 14

O avião pousou no Rio de Janeiro e a inquietude que eu estava sentindo havia dias aumentou ainda mais. Agora era a real... O maior evento da minha carreira iria começar.

Além de um cortejo de boas-vindas do Comitê Olímpico, alguns fãs também estavam esperando. Por alguns minutos vivenciei o que as minhas irmãs sentiam praticamente todos os dias: tirar fotos, dar autógrafos e sorrir para todo mundo.

Por mais que aquela recepção não fosse apenas para mim, já que eu estava junto com toda a equipe de natação do meu clube, fiquei surpresa ao constatar o quanto eu me senti bem com o carinho. E eu sabia que aquilo era apenas o início. Apesar de já ter participado de vários torneios esportivos, era a minha primeira vez nas Olimpíadas, e eu estava começando a perceber a dimensão daquilo, afinal o mundo inteiro estaria me assistindo.

Uma van já estava esperando para nos levar à Vila dos Atletas, uma espécie de condomínio construído especialmente para abrigar os atletas e membros de comissões técnicas durante os jogos. Eu estava louca para chegar, não só para conhecer aquela que seria minha casa pelos próximos dias, mas também por outro motivo... A Sula, que já estava no Rio, havia me enviado uma mensagem mais cedo dizendo que tinha uma ótima notícia. Por isso, eu não via a hora de encontrá-la.

Desde o dia da entrevista nós duas vínhamos conversando diariamente. Eu, que durante minha vida inteira nunca tive muitas amigas mulheres — talvez por minhas irmãs ocuparem esse papel —, estava feliz de finalmente ter alguém com quem eu pudesse me abrir, fora da minha família. Minhas irmãs eram ótimas, mas, por ser a caçula, elas sempre tentavam me proteger. Já a Sula, com seu jeito supersincero, me dava conselhos reais sobre como eu devia me vestir, falar e, especialmente, agir quando encontrasse o Erico. Ela não estava preocupada se iria me magoar com o que dizia e por isso mesmo eu acreditava nela. Então, seguindo suas sugestões, comecei a usar roupas mais sensuais, maquiagem, deixar o cabelo solto... Ela garantiu que aquilo me ajudaria a chamar a atenção não só do Erico, mas de todos os garotos.

Logo comecei a perceber que ela estava certa. Um dia, depois do treino, quando passei batom e coloquei uma roupa bonitinha, em vez de ir embora com o meu tradicional roupão, o Lino me olhou com uma expressão estranha.

— Onde você vai assim? — ele perguntou, espantado.

— Pra casa — respondi, notando o olhar dele avaliando todo o meu corpo. — Por quê?

Ele ficou meio sem graça, mas disse:

— Nada... É só que nunca te vi de maquiagem de dia. — E, pouco depois, completou: — E nem de minissaia.

— Está ruim? — perguntei, realmente interessada em saber. O Lino não costumava mentir.

— Não, claro que não... — ele disse, depressa. — Só achei... diferente.

Encarei aquilo com um bom sinal. Eu não vivia falando que queria mudar a minha vida? Ali estava um ótimo começo.

Aquela foi apenas a primeira das vezes em que as pessoas comentaram da minha aparência. Por eu nunca mais ter falado do Erico, as minhas irmãs julgaram que eu o havia esquecido, cismaram que eu estava mais uma vez apaixonada e não paravam de perguntar quem era o meu novo amor... Mas preferi não revelar que não tinha nada de "novo", que ainda era o mesmo, aquele que desde o primeiro momento nunca mais havia deixado o meu coração...

E por falar em Erico, além de dar conselhos, a Sula também passou a me abastecer com notícias dele. Ela me contava tudo que ficava sabendo e pela primeira vez eu estava sentindo que aquela paixão era mesmo real e não apenas algo da minha cabeça. Ela me mostrou que não era errado gostar de alguém, que todo mundo conciliava a vida profissional com a amorosa, e que eu devia estar preparada para enfrentar meu pai e o Sebastião, quando o Erico e eu começássemos a *namorar*... Sim, ela dizia que tinha certeza de que isso ia acontecer e aquilo o que a minha irmã dissera sobre namoro a distância ser complicado era a coisa mais ridícula que já tinha escutado.

— Em plena era virtual, você nem vai sentir que ele está tão longe! — ela disse. — Vocês podem conversar por Facetime ou Skype todos os dias, o tempo todo... Acho até que você devia começar a aprender alemão!

Ela falava coisas assim que me faziam rir e ao mesmo tempo ver que um relacionamento com o Erico não seria tão impossível como eu pensava. E, quanto mais falávamos nele, quanto mais eu o conhecia através das notícias que ela me dava, quanto mais eu me perguntava se ele se lembraria de mim quando encontrássemos, mais eu sentia o coração acelerar.

A Sula, porém, tinha recomendado que eu fosse com calma.

— Arielle, eu realmente acho que você não deve simplesmente se apresentar pra ele, tipo: "Oi, fui eu que te salvei." Ele pode se assustar ou até mesmo ficar bravo por você não ter se manifestado quando ele fez aquele apelo. Além disso, como você mesma disse, isso iria chamar a atenção de todos os repórteres e poderia prejudicar seu desempenho nas Olimpíadas.

Como sempre, ela estava certa. E exatamente por isso eu estava tão ansiosa para encontrá-la agora! Mal podia esperar para saber qual era a novidade que ela queria me contar.

Por isso, assim que deixei minha bagagem no apartamento que dividiria com outras nadadoras, mandei uma mensagem para ela, crente que em segundos minha curiosidade seria saciada. Porém, ela respondeu dizendo que estava na emissora de TV, ajudando a tia produtora a acertar os últimos detalhes da Gincana Olímpica, que começaria em quatro dias. Perguntei se ela podia me adiantar algo sobre a boa notícia, mas ela foi irredutível, dizendo que queria me falar pessoalmente. Por isso, combinei de encontrá-la no final da tarde, na frente do prédio em que eu estava hospedada.

Preenchi então o meu tempo de todas as formas, para passar mais depressa. Conheci toda a Cidade Olímpica, treinei por duas horas, dei uma entrevista... E mesmo assim o dia durou uma eternidade! Nem acreditei quando finalmente chegou o momento de me encontrar com a Sula.

— Queridinha, que bom que você chegou! O Rio de Janeiro continua lindo, não é? — ela disse, sorrindo, enquanto me dava beijinhos. — Nossa, o dia hoje voou! Tem sempre tanta coisa pra fazer lá na emissora e estou ficando amiga de tantos artistas que quase te liguei transferindo o nosso encontro para amanhã!

Não haveria amanhã para mim se ela tivesse feito aquilo, pois certamente eu teria morrido de curiosidade antes!

Falei isso pra ela, que respondeu, rindo:

— Menina, calma! Ansiedade faz os cabelos caírem! Sei que os seus já são meio ressecados por causa do cloro, mas melhor isso do que ficar careca, não é?

Comecei a passar a mão pelos cabelos, preocupada. Se tinha um cuidado que eu sempre tomava era colocar uma máscara hidratante antes de nadar. Mas se a Sula estava dizendo que eles estavam secos, provavelmente tinha razão...

— Mas então... — ela continuou a falar, e eu fiquei animada, pensando que finalmente ia revelar o que tinha pra me contar. Só que claro que mais uma vez ela não foi direto ao assunto... — Vi na meteorologia que vai chover a semana que vem inteira. Não é maravilhoso? Assim as pessoas ficam em casa e a audiência da Gincana Olímpica vai às alturas!

— Sim, é ótimo... — falei, desanimada.

— Arielle! Foi isso que eu te ensinei? — ela falou com a mão na cintura. — Empine esse peito! Bumbum pra trás! Nariz pra cima! Está parecendo uma velha corcunda!

Endireitei o corpo e ela então assentiu, como se tivesse aprovado o resultado.

— Ah, agora sim... Desse jeito acho que pode até ser que você atraia o olhar do Erico...

Como sempre, aquele nome disparou um alarme no meu peito.

— Tem notícias dele? — perguntei, depressa. — Sabe se está hospedado aqui?

Ela revirou os olhos com impaciência e disse:

— E que diferença faz? Você por acaso bateria na porta dele? Duvido! Tenho certeza de que ficaria escondida atrás de uma árvore o dia inteiro esperando ele sair! Tenha dó, né, Arielle? Você não tem mais 12 anos! Já te falei que vou te ajudar a encontrá-lo, a conquistá-lo, a namorá-lo... Mas você tem que cooperar! Você prometeu que faria o que eu mandasse, lembra? Pois então... A única coisa que pedi até agora foi que você cuidasse da sua aparência! E adiantou?

Ela me olhou dos pés à cabeça e, durante os três segundos que aquele olhar durou, me senti um lixo. Por que era tão difícil ser estilosa como ela? A Sula sabia combinar as roupas de uma forma que parecia que ela tinha acabado de sair de dentro de uma revista de moda!

Talvez por perceber que fiquei ainda mais desanimada, ela completou:

— Mas não se preocupe, teremos tempo pra isso! Nesses dias antes da Gincana Olímpica começar, conseguiremos dar um *upgrade* no seu visual! — Concordei com a cabeça e em seguida ela finalmente entrou no assunto que realmente interessava. — Descobri tudo sobre a participação do Erico na Gincana! E também já tenho um plano que vai fazer você encontrar com ele em grande estilo...

— Como?! — perguntei, depressa, sentindo meu humor mudar só de ouvir aquele nome.

Ela riu.

— Isso, tá vendo? É assim que eu quero te ver! Com esse brilho nos olhos e sorriso aberto! — Eu sorri ainda mais e ela então continuou: — Mas nem tanto, senão fica parecendo uma boba alegre! — Fiquei séria no mesmo instante. Que coisa mais complicada...

Nesse momento, o Lino apareceu. Ele estava hospedado no mesmo prédio que eu, porém em outro apartamento.

— Olá... — ele disse, olhando de mim para a Sula, com uma expressão meio estranha. —Tudo bem com vocês, né? Por que estão conversando nesse lugar escuro?

Eu nem havia reparado que a noite caíra. Por isso, só acenei pra ele com a cabeça, mas a Sula disse, rindo:

— Tudo maravilhoso, aliás, bem melhor agora que você chegou... — O Lino deu um sorriso sem graça e então se despediu, alegando que precisava dormir cedo, para o treino na manhã seguinte.

— Vê se não dorme tarde, Ári... — ele falou quando já estava saindo. — Você também tem treino e é melhor descansar bastante esses dias.

Fingi que não ouvi e me virei novamente para a Sula, pra ver se ela desembuchava logo! Porém, o que ela disse foi:

— Não me conformo de você não ter agarrado esse seu amigo até hoje... Tão lindo, tão forte e ainda por cima protetor! Ai, ai!

— Já te expliquei, eu não o vejo desse jeito... Ele é como um irmão pra mim.

— Claro que você não o vê assim... — ela falou, sem paciência. — Você só tem olhos para o Erico.

Daquela vez ela estava certa... Finalmente então, ela resolveu revelar o que tinha ficado sabendo.

— O Erico vai participar do *Linguagem do Amor*, o programa de namoro! — ela disse com um grande sorriso no rosto, como se tivesse me dado a melhor informação da vida! Ao ouvir aquilo, porém, senti como se alguém tivesse virado um balde de água fria bem na minha cabeça.

— E você acha isso bom? — perguntei, meio revoltada. Ela havia passado o dia inteiro me dizendo que tinha uma ótima notícia e agora vinha com *aquilo*? — Ele vai ser disputado por várias garotas, vai beijar uma delas, e sabe-se lá o que vai acontecer depois... Não consigo enxergar nada de positivo nisso!

Eu estava a ponto de chorar.

— Arielle, bobinha... Já te falei que sou especialista em conquista! Se estou te falando que isso é maravilhoso, acredite! Simples assim! Não te disse que eu tenho um plano?

Engoli as lágrimas e consegui dizer:

— Dá pra explicar então? Porque realmente não vejo nenhuma saída!

— Está na cara e é tão fácil... — ela disse, alisando meu cabelo, como se eu fosse uma garotinha boba. — Você só precisa participar do programa de namoro também... Assim, vai ter três dias para conquistá-lo! Com três dias, sob a minha orientação, você consegue conquistar até o Adam Levine!

Fiquei um tempo calada, tentando processar o que ela tinha falado. Era tudo tão surreal que a sensação foi de estar dentro de um sonho muito louco, daqueles em que tudo é possível. Porém, eu sabia que aquilo era real e por isso mesmo não tinha a menor chance de funcionar.

— Sula, desculpa, mas você está completamente maluca. Em primeiro lugar, vou participar do programa de *culinária*! Fiz a inscrição semanas atrás! Em segundo, mesmo que eu tivesse escolhido o de namoro, ainda teria um problema... Pelo que sei, vários atletas vão concorrer até chegarem naquele que será disputado pelas garotas! Quem disse que o vencedor será o Erico? Em terceiro, as regras são claras, as garotas que vão tentar conquistar o vencedor terão que fazer isso sem falar! Ele disse que a única coisa que ele recordava de mim, aliás, da garota que o salvou, era a voz bonita... Ou seja, nem vai passar pela cabeça dele que aquela menina sou eu! — Parei um pouco, mas, me lembrando de algo, completei: —Ah, e por último, não, eu não conquistaria o Adam Levine, porque ele já é casado!

Ela apenas balançou a cabeça e cruzou os braços.

— Meu Deus, você realmente acha que eu sou uma amadora, né? É óbvio que eu já pensei em tudo isso aí! Quero dizer, quem liga pro Adam Levine ser casado? Isso é problema da esposa dele, ela que dê um jeito de segurar muito bem um homem daqueles! Mas sobre o *seu* problema, é tão fácil... — Ela respirou fundo e, gesticulando com as mãos, revelou a solução: — *Eu* posso trocar de lugar com você. Estou inscrita no *Linguagem do Amor*. A lista dos participantes de cada programa ainda não foi divulgada oficialmente, parece que só vão fazer isso na véspera do início da Gincana... Então é só pedir à produção para alterar, não vai fazer a menor diferença! Tenho certeza de que se eu conversar com a minha tia, ela mesma resolve isso.

Ela tinha se inscrito no programa de namoro? Como eu não sabia disso até então? Jurava que ela iria participar do concurso de Miss! Mas, pensando bem, talvez eu tivesse apenas deduzido aquilo... Na verdade eu só me lembrava de ouvi-la dizer que participaria, mas sem especificar em qual dos programas...

Minha mente ficou a mil por hora. O meu pai e o Sebastião iam simplesmente *morrer* se eu aparecesse na TV procurando um namorado! O meu pai tinha implorado para eu não pensar em garotos até o final das Olimpíadas e até então eu tinha conseguido disfarçar bem. Já o Sebastião certamente diria que não seria bom para a minha imagem de garota séria e recatada que ele tinha se esforçado para construir...

— Ah, e sobre seu outro questionamento — a Sula tornou a chamar minha atenção. — O Erico vai ganhar a primeira fase, ninguém tem a menor dúvida quanto a isso. Aquela sua amiga famosa, a Belinha, fez uma enquete no blog, para descobrir quem era o cara mais desejado das Olimpíadas. Seu amorzinho ganhou disparado, não teve pra mais ninguém... Pode saber que ele vai sair daqui com uma namorada... E ela pode ser você.

Quanto mais ela falava isso, mais eu desejava que fosse real. Quanto mais eu alimentava aquele amor, mais ele crescia e eu ainda não podia entender como alguém que eu só tinha visto pessoalmente uma vez pudesse ocupar um lugar tão imenso nos meus pensamentos e no meu coração.

— O meu pai e o meu treinador não iriam gostar de me ver nesse programa de namoro... — expliquei, sem graça.

— Nossa! Você realmente parou na pré-adolescência, né? Você não me falou que vai fazer 17 anos em pouco tempo? Já está na hora de tomar suas próprias decisões! Sabe o que eu faria se fosse você? Deixaria que eles descobrissem sobre isso apenas quando for divulgado, para não correr o risco de estragarem seus planos. Aposto que quando te virem toda linda na TV, vão até preferir que você tenha aparecido assim na frente do Brasil inteiro, em vez de estar vestida com um avental, toda suja de comida! Aliás, já imaginou se o próprio Erico assistir e ficar pra sempre com essa sua imagem de cozinheira? Francamente, aí você pode desistir, já era.

E não é que ela estava certa? Onde eu estava com a cabeça quando aceitei participar daquele concurso de culinária?!

— Você tem razão, eu topo trocar com você! — falei, depressa.

— Eu sempre tenho razão... — ela disse, dando um sorrisinho. Mas de repente ficou séria. — Só tem um probleminha, Arielle... Eu não sei fazer nem pipoca de micro-ondas.

Comecei a dizer que eu poderia ensiná-la a preparar a minha feijoada, mas ela negou com a cabeça e explicou:

— Com todos os treinos e o meu estágio na emissora, não vou ter tempo de aprender em apenas cinco dias! E eu não quero passar vexame em rede nacional...

— Mas então você não vai trocar comigo? — perguntei, desapontada. Ela tinha me feito acreditar que faria isso e agora mudava de ideia?

— Claro que vou! — ela me tranquilizou. — Quero dizer, você vai ocupar a minha vaga no programa de namoro. Mas como não quero fazer comida, pensei em uma alternativa...

— Qual? — perguntei, apreensiva, pois pela cara dela eu já sabia que a tal alternativa não seria muito fácil.

Ela colocou uma mecha do cabelo atrás da orelha e, surpreendentemente, pareceu tímida ao falar.

— Bem... Eu também adoro cantar, sempre tiro pontuação alta no videokê, sabe? Certamente teria escolhido participar do concurso de canto... *se* o de namoro não existisse. Porque, afinal, não dava pra desperdiçar a chance de beijar o cara mais lindo das Olimpíadas, né? Mas aí você apareceu com essa paixonite toda, comecei a te ajudar... e, bem, não acho certo disputar o Erico agora e é por isso que estou abrindo mão do meu lugar por você.

Tive vontade de abraçá-la. Ela era realmente uma ótima amiga...

— Mas em troca eu gostaria que você me ajudasse a participar do programa de canto — ela completou.

Pensei que estivesse sugerindo que eu explicasse para ela alguma técnica vocal e já ia dizer que ensinaria com o maior prazer tudo que havia aprendido com minhas irmãs, quando ela acrescentou:

— Porque, você sabe... As inscrições já se encerraram. A única possibilidade de participar de um dos programas agora é fazendo o que eu te propus, ou seja, trocando de lugar com uma pessoa. Então pensei... O Lino está inscrito no concurso de canto. E se o que você disse for verdade, sobre vocês se considerarem irmãos, certamente ele aceitaria um pedido seu...

Comecei a entender a lógica dela. A Sula trocaria de lugar comigo e iria para o programa de culinária. Mas em seguida trocaria novamente, dessa vez com o Lino. Assim eu ficaria no de namoro, ele, no de culinária, e ela, no de canto. Desanimei novamente, o Lino nunca toparia aquilo...

— Mas o Lino também não sabe cozinhar nada... — expliquei.

— Ele pode aprender, ainda dá tempo! Não precisa ser uma feijoada, pode ser um hambúrguer, talvez? Como disse, não quero ficar conhecida como uma péssima cozinheira, gosto que as pessoas saibam que eu sou boa em tudo que me proponho fazer! E, na verdade, se eu me esforçar, tenho certeza de que me darei bem na cozinha também. Mas, como te disse, com os treinos e o estágio na emissora, nesse momento vai ser impossível.

Fiquei olhando pra ela, sem saber o que dizer. Eu tinha custado a me convencer a participar do programa de namoro, mas agora que havia colocado aquilo na cabeça, não queria voltar atrás. Pelo que eu tinha lido, os participantes iriam juntos ao cinema, sairiam para jantar, treinar... Eu não podia desperdiçar aquela oportunidade, pois sabia que outra assim eu nunca mais iria ter.

— Conversa com jeitinho com o seu amigo... — a Sula falou depois de um tempo. — Explica a situação, aposto que ele vai te apoiar. Já percebi que o Lino se preocupa com você. Então é só explicar que só ele pode te ajudar a ser feliz...

— Mas e se ele não topar? — perguntei.

Ela levantou uma sobrancelha, balançou os ombros e falou:

— Bem, nesse caso acho que vai ser impossível. Ouvi dizer que o técnico de tênis da Suíça é ainda mais rígido que o seu e pediu para os jogadores dele não terem contato com outros atletas, por causa de espionagem. Então, sua única chance de encontrar o Erico seria mesmo na Gincana...

Concordei com a cabeça, mostrando que eu tinha entendido até o que ela não tinha dito. Ela realmente não participaria do programa de culinária. Minha única chance era conseguir colocá-la no de canto, através da troca com o Lino.

— Eu vou tentar... — falei, por fim.

Ela abriu o maior sorriso e disse:

— Mas tente *hoje*, porque pode levar uns dias para conseguirmos fazer as trocas. E depois que a lista de participantes for divulgada não tem mais jeito de mudar.

Assenti mais uma vez, ela então me deu uma piscadinha e saiu saltitante, em direção ao prédio onde estava hospedada, me deixando sozinha na escuridão... que percebi que parecia ainda maior dentro do meu peito.

• Capítulo 15 •

Cheguei ao apartamento do Lino, completamente apreensiva. Eu sabia que o mais provável é que ele não aceitasse a minha proposta, mas eu tinha que pelo menos tentar.

Respirei fundo antes de bater e então escutei uma melodia vindo lá de dentro. Em um primeiro momento pensei que fosse da TV, mas logo percebi que era a voz do Lino. Ele estava cantando... Continuei a ouvir por um tempo e notei que era a música que ele tinha escolhido para apresentar no programa. Se estava ensaiando, aquilo significava que ele estava empolgado de participar ou pelo menos levando bem a sério.

— Espiando atrás da porta, Arielle?

Dei um pulo tão alto que quase bati a cabeça no teto! Eu não tinha escutado o Clóvis, um outro nadador, chegar.

Respirando fundo, para meus batimentos cardíacos regularizarem, falei:

— Nossa, você me assustou! Eu já ia tocar a campainha, mas ouvi alguém cantando, então quis me certificar de que era o Lino antes de incomodar, caso fosse você ou um dos outros nadadores que estão nesse apartamento também...

Ainda rindo do meu susto, o Clóvis abriu a porta dizendo:

— É o Lino mesmo. Ele está se achando um daqueles caras do *One Direction*, aposto que um dia vou chegar e ele vai estar dançando na frente do espelho! Mas a única fã que ele quer impressionar é a Michelle. Ele me disse que está fazendo isso só porque o ex dela era músico, ele não quer ficar pra trás...

Por que o Clóvis sabia daquilo e eu não? O Lino costumava me contar tudo...

— Lino, tem visita pra você! — o Clóvis gritou assim que entramos no apartamento.

Um segundo depois, meu amigo apareceu de pijama e com a cara cheia de bolinhas brancas. Ao me ver, pareceu em dúvida entre tampar o rosto com as mãos ou sair correndo, mas acabou ficando no lugar e só perguntou:

— O que você quer? Sua amiga nova permitiu que você viesse falar comigo?

— O que você quer dizer com isso? — perguntei, na defensiva. — E o que você tem no rosto?

— Pasta de dente — ele respondeu, tentando tirar aquilo. — Dizem que é bom para secar espinhas e eu quero causar uma boa impressão quando for aparecer na TV. E sobre sua primeira pergunta, todo mundo está vendo que agora você só faz o que a Sula manda... Por isso eu quis saber se ela permitiu que você viesse conversar comigo.

Ah, então era isso...

— Você está com ciúmes? — perguntei, rindo. — Só por eu ter feito outra amizade, sem ser você e minhas irmãs? Deveria estar feliz por mim!

— Não é ciúme! — o Lino franziu a testa, como se aquilo nunca tivesse passado pela cabeça dele. — Estou só preocupado com você. Todo mundo sabe que a Sula é manipuladora e que não tem o menor pudor de pisar em quem quer que seja para conseguir o que quer. Você é muito ingênua, confia demais nos outros, sempre foi muito protegida por todo mundo... Não quero que você se machuque nem se meta em confusão, só isso!

— Lino, ela não é assim... — falei, me sentando em um sofá. Pelo visto aquela conversa ia ser longa. — Eu também pensei que fosse, mas é porque não a conhecia muito bem. Ela tem me provado que só quer ajudar!

— E quem disse que você precisa de ajuda? — ele retrucou, exasperado. — Você tem tudo! É bonita, talentosa, e eu também te julgava inteligente, até cair na lábia dessa cobra... Além disso, você tem um pai que vive por você, irmãs que só querem te ver feliz, uma carreira muito promissora... e tem a mim também, que pensei que podia te ajudar no que você precisasse.

— Você me ajuda, Lino! — falei, segurando as mãos dele e puxando-o para que também se sentasse. — Mas é que alguns assuntos são de mulheres... E as minhas irmãs muitas vezes estão ocupadas com os shows, então é bom ter outra amiga pra variar...

— E você foi escolher logo a Sula?

Bom, na verdade eu não tinha escolhido... ela apareceu do nada e acabou ficando. Não são assim que as amizades acontecem?

Mas quando eu disse isso, ele perguntou:

— Você já se perguntou onde estão aquelas duas meninas que viviam grudadas nela?

— Aquelas da equipe de nado sincronizado? — indaguei. Eu não tinha pensado naquilo, mas realmente elas estavam bem sumidas...

— As próprias. Fiquei sabendo que a treinadora delas sugeriu um sorteio, para ver quem participaria da Gincana Olímpica, mas a Sula deu um escândalo, falou que ela era a principal do grupo, sendo que não tem nada a ver, é um trabalho em equipe... Mas ela deu um ultimato dizendo que, se não fosse a escolhida, deixaria o grupo... Tão perto das Olimpíadas isso pode ser considerado até chantagem, já que não daria para arrumar uma substituta a tempo. Então coube a elas aceitar. Mas depois disso a Sula ficou ainda mais prepotente e começou a tratar as outras como se fossem suas súditas. Por isso elas acabaram se afastando... e aí acho que a Sula teve que arrumar outra *amiga*, não é?

— Lino, não foi bem assim. Confesso que inicialmente também pensei isso, mas a Sula me contou que ela foi *escolhida*. Certamente a treinadora viu que era quem tinha mais potencial pra ganhar e, para não parecer preferência, inventou essa história aí sobre a Sula ter exigido...

Ele deu um risinho, balançou a cabeça e falou:

— Pode acreditar no que quiser, mas isso só mostra o quanto ela já está fazendo a sua cabeça. Só te peço uma coisa, Ári: tome cuidado! A Sula usa as pessoas e depois as joga fora, como se fossem um chiclete que perdeu o gosto! Você não merece ser tratada assim. Não precisa disso! Na verdade, tenho certeza de que ela só está se aproximando de você por causa da sua fama, porque os jornais publicam informações sobre sua vida o tempo todo. Ela quer pegar carona no seu sucesso.

Fiquei um tempo calada. Ele nunca ia entender... a Sula estava fazendo tudo para me ajudar a conquistar o Erico! Ela não precisaria fazer isso se não quisesse realmente me ajudar. Mas como o Lino já estava com aquela desconfiança toda, se eu ainda por cima contasse a história real, que era a Sula que queria participar do concurso de canto no lugar dele, com certeza ele ia negar. Por isso, mesmo sem querer, tive que inventar uma história.

— Bom, mas não vim aqui pra falar da Sula, vim pra te pedir um favor.

— O que você quiser — ele respondeu, depressa, provavelmente para me provar que eu não precisava da ajuda de mais ninguém além da dele.

Eu odiava mentir, ainda mais para o Lino. Mas criei coragem e falei:

— Sabe a Gincana Olímpica? Eu me arrependi profundamente de não ter escolhido participar do "The

Atleta's Voice", como você... — Ele arregalou os olhos, mas eu continuei: — É, eu sabia que você ia fazer essa cara. Mas é que ficou na minha cabeça aquilo que sua namorada falou outro dia, sobre ser um desperdício eu não cantar. E aí eu fiquei pensando que, se é algo que eu gosto tanto, eu deveria fazer mesmo que seja só por hobby, sem deixar que atrapalhe a natação. E a minha mãe partiu há tanto tempo... Acho que o meu pai já se acostumou e não vai mais ficar triste por minha voz ser parecida com a dela.

Ao falar aquilo, percebi que não era totalmente mentira... Eu realmente gostaria de cantar sem ser em segredo. Eu só não sabia se o meu pai já tinha superado... Será que algum dia nós superamos a perda de quem amamos? Ao sentir o amor tão forte pela primeira vez, eu duvidava que aquilo fosse possível.

Sem perceber, meus olhos se encheram de lágrimas enquanto eu falava e então o Lino me abraçou e começou a passar a mão pelas minhas costas, como se quisesse me confortar.

— Não fica assim, Ári! Olha, acho que você tem razão, na verdade eu sempre achei bobeira essa sua "abstinência musical" por causa do seu pai. Ele só quer te ver feliz e, se souber que cantar te faz bem, certamente vai gostar! Claro que ele vai lembrar da sua mãe, eu já vi fotos e percebi que, entre as filhas, você é de longe a que mais se assemelha a ela. E se seu pai disse que suas vozes também são parecidas, aí é que ele vai lembrar mesmo. Mas sei que é uma lembrança boa...

Nenhuma lembrança que fizesse alguém triste podia ser considerada boa! Então, por aquela mentira já estar indo longe demais, me afastei e disse:

— Lino, mas como eu falei, preciso da sua ajuda para isso se concretizar.

Ele me olhou sério e concordou:

— Ajudo no que você precisar. O que eu posso fazer?

— Trocar de lugar comigo — falei de uma vez.

— Trocar? Como assim? — ele realmente não estava entendendo.

— Bom... Fiquei sabendo que apesar das vagas dos programas da Gincana já estarem preenchidas, alguns participantes estão trocando entre si... Será que você poderia fazer isso comigo? Tipo, eu mudo para o programa de canto e você vai para o de culinária? Por favor, me ajuda a realizar meu sonho...

Ok, eu forcei totalmente naquele final. Mas é que pela cara dele, ficou bem claro que não estava nem um pouco disposto a atender ao meu pedido.

— Arielle... eu não sei cozinhar! E eu realmente estava curtindo essa coisa de cantar. Foi a Michelle que escolheu a música...

Estava difícil aguentar o Lino apaixonado... Será que, se o Erico correspondesse meus sentimentos, eu ficaria melosa assim também? Não importava. Só de pensar na possibilidade de o Erico gostar de mim, senti mais forças para continuar. Melosa ou não, eu ia fazer o que precisasse para conquistar aquele garoto.

— Eu posso conversar com a Michelle, explico pra ela que é por uma boa causa... Ela vai te admirar ainda mais...

Ele ainda parecia irredutível, mas de repente tive outra ideia... Se despertar a compaixão dele não estava adiantando, quem sabe se eu conseguisse conquistar a empatia?

— Lino, lembra quando você entrou na equipe de natação? O seu pai é um dos donos do clube, ele falou que conseguiria uma vaga pra você... Mas lembra o que você fez?

Claro que ele se lembrava... Já tinha uns cinco anos, mas aquilo era uma coisa que ninguém poderia esquecer.

— Eu disse que não queria entrar por influência de ninguém, que queria fazer o teste como todos os outros nadadores e proibi o meu pai de contar que eu era filho dele...

— Isso mesmo — assenti. — E é isso que estou passando agora. Se eu simplesmente falar que gosto de cantar, minhas irmãs vão acabar me convidando para entrar na banda delas por pena, por acharem que devem fazer isso. Mas assim, eu não quero. Gostaria de mostrar pro mundo que isso é uma coisa minha e não apenas influência da minha família... Quer dizer, claro que eu tenho a influência musical delas e da minha mãe, mas não quero simplesmente herdar o público que já é das minhas irmãs. Quero conquistar os meus próprios fãs!

O mais estranho é que nada daquilo era mentira... Aquelas palavras foram saindo tão naturalmente que eu fui percebendo que aqueles desejos e pensamentos realmente eram meus. Porém, pra não perder o foco, concentrei no que interessava naquele momento: convencer o Lino.

De repente, me lembrei de algo que a Sula tinha falado.

— Sabe o que dizem por aí? Que eu só nado por não saber cantar. Que já que não sou boa como as minhas irmãs, só me restou a natação, para não me sentir muito por baixo...

— Quem falou isso? — o Lino perguntou, como se nunca tivesse ouvido algo mais absurdo.

— Sempre vejo esses comentários nas redes sociais... — menti mais uma vez.

Percebi que ele ficou sensibilizado e aproveitei para colocar mais combustível.

— Por isso é que resolvi falar com você... Eu não pediria se não fosse muito importante pra mim. Você já conquistou a Michelle... A menina é louca por você, nada vai mudar se, em vez de uma música, você dedicar uma receita pra ela! Na verdade, acho que vai até preferir, homens que cozinham têm o maior charme...

— Mas como você iria conseguir fazer essa troca? — ele perguntou, pela primeira vez cogitando aceitar o meu pedido.

— Eu dou um jeito, não se preocupe! Você pode fazer isso por mim?! Por favor?

Ele ainda ficou um tempo pensando, então respirou fundo e falou:

— E não é pra isso que servem os amigos?

Me joguei nos seus braços e apertei até ele reclamar que estava sem ar.

— Muito obrigada, muito obrigada, muito obrigada!!! — falei umas mil vezes.

— Eu já disse... só quero te ver feliz, Ári...

Olhei pra ele sentindo uma grande vontade de chorar. Ele ia ficar tão decepcionado quando descobrisse que eu havia mentido...

Resolvi ir embora logo e deixar pra pensar naquilo depois. Um problema de cada vez.

Quando eu já estava saindo, ele falou:

— Apesar de ter concordado, no fundo estou torcendo pra dar errado... — Fiz uma careta pra ele, pensando que era brincadeira, mas subitamente percebi que ele estava com uma expressão melancólica. — Se as pessoas te ouvirem cantar, tenho certeza de que vão querer que você largue as piscinas para se dedicar à música... E então o nosso mundo aquático vai ficar extremamente sem graça sem você.

Dei outro abraço nele, me sentindo ao mesmo tempo triste e feliz... Eu sabia que não tinha saída. Independentemente do que acontecesse, era exatamente assim que de agora em diante eu ia ficar. Triste e feliz.

E que comecem os jogos!

Todos os atletas participantes da Gincana Olímpica, a esperada prévia das Olimpíadas, já estão em solo carioca! Uma grande infraestrutura foi preparada para recebê-los, para que possam continuar a treinar nos dias da Gincana, que acontecerá nas duas semanas que antecedem os jogos. Os programas começarão na próxima sexta-feira e serão divididos por dias. Confira a programação:

Big Atleta Brasil – Diariamente, às 22h.
Dança dos Atletas – Segundas, quartas e sextas, às 19h.
The Atleta's Voice – Sábados e domingos, às 14h.
Atleta Chef – Terças e quintas, às 19h.
Miss Atleta – Apenas no primeiro sábado, às 23h.
Linguagem do Amor – Na primeira semana: sexta, às 21h, e sábado e domingo, às 16h. Na segunda semana: apenas no sábado, às 16h.

A emissora acabou de divulgar a lista dos participantes. Confira no site oficial das Olimpíadas para não perder a participação dos seus atletas preferidos!

Lembre-se de que todos os programas serão transmitidos ao vivo e que as Olimpíadas começam no domingo, um dia após o término da Gincana. ■

◆ *Capítulo 16* ◆

Acordei com meu telefone tocando sem parar. Antes de atender, olhei o relógio, preocupada, pois eu realmente não tinha escutado o despertador. Havia marcado com o Sebastião às 9h e não podia atrasar, pois a piscina onde eu vinha treinando era muito disputada, às 10h já tinha outra pessoa marcada. Por isso, quanto mais atrasada eu chegasse, menos tempo teria.

Fiquei surpresa ao ver que ainda eram sete da manhã! Se eu não tinha dormido demais, então qual seria a razão daquele toque insistente?

— Arielle, você está maluca?! — foi o que eu ouvi assim que falei "alô".

Era ninguém menos que o Sebastião. Fiquei tentando lembrar qual maluquice eu tinha feito, mas visto que ainda era tão cedo e eu nem mesmo tinha saído da cama, pensei que o louco fosse ele.

Porém, antes que eu respondesse, a campainha começou a tocar sem parar. Levantei depressa, para que as minhas colegas de apartamento também não despertassem, enquanto pedia para o Sebastião esperar um minuto. Abri a porta e dei de cara com o Lino, que estava com um tablet na mão e com uma expressão completamente enfurecida.

— Você mentiu pra mim! — ele disse, balançando o tablet com tanta força que tive medo que o arremessasse na minha cabeça.

— E pra mim também! — ouvi o Sebastião dizer do outro lado da linha.

— Sobre o quê? — foi o que saiu da minha boca. Claro que o Lino me olhou ainda mais nervoso e o Sebastião começou a gritar que se descobrisse mais alguma coisa, iria me processar, me exilar, me matar...

Mas o Lino simplesmente me estendeu o tablet e então pude entender a razão de tanta exaltação.

LINGUAGEM DO AMOR

PARTICIPANTES

1ª fase

Achilles Papadakis – Esgrima – Grécia

Leonel Bertoluzzo – Futebol – Itália

Erico Eggenberg – Tênis – Suíça

2ª fase

Julia Stratenschulter – Triatlo – Alemanha

Emily Griffiths – Handebol – Austrália

Arielle Botrel – Natação – Brasil

Heather Evans – Ginástica Artística – Canadá

Mei Hwong – Judô – Japão

Bridget Turner – Atletismo – Estados Unidos

Anna Abott – Canoagem – Inglaterra

Florencia Alvarez – Saltos Ornamentais – México

Hela Martinsen – Vôlei – Noruega

Anastasia Lobanovskiy – Esgrima – Ucrânia

Então era aquilo... A Sula tinha me falado que a lista só seria divulgada um dia antes do início da Gincana Olímpica! Eu tinha planejado falar que devia ser algum engano, que eu provavelmente havia confundido os nomes dos programas na hora de fazer a inscrição. Achei que todo mundo naquela altura estaria tão preocupado com os preparativos que nem ia ligar muito e também que não teria nada a se fazer... Mas agora, três dias antes, se eu alegasse que não tinha sido intencional, muita confusão poderia acontecer. Aliás, já estava acontecendo.

— Sebastião, vou ter que desligar pra falar com o Lino, que está aqui na porta. A gente se encontra no treino às 9h, tá?

Ele continuou gritando, mas eu desliguei, respirei fundo e encarei o meu amigo.

— Lino, eu posso explicar...

— Não, você não pode — ele falou, parecendo bravo de verdade. — Nenhuma explicação justificaria você estar nessa lista, em vez de na do *The Atleta's Voice*! Eu mudei de programa por sua causa! Tem dois dias que estou com a cara enfiada em livros de receita tentando aprender alguma coisa fácil pra cozinhar, sendo que eu devia estar me concentrando para as Olimpíadas, e aí de repente vejo que tudo isso é em vão?! Não é possível, como você foi parar nesse programa de namoro? E o que a Sula está fazendo no de canto? Você acha que eu sou bobo?! Sei muito bem que isso é alguma armação de vocês!

— Lino, senta, por favor. — Apontei para o sofá. — Vou trocar de roupa e a gente conversa lá fora, gritando assim você vai acordar o prédio inteiro.

Só então ele pareceu se dar conta do volume de sua voz, por isso apenas assentiu e fez o que sugeri.

Corri para o quarto, peguei a primeira roupa que vi na frente e, enquanto ia ao banheiro, fiquei pensando o que falaria para ele... Eu podia continuar mentindo. Podia dizer que me arrependi da troca, mas que quando fui tentar desfazer, a única vaga disponível era no programa de namoro. Mas o Lino era meu melhor amigo. Eu já estava me sentindo muito mal por tê-lo enganado uma vez. Se eu fizesse isso novamente e ele acabasse descobrindo tudo, sabia que nossa amizade nunca mais seria a mesma. E nada, nem mesmo um amor, valia isso.

Por isso, ao voltar para a sala e fazer sinal para que a gente saísse do apartamento, eu já sabia o que devia fazer.

— Lino, tenho um segredo pra te contar... — falei assim que chegamos perto da piscina, para onde fomos andando sem perceber. — Mas se você espalhar, eu nunca mais confio em você! — Ele chegou mais perto, e continuei: — Você se lembra daquele garoto da Suíça? Aquele que eu salvei...

— Claro que lembro. — Ele deu de ombros. — Você ficou toda sonhadora... Achei até que aquilo fosse virar o maior amor platônico, mas depois passou, né? Você nunca mais falou dele...

— Pois é... — Suspirei. — Mas na verdade não, nunca passou... Eu apenas abafei, porque meu pai e o Sebastião pediram. Eles ficaram preocupados que isso me atrapalhasse na preparação para os jogos e acabei aceitando... Mas eu continuei a lembrar do Erico dia após dia... A visitar as redes sociais, a me abastecer com cada sorriso dele que eu via nas fotos, com cada palavra que ele dizia naquele idioma complicado!

Ele deu um risinho e eu vi que estava no caminho certo. Pelo menos ele não parecia mais querer me trucidar.

— Quando você começou a se interessar pela Michelle no clube, sentia seu coração bater mais forte a cada passo que ela dava? — perguntei.

Ele sorriu mais ainda e fez que sim com a cabeça.

— Então você sabe o que eu estou sentindo. Desde que olhei para o Erico, meu mundo nunca mais foi o mesmo. Eu me lembro dele quando acordo, quando ando, quando nado... E eu só queria que ele soubesse disso.

— Mas por que você não conta? — o Lino perguntou, sem entender. — Lembro que você me disse que ele fala português... Escreve um recado pra ele nas redes sociais, ou tente encontrá-lo, ele deve estar hospedado por aqui também! Aposto que ele também vai gostar de você...

Expliquei que não queria colocar na internet para não chamar a atenção da imprensa, e que encontrar com ele por acaso, naquele lugar enorme, seria praticamente impossível.

— Por isso pensei em participar do programa de namoro para passar um pouco mais de tempo com ele... Eu já sabia que ele ia participar antes de a lista oficial sair, quero dizer, descobri naquele dia que eu te pedi pra trocar comigo. A Sula que me contou, ela tem uma tia que é produtora da Gincana Olímpica... Foi ela que conseguiu fazer a troca tão em cima da hora. Mas a Sula, que estava inscrita no programa de namoro, disse que só trocaria comigo se eu te convencesse a trocar com ela, pois não queria cozinhar...

Ele balançou a cabeça, com a cara fechada.

— Sabia que essa víbora estava por trás! Eu te disse pra não confiar nela, Arielle! A Sula nunca faz nada sem interesse, com certeza deve ter ficado sabendo que alguma das concorrentes do programa de namoro era mais bonita do que ela e não quis correr o risco de perder! E por isso te convenceu a armar essa confusão toda! A vaidade dela não tem limites!

Ei, eu não tinha pensado naquilo... E se as outras meninas do *Linguagem do Amor* fossem todas maravilhosas e o Erico nem olhasse para a minha cara?

Confusa, falei:

— Lino, não tem nada disso. Ela só teve acesso a essa lista dois dias atrás, não daria tempo de pesquisar todas as participantes... E não importa as razões dela, e sim as minhas! Não adianta culpá-la. Eu não sou boba, sei que ela não é nenhuma santa... Mas também acho que ninguém é totalmente mau. Eu estou conhecendo a Sula melhor e tenho percebido que, apesar de ser meio temperamental, ela pode ser uma boa amiga. Ela não está me obrigando a nada, eu faço o que quero! Sim, foi dela a ideia da troca de programas entre nós três, mas eu só aceitei pelo motivo que te falei. Pra ter a chance de ficar perto do Erico... Tenho esperança de que ele se lembre de mim. — Ele ficou me olhando sem dizer nada, então completei: — Desculpa por não ter te falado a verdade antes. Só fiz isso porque fiquei com muito medo de você não aceitar...

Ele assentiu, pensou um pouco, e em seguida me puxou para um abraço.

— Eu teria aceitado, boba — ele falou no meu ouvido. — Se você tivesse me explicado o real motivo, exatamente como fez agora, eu teria feito isso por você. — Eu o abracei mais forte, mas então ele se afastou um pouquinho e, me encarando, perguntou, com as sobrancelhas franzidas: — Você está gostando pra valer desse suíço, né?

Eu concordei com a cabeça devagar, mesmo sem conseguir explicar como aquele sentimento todo tinha parado dentro do meu peito.

— Desde que o vi, ele nunca mais saiu da minha cabeça... Acho que fiquei enfeitiçada! — falei, tentando fazer graça.

— Bem-vinda ao clube, o amor faz isso com as pessoas! — ele falou. Pouco depois, completou: — Mas, Arielle, fiquei com uma dúvida...

— Qual?

— Você vai continuar dizendo que não gosta de cantar? Eu fiquei tão feliz quando você me disse que não ia mais esconder isso de ninguém...

Olhei pra baixo antes de responder. Aquele era realmente um assunto sensível. Eu gostaria de cantar livremente, mas eu sabia que não estava preparada para ser comparada novamente à minha mãe. Será que algum dia eu estaria?

— Por enquanto sim... — foi tudo o que respondi. — Prefiro resolver um problema de cada vez.

Ele deu um sorrisinho e disse:

— Tem razão. Mas não tem problema nenhum, tenho certeza de que quando esse cara bater os olhos em você, vai lembrar na mesma hora! E mesmo que não lembrasse... Eu não conheço essas outras atletas, mas não tenho a menor dúvida de que elas não são páreo pra você!

Eu o abracei mais uma vez, e então começamos a andar devagar de volta para os apartamentos. O treino dele era antes do meu e ele teria pouquíssimo tempo para se trocar.

Quando estávamos quase chegando, ele falou:

— Pensando bem, espero que esse Erico te ache a maior feiosa e nem se aproxime... — Olhei, assustada, mas ele estava rindo, embora com uma expressão triste

— Porque eu sei que se te conhecer bem, não vai mais deixar você sair de perto dele. E aí vai acabar te levando para a Suíça...

— Só aceitaria se você prometesse que iria me visitar... — falei, também brincando, pois sabia que aquilo não ia acontecer...

Ele então me abraçou mais uma vez, beijou o topo da minha cabeça, e só quando chegamos na frente do prédio dele, disse:

— Eu iria te visitar aonde for... E não precisa se preocupar, seus segredos estão muito bem guardados comigo. Mas algo me diz que seu pai não vai gostar muito dessa história...

Ele estava certo. Suspirei e fui andando mais rápido para o meu prédio, pois sabia que aquele tinha sido apenas o primeiro dos vários problemas que eu ainda teria que enfrentar.

Capítulo 17

Assim que cheguei de volta ao apartamento e peguei meu celular, que eu havia deixado lá para não ter que aguentar o Sebastião me ligando sem parar, vi que tinha 22 chamadas não atendidas! Conferi depressa e fiquei surpresa. Nenhuma delas era do meu técnico e sim de alguém da minha casa. Retornei depressa, com receio de alguma coisa grave ter acontecido.

A Alice atendeu e, assim que ouviu a minha voz, gritou para as minhas outras irmãs que era eu. Dois segundos depois ouvi a maior discussão de todas elas, cada uma tentando roubar o telefone para falar comigo primeiro, mas subitamente ouvi uma voz grave e então o meu pai falou "alô".

— Pai, aconteceu alguma coisa? — perguntei, preocupada. — Meu celular estava cheio de chamadas daí de casa! Eu fui tomar café com o Lino e esqueci o celular aqui...

— Claro que aconteceu! — ele falou com a voz que sempre usava para me repreender. Ops... — Dá pra me explicar o que seu nome está fazendo na lista desse *Linguagem do Amor*? Eu não te pedi? Não te expliquei? Você está querendo arrumar um namorado em plena época das Olimpíadas? Ficou louca, filha?! Aposto que é por causa desse Erico Eggenberg, não é? Como você sabia que ele ia concorrer? Você está se comunicando com ele? Está tendo um relacionamento secreto?

Quanto mais ele falava, mais aumentava o tom de voz. De repente ouvi o maior falatório ao fundo. Pouco depois a Amanda assumiu o telefone.

— Não escute o papai, Arielle! A gente está superfeliz por você ter mudado de programa! Não importa o motivo! Já procuramos na internet e vimos fotos dos três caras que estão concorrendo e... meu Deus! Não tem uma vaga pra gente também? Aquele seu Erico realmente é lindo, mas os outros dois não ficam nada atrás! Pode escolher qualquer um, mas traz os outros aqui pra casa?

Mais gritaria ao fundo e, segundos depois, escutei a voz da Aléxia:

— Arielle, sério mesmo, você vai ter contato com os três não é? Eu fiquei apaixonada por esse grego, aliás, "deus grego"! Que moreno mais lindo! A gente vai cantar na abertura dos jogos, você conseguiria me apresentar pra ele?

— Vocês vão cantar no início das Olimpíadas?! — perguntei, surpresa. Aquela informação era nova.

— Sim, nos convidaram ontem! Vamos dividir o palco com o Fredy Prince, não é o máximo? Claro que vamos pedir no microfone pra todo mundo torcer por você!

— Vocês não podem falar isso, é antiético — meu pai disse ao fundo.

— Relaxa, pai... — ouvi a Alana dizer e em seguida ela pegou o telefone: — Ári, olha só... Se você precisar de alguma roupa emprestada, perfume, o que for... Eu te empresto, tá?

— Você sempre implicou comigo quando eu usava as suas coisas! — falei, sem entender.

— Ela acha que, se vocês se vestirem da mesma forma, os garotos podem se confundir e ela conseguir se passar por você! — a Ágata disse, rindo, tentando tomar o telefone. — Cuidado que ela vai falar para você tingir o cabelo de louro pra vocês ficarem parecidas...

Elas estavam tão animadas que até me contagiaram um pouco. E pelo visto meu pai também, pois ao fim da conversa ele já estava bem menos bravo.

— Arielle, só me prometa novamente que não vai deixar que garotos te desconcentrem... A natação é mais importante!

As meninas ainda gritaram ao fundo que aqueles meninos lindos eram muito mais importantes que qualquer esporte, mas eu garanti ao meu pai que a natação com certeza continuaria em primeiro lugar. Ele ficou mais calmo, apesar de ainda estar apreensivo, mas pareceu satisfeito com a resposta e desligou.

Corri então para trocar de roupa, pois eu já estava até atrasada para o treino.

Quando cheguei à piscina, o Sebastião já estava me esperando, com a maior cara de emburrado.

— O Lino me explicou o que aconteceu — ele disse assim que me aproximei.

O quê?! O Lino tinha contado pra ele? Mas eu havia pedido segredo...

— Por que você não me disse que estava com medo de engordar? — ele continuou a falar. — Confesso que nem pensei nisso, mas realmente você tem um pouco de razão. Participar desse programa de culinária duas semanas antes das Olimpíadas, tendo que provar seu prato e eventualmente o dos outros participantes... Sim, isso poderia afetar seu peso e o desempenho na piscina. Mas devia ter me falado antes, a gente podia ter te inscrito em outro programa!

Então o Lino tinha arrumado uma desculpa pra me ajudar... E uma desculpa muito convincente! Ele era um gênio! E realmente o melhor amigo do mundo... Além de não ter ficado com raiva por causa da minha mentira, ainda estava me ajudando... Eu teria que lhe agradecer pelo resto da minha vida!

— Pois é — eu disse para confirmar aquela história. — Mas acontece que só percebi isso quando já estava aprendendo a fazer a feijoada, notei que minhas roupas estavam ficando um pouco apertadas... Por isso, como as inscrições já tinham acabado, pedi pra trocar de programa com a Sula, que por sua vez trocou com o Lino, mas eu nem sabia que havia mesmo conseguido até ver a lista hoje mais cedo. Desculpa não ter te avisado antes, mas eu não queria te incomodar à toa, sei como você está estressado por causa da iminência das Olimpíadas...

— Arielle, não precisa me poupar! Eu estou aqui para isso! E nesse tempo já poderia ter feito alguma reunião com a assessoria de imprensa para criar uma estratégia que justifique sua participação nesse programa de namoro, temos que bolar algo que te faça parecer romântica aos olhos do público, e não uma namoradeira serelepe...

Pulei na piscina enquanto ele divagava. Minha cabeça já estava cheia demais, eu não precisava também me preocupar com o que as outras pessoas iriam pensar.

Porém, quando o treino acabou, ele já estava com a estratégia montada.

— Tive uma ideia maravilhosa! — ele falou, esfregando as mãos, enquanto eu me enrolava na toalha. — Você não deve ter reparado, mas sabe quem também vai participar desse *Namoro na TV*?

— O nome é *Linguagem do Amor*... — corrigi.

— Que seja! Mas o fato é que um dos rapazes é exatamente o Erico Eggenberg, que você ajudou naquela festa na Suíça!

Ele falou aquilo como se estivesse me contando a maior novidade do mundo. Para que ele não percebesse que não tinha sido uma simples coincidência, fingi surpresa:

— Sério? Ah, nossa!

— Sim! — ele falou ainda mais empolgado. — E pelo que sei, é o favorito, parece que ele é que vai ser disputado entre as garotas! Podemos falar que você só se inscreveu no programa por ter se apaixonado... Que tinha esperança de que o Erico também entrasse e, agora que viu que isso se concretizou, nem sabe se está mais ansiosa para a Gincana ou para as Olimpíadas! O que você acha, Arielle? Consegue se portar como uma mocinha apaixonada?

Acho que isso nem vai ser difícil, sei bem que você voltou da Suíça caidinha por ele... Imagina só, as pessoas vão torcer mais por você nesse programa do que nos jogos! Quem não acha bonitinho uma moça enamorada? Vai ser "fofo", como você vive dizendo!

Eu não estava achando nem um pouco fofa a ideia de as pessoas me acharem uma menina bobinha... Mas se eu precisava daquilo para sossegar o Sebastião, que fosse...

— Mas presta atenção, Arielle, que essa parte é muito importante — ele completou depois que eu concordei. — Ninguém pode saber que foi você que salvou o Erico na Suíça! Porque senão vão perguntar por que você foi embora escondida da festa e também por que não se manifestou antes, quando todos estavam querendo saber quem era aquela garota. Isso pode não ser bom para a sua imagem. Não tem nada de errado, mas as pessoas podem pensar que sim, que você o afogou à força ou algo do tipo!

— Quem conseguiria afogá-lo à força? — perguntei, achando aquela ideia absurda. —Você já viu o tamanho dele? É muito mais alto e forte do que eu! Poderia me impedir com uma única mão...

— Não importa, as pessoas podem não raciocinar assim. Promete que não vai confessar isso pra ele?

Dei de ombros e disse:

— Tenho que ficar muda no programa, lembra? E só estou autorizada a encontrá-lo, quero dizer, o atleta que for escolhido, na frente das câmeras!

— Ótimo, melhor assim! — ele falou e em seguida se despediu, pois queria colocar depressa seu plano de marketing em ação.

Pensei que ia ter uma folga até o meu treino da tarde, mas ao chegar em frente ao meu prédio, a Sula estava lá.

— Nossa, que demora! — ela falou assim que me viu. — Tem meia hora que estou te esperando aqui!

— A gente tinha marcado? — perguntei, preocupada. Minha cabeça estava tão cheia que eu realmente não duvidava que tivesse esquecido algum compromisso.

— Não marcamos, mas imaginei que chegaria aqui e você estaria dormindo para descansar a beleza, e não treinando insanamente! Desse jeito vai ficar horrorosa na Gincana Olímpica! Com olheiras e... Ah, olha só! Seus braços estão com músculos! Homens não gostam de mulheres masculinizadas, é melhor você pegar mais leve nos próximos dias...

Olhei depressa para os meus braços. Eles não estavam musculosos, apenas definidos por causa da natação... E eu não podia deixar de treinar logo agora, com os jogos chegando... Mas também não queria que o Erico me achasse feia.

— Vou ver o que posso fazer... — falei, preocupada. — Foi só isso que você veio me falar? Estou desde cedo resolvendo problemas por causa da lista de participantes. Você não tinha me dito que ela seria divulgada só um dia antes da Gincana começar?

— Credo, Arielle, eu me mato para conseguir te ajudar e você ainda vem tirar satisfação comigo?! Não tenho culpa se mudaram a programação, só te conto o que fico sabendo! Em vez de me agradecer por ter dado certo, você vem brigar comigo por causa de um detalhe insignificante desses?! — ela disse, ofendida.

— Desculpa... — respondi, envergonhada. Ela estava certa, a culpa não era dela.

— Tudo bem... — ela me olhou, ainda sentida, mas pouco depois abriu o maior sorriso. — Vim aqui porque tive uma ideia fantástica! Algo que vai fazer com que o Erico corra para os seus braços, musculosos ou não!

— O quê? — perguntei, me animando, embora ainda preocupada com os meus braços...

— Sabe lá na Suíça, quando você o salvou? — Eu apenas assenti e ela continuou: — O Erico disse que você cantou uma música para ele... Você lembra que música era essa?

Nem precisei pensar. Desde aquele dia eu nunca mais consegui escutar aquela melodia sem que Erico viesse instantaneamente à minha mente.

— "The Sweet Escape", da Gwen Stefani — falei, depressa e cantarolei um trechinho.

— Uau, você canta bem mesmo! — ela arregalou os olhos. — Minha ideia vai dar supercerto! Só temos que gravar você cantando. Porque no programa você não vai poder falar, muito menos cantar... Mas não existe regra nenhuma sobre *mostrar* uma música para ele. E, ao te ouvir, certamente ele vai lembrar, ainda mais sendo a mesma canção!

Imediatamente me lembrei do que o Sebastião tinha acabado de me falar. Eu não devia de forma alguma revelar que havia salvado o Erico. E além do mais tinha outro problema...

— Sula, eu li as regras. Isso realmente é permitido, mas se alguém souber que eu o conheci antes, vai dar o maior bafafá. As outras garotas podem alegar que eu tive mais chances que elas... E você sabe, apesar de ser ele que vai definir com qual das três finalistas vai ficar, o público vai escolher antes quem serão essas três! Se surge um boato desses, posso dar adeus à minha chance de ir pra final!

— É óbvio que você vai pra final — ela balançou a mão como se estivesse espantando um mosquito. — Você é a única brasileira, não reparou? A produção colocou só você para não parecer que está querendo favorecer o nosso país. Mas com isso acabaram te ajudando, pois todos os votos do Brasil vão direto para você!

Ela estava certa... Mas não eram apenas os votos dos brasileiros que contavam, o mundo inteiro podia votar pela internet.

Expliquei isso pra ela, que respondeu:

— Arielle, para! Eu não tenho a menor dúvida de que você vai estar entre as três finalistas, mas você tem razão em um ponto... Pode mesmo parecer armação caso descubram que vocês dois já se conheciam. Então o melhor é que você o conquiste do jeito que nós já havíamos planejado. Com olhares, gestos... Mas ainda assim acho que devemos ter essa gravação como um trunfo. Eu deixo guardadinha até a final do programa, e aí, caso a gente sinta que tem risco de ele escolher outra garota, posso dar um jeito de mostrar pra ele. Envio de alguma forma... e, claro, peço segredo, explico que não quero te prejudicar. Ele com certeza também não vai querer atrapalhar a garota que salvou a vida dele... Exatamente quem ele estava procurando há tanto tempo.

Hmmm, aquilo podia dar certo. A cada momento eu confirmava que o Lino tinha mesmo uma impressão errada sobre a Sula... Se ela era mesmo tão interesseira, como ele dizia, pra que ficaria esse tempo todo inventando táticas para me ajudar?

— Obrigada, Sula — falei. — Sua ideia é mesmo muito boa.

— E alguma vez eu tive uma ideia ruim? — ela perguntou, meio ofendida. —Então vamos. Avisei pra minha tia que não vou poder ir ao estágio hoje por causa do ensaio da minha coreografia de nado para as Olimpíadas. Só que na verdade o ensaio é à tarde, por isso temos que resolver tudo agora cedo.

— Resolver o que? Ir aonde? — perguntei, sem entender.

— Gravar a música, ué! Eu me informei e descobri que tem um estúdio de gravação aqui perto.

— Estúdio? Mas pensei que você fosse gravar pelo celular...

— Arielle, já te falei mil vezes que não sou uma iniciante... Imagina se eu vou mostrar para o garoto uma gravação caseira, sem acompanhamento?! Ele não vai querer nem ouvir! Nesse estúdio com certeza eles vão conseguir tirar a voz da cantora original e colocar a sua no lugar.

Vai ficar lindo, vamos pedir pra gravarem em um CD e o Erico vai ficar tão encantado que vai querer levar com ele, para escutar sempre que sentir saudade...

Como de costume, a simples possibilidade do Erico pensar em mim já me derretia da cabeça aos pés... Mas antes que eu dissesse que concordava, ela completou:

— E, além disso, você já foi a um estúdio sem ser para acompanhar a suas irmãs? Não tem vontade de estar do outro lado pra variar? Não gostaria de se sentir uma cantora famosa mesmo que por poucos minutos?

Nem precisei responder. Pela cara que fiz, ela percebeu que aquilo era mais que um desejo. Chegava a ser um sonho secreto, que eu nunca imaginei que pudesse realizar.

— Vou te esperar aqui embaixo enquanto você toma um banho e se livra desse cheiro de cloro! — ela disse, me dando uma piscadinha. — Já viu os atletas lindos que passam por aqui?

Fiz que não com a cabeça. Desde a minha chegada eu não tinha conseguido um minuto para apenas curtir o local.

— Claro que não viu... — ela disse, impaciente. — Você só tem olhos para as fotos do Erico que fica admirando pelo computador! Mas não se preocupe. Em breve vai vê-lo ao vivo... e de muito perto!

Aquilo fez com que eu subisse correndo e tomasse banho em tempo recorde. E pensar que no começo eu estava odiando a ideia de participar da Gincana Olímpica... Agora eu mal podia esperar.

Gincana a todo vapor

Na última sexta-feira começou a Gincana Olímpica, a esperada prévia das Olimpíadas! O programa, durante todos os horários em que foi transmitido, alcançou liderança de audiência. Os fãs da atração computaram também a marca de mais de 500 mil menções no Twitter, com a hashtag #GincanaOlimpica.

Tal sucesso despertou a curiosidade do Comitê Internacional que já cogita levar o formato para as próximas edições dos Jogos.

Caso não tenha assistido, veja o que perdeu até agora em cada programa:

Big Atleta Brasil – Três participantes já foram eliminados: a tenista russa Svetlana Kolosov, o jogador de futebol alemão Klaus Brachmann e a ginasta argentina Catalina Gonzálo. Doze atletas ainda seguem no programa.

Dança dos Atletas – Fomos apresentados a todos os participantes na sexta-feira, mas a primeira apresentação das duplas acontece amanhã à noite! Não perca!

The Atleta's Voice – Os jurados são muito condescendentes, pois ontem, no primeiro dia do programa, as cadeiras viraram para a maioria dos atletas-cantores! Do Brasil, todos continuam no páreo. São eles: o judoca Alisson Santos, a atleta de nado sincronizado Sulamita Benhur e o canoísta Robson Fagundes.

Atleta Chef – O único programa que ainda não começou. Assista à sua estreia na terça-feira, às 19h.

Miss Atleta – Como esse programa foi em etapa única, que aconteceu ontem, a campeã já está definida! A grande ganhadora foi a amazona venezuelana Noely Guzmán.

Linguagem do amor – Entre todos, o programa com mais ibope! O público está votando para escolher o galã que será disputado por três garotas! O resultado da votação vai ser exibido no programa de hoje. Imperdível!

A prévia realmente foi um gol de placa! Todos os olhares estão voltados para os atletas participantes e com certeza durante os jogos a torcida para eles continuará!

Continue acompanhando nossa cobertura completa todos os dias no nosso suplemento especial das Olimpíadas. ■

✦ Capítulo 18 ✦

Será que existem dias mais longos do que os outros e ninguém se deu conta disso? Porque só assim para explicar o fato de alguns deles durarem uma eternidade e outros acontecerem em um piscar de olhos! Veja só, antes do início da Gincana Olímpica foi como se o tempo tivesse estacionado, as horas pareciam não passar. E então ela começou e foi como se tudo acontecesse na velocidade da luz! Mesmo agora, tentando lembrar cada detalhe, é difícil entender a ordem dos fatos. Ainda bem que existem os vídeos, assim posso rever muito do que aconteceu naquele primeiro dia e também o que veio depois...

Apesar de saber que a Gincana causaria reações variadas nos telespectadores, não imaginei que também exaltaria os ânimos dos atletas! Todos ao meu redor estavam ansiosos e o assunto que dominava as conversas era apenas esse.

O *Linguagem do Amor* começou em uma sexta-feira. O foco do primeiro dia foi apenas nos garotos concorrentes, então não precisei participar. Mas assisti pela TV e só faltei ter um ataque quando o Erico apareceu. Eu estava no apartamento do Lino, assistindo junto com ele e a Michelle, e agradeci mentalmente pelo Sebastião ter um compromisso no mesmo horário, senão ele perceberia totalmente que eu não ia apenas *interpretar* uma garota apaixonada... Eu já estava desempenhando aquele papel na vida real.

— Ári, acho melhor você tomar um calmante antes de encontrar com esse cara... — o Lino falou ao ver que eu estava me abanando enquanto entrevistavam o Erico. — Esse platonismo está meio grave, é capaz de você desmaiar quando ele se aproximar amanhã!

— Não escuta o Lino, Arielle! — a Michelle disse, tampando a boca dele. — Sua paixonite está muito fofa! Todo mundo vai se solidarizar com você... E tenho certeza de que o Erico também vai se apaixonar assim que te ver.

Quanto mais eles falavam, mais nervosa eu ficava. Como resultado, mal dormi só de saber que no dia seguinte o encontraria. E só consegui relaxar um pouco quando lembrei que a Sula estava com a música que eu havia gravado. Se de alguma forma eu conseguisse estragar tudo no nosso primeiro encontro, aquela gravação ainda poderia me salvar...

O programa estava marcado para começar às 16h, mas pediram para eu estar na emissora com duas horas de antecedência, para evitar que desse qualquer problema em cima da hora, já que era ao vivo. O Sebastião foi comigo, por mais que eu dissesse que não precisava. Na verdade, eu queria uma das minhas irmãs ali, ou talvez todas elas, mas, por ser fim de semana, já tinham um show marcado. A Sula também seria uma boa opção, mas naquele horário ela estava participando ao vivo do *The Atleta's Voice*, então tive que me contentar com o meu técnico.

Porém, ao chegar lá, vi que ele não seria de muita valia. Os acompanhantes foram todos encaminhados para uma sala de espera enquanto eu e as outras nove participantes fomos colocadas em alguns camarins, onde várias produtoras vinham checar informações. Perguntavam nosso nome, idade, país, esporte e nos pediam para assinar uma autorização de uso de imagem. Em seguida, começaram a olhar tão minuciosamente as roupas que estávamos vestindo que a impressão que deu foi a de que queriam comprá-las! Mas logo percebi que estavam apenas verificando se eram adequadas para o programa. Descobri que as minhas não eram...

A Sula tinha me dito para usar algo sexy e misterioso. Porém, quando fiz minha mala para o Rio de Janeiro, eu ainda achava que ia participar de um programa de culinária e que por isso ninguém ia reparar no que eu estaria usando, já que certamente vestiria um avental por cima de tudo. Então, o mais "sexy e misterioso" que consegui foi uma calça preta com uma blusa tomara que caia roxa. Mas pelo visto não teve o efeito desejado, pois assim que uma das produtoras — que parecia só um pouco mais velha do que eu — bateu os olhos em mim, franziu a testa, fez que não com a cabeça e me levou até uma outra sala, onde tinha várias araras com roupas penduradas.

Ela me olhou de cima a baixo mais algumas vezes e em seguida se virou para as araras, onde começou a separar algumas roupas, até que de repente disse: "Ah!", e me entregou um vestido azul-escuro. Ele era frente única, tinha uma espécie de cinto que marcava a cintura e uma sainha plissada.

Percebi que ela ficou esperando que eu vestisse, então olhei para os lados, tentando encontrar um banheiro ou pelo menos uma cabine onde eu pudesse me trocar, mas não tinha nada parecido. O máximo que consegui foi me esconder atrás de uma das araras, sob os olhares da produtora que parecia estar meio sem paciência.

— Não está muito curto? — perguntei, tentando puxar a saia um pouco pra baixo. Eu já tinha usado roupas mais curtas, mas não em um programa de TV...

Ela fez com que eu me virasse, puxou a saia um pouco pra cima — por mais que eu reclamasse —, apertou mais o cinto, se afastou para me olhar de longe e então disse:

— Perfeito. Realçou as suas costas, que são lindas e definidas. Você é nadadora, né? — Fiz que sim com a cabeça e ela completou: — Vou pular em uma piscina assim que sair daqui... Eu poderia *matar* para ter pernas bem torneadas como as suas!

Agradeci, sorrindo e me sentindo feliz por ela não ter dito nada sobre meus braços, com os quais eu ainda estava cismada por causa das críticas da Sula.

— Só falta uma sandália adequada — ela disse, olhando feio para a sapatilha que eu estava usando. — Você calça 36?

Surpresa por ela ter adivinhado meu número, assenti, e então ela abriu um armário, que tinha mais sapatos do que uma loja inteira! Foi direto para uma das prateleiras e lá pegou uma sandália preta de tirinhas, com o salto mais fino que eu já tinha visto.

— Nunca vou conseguir me equilibrar nisso — falei enquanto ela me entregava.

— Por que não tenta?

Ela me mostrou um banco, onde eu me sentei e comecei a calçar a sandália, desconfiada. Ela então se abaixou, me ajudou a fechar a fivela e em seguida me escorou, para que eu me levantasse.

Em um primeiro momento fiquei meio insegura, mas ela foi me soltando aos poucos e disse:

— Esqueça que está de salto. Apenas tire seu peso do calcanhar e ande na ponta do pé.

Fiz o que ela mandou e, surpreendentemente, consegui dar alguns passos sem cair. Ela apontou para o espelho e eu fiquei surpresa... Meu porte ficou tão elegante, e eu, tão alta... Porém, dois minutos depois percebi que meus pés já estavam me matando de dor.

Expliquei isso pra ela, que falou que era normal, especialmente para quem não estava acostumada.

— Mas não se preocupe, meu bem. Você vai ficar sentada na maior parte do tempo. Hoje vocês apenas assistirão a qual dos garotos será o vencedor. Em seguida a apresentadora vai só mostrar vocês para ele e para o público, fazer algumas perguntas, e então a votação para escolher as três finalistas será aberta. Pode tirar a sandália agora, fique com a sua sapatilha por enquanto e um pouco antes de entrar no estúdio você troca novamente. Não precisa sentir dor sem necessidade, né?

— Muito obrigada, você é uma fofa! — falei, torcendo para que ela não saísse do meu lado nunca mais. — Qual é o seu nome?

— Yasmin — ela respondeu, sorrindo. — Vou torcer por você!

Eu agradeci mais uma vez, e então ela me levou para outro camarim, que, percebi, era uma espécie de salão de beleza.

— O pessoal vai fazer seu cabelo e maquiagem. Daqui a pouco venho te buscar — a Yasmin disse, me mostrando onde eu devia sentar. Assim que ela saiu, voltei a me sentir como um peixe fora d'água, pois várias outras concorrentes estavam lá sendo maquiadas e elas pareciam ter nascido para aquilo!

— Arielle, né? — um moço bonito se aproximou.

Fiz que sim com a cabeça e ele então perguntou como eu queria que ele arrumasse o meu cabelo.

Como eu não tinha pensado naquilo, apenas respondi:

— Hmmm... Deixar solto?

Ele pegou os meus fios e ficou afofando, como se estivesse perguntando para eles o que deveria fazer, e de repente falou:

— Sim, com essa cor maravilhosa não tem outra opção a não ser deixá-los soltos! Mas que tal prendermos apenas uma pequena parte aqui na lateral, só para não ficar com cara de "todo dia"?

Ele puxou uma pequena mecha e me mostrou o que queria fazer. Eu nunca tinha usado meu cabelo daquele jeito, mas gostei instantaneamente. Com certeza iria repetir outras vezes...

O cabeleireiro passou então um produto e em seguida começou a fazer uma escova. Quando pensei que estivesse pronto, ele pegou um baby liss e fez vários cachos largos. Por último, pediu que eu abaixasse a cabeça, o que fez com que meu cabelo fosse todo para a frente e em seguida falou para eu jogar a cabeça para trás.

Ao olhar no espelho, fiquei surpresa. Meu cabelo estava parecendo o de um comercial de shampoo! Ele então puxou a mecha, exatamente como tinha feito e prendeu com uma presilha. Quando olhei, sorri, surpresa... Era cravejada de pedrinhas brilhantes e em formato de estrela do mar.

— Sabia que você ia gostar! — ele disse, me estendendo um espelho para que eu pudesse olhar também a parte de trás. — Me falaram que você é nadadora, achei que ia combinar.

Eu ainda estava me admirando, quando uma senhora apareceu do meu lado, dizendo que ia me maquiar.

— Já usou cílios postiços? — ela perguntou, analisando a cor dos meus olhos. Neguei com a cabeça, e ela então disse que minha vida estava prestes a mudar. Comecei a rir, surpreendentemente eu estava adorando aquela transformação toda, estava me sentindo em um daqueles "antes e depois" das revistas. Mas aí ela começou a me dar instruções, como: "Abra os olhos, feche, faça biquinho, erga as sobrancelhas, olhe pra cima, agora pra baixo..."

Quando eu já estava pensando que aquilo não ia terminar nunca, ela virou a minha cadeira para o espelho e falou:

— Que tal?

Sério. Eu só não chorei porque não queria desperdiçar todo o trabalho que ela havia tido. Aquela no espelho era realmente eu? Parecia que uma princesa tinha tomado conta do meu corpo...

Porém, antes que eu tivesse chance de falar qualquer palavra, a Yasmin apareceu e disse:

— Uau! Se o garoto do programa não se apaixonar à primeira vista por você, não se preocupe... Todos os telespectadores vão!

Eu ri, agradeci a maquiadora, e a Yasmin então me levou para a sala onde estavam os acompanhantes e todas as garotas que também já estavam prontas.

— O que é isso? — o Sebastião perguntou, horrorizado, assim que me viu. — Onde está a imagem romântica que nós combinamos que você passaria? Não tinha um vestido cor-de-rosa? E essa saia curta? Desse jeito vão te achar uma...

— Oferecida!

Eu me virei e vi a Sula, me olhando com uma expressão péssima. Pensei que ela estivesse brincando e já ia perguntar como ela tinha se saído no primeiro dia de *The Atleta's Voice*, mas ela falou primeiro:

— Que ideia foi essa de colocar esse vestido com as costas e as pernas todas de fora, Arielle? — ela questionou, me rodeando. — Não falei que era pra usar algo misterioso?

— E sexy — completei.

— Sexy? Ficou doida? — o Sebastião voltou a falar. — O que você menos precisa é chamar a atenção para o seu corpo! Eu te disse, queria que te vissem como uma moça apaixonada e não como uma pervertida!

Eu, que até aquele momento estava me achando linda, voltei a puxar o vestido pra baixo e desejei profundamente ter um casaquinho para tampar pelo menos os ombros. Mas nesse momento, um produtor chegou dizendo que era para todas as garotas que já estavam prontas entrarem no estúdio. Então coloquei as sandálias, o que fez com que o Sebastião quase desmaiasse.

— Arielle, você realmente enlouqueceu! Imagina se você tropeça e torce o tornozelo por causa desse salto gigantesco?! Acabaram as Olimpíadas pra você! E acabou a minha vida também! Tira isso agora!

Olhei para a Sula, buscando algum apoio, mas tudo que ela disse foi:

— Se eu fosse você, inventava que estava passando mal e corria pra trocar essa roupa toda! Desse jeito o Erico não vai nem olhar na sua direção!

Nesse momento a Yasmin apareceu.

— Arielle, só falta você, vem depressa! — E se virando para a Sula e o Sebastião, completou: — Vocês podem ficar na plateia do programa se quiserem, daqui a pouco venho chamá-los.

Eu então olhei para os dois, que continuavam a me lançar olhares fulminantes. O dele de decepção e o dela de desprezo.

Segui a Yasmin, desejando ter de volta pelo menos um pouquinho daquela autoconfiança que eu tinha sentido alguns minutos antes. Agora eu estava me achando péssima. E com certeza era isso mesmo que o Erico ia pensar de mim...

LINGUAGEM DO AMOR

(Leia com atenção e assine na última linha)

LOGÍSTICA E REGRAS

PROGRAMA 1

Três rapazes, previamente selecionados entre os inscritos, serão apresentados para o público, que então votará no seu preferido, através do site do programa, SMS ou telefone.

PROGRAMA 2

O vencedor (que chamaremos de CRUSH) será definido e apresentado para dez garotas. O público escolherá também através de votação qual delas deve formar um par com ele. A partir desse momento até o último dia, o CRUSH terá a companhia de uma pessoa da produção, que garantirá que ele não tenha nenhum contato com as garotas fora do programa, incluindo por telefone e redes sociais.

PROGRAMA 3

Ficaremos sabendo quem foram as três garotas mais votadas (que chamaremos de PRETENDENTES) e, pela primeira vez, o CRUSH conversará com elas, que poderão se expressar apenas por gestos. Ele deve se encontrar fora do programa com cada uma das garotas três vezes, e eles poderão escolher a programação que quiserem, desde que também estejam acompanhados por alguém da produção e uma equipe que filmará os passeios. Diariamente o site do programa mostrará cenas dos encontros.

PROGRAMA 4

Serão exibidos alguns vídeos mostrando o que o CRUSH e as PRETENDENTES fizeram durante a semana. Ao final ele dirá qual foi a escolhida. A partir desse momento a PRETENDENTE selecionada finalmente poderá falar. Os dois então responderão se querem iniciar um relacionamento ou se preferem ser apenas amigos. Caso os dois digam sim, um beijo selará a união. Caso optem pela amizade, será apenas um abraço.

ATENÇÃO:

- ALÉM DE SER PROIBIDO FALAR COM O CRUSH ATÉ O QUARTO PROGRAMA, TAMBÉM NÃO É PERMITIDO ESCREVER PARA ELE OU MANDAR RECADOS ATRAVÉS DE OUTRA PESSOA.
- EM CASO DE DESISTÊNCIA OU ELIMINAÇÃO DE VÁRIAS CONCORRENTES, A ÚLTIMA PARTICIPANTE SE COMPROMETE A PERMANECER ATÉ O ÚLTIMO DIA DO PROGRAMA, A NÃO SER EM CASOS EXTREMOS (MORTE/DOENÇA).

Eu, Arielle Botrel, confirmo que li e concordo com as regras do programa que, caso desrespeitadas, podem causar a minha desclassificação. Autorizo o uso, a veiculação, a difusão e a divulgação de minha imagem e voz para fins de exibição em televisão ou em qualquer outra mídia existente em todo o território nacional e internacional.

Arielle Botrel

Assinatura

• Capítulo 19 •

A Yasmin pediu que eu me sentasse com as outras garotas, que já estavam em sofás que haviam sido colocados ao fundo do palco, em meia-lua. Ao olhar para elas, me senti ainda mais insegura. Todas estavam maravilhosas! Eu realmente não teria a menor chance...

Alguns produtores ainda verificavam os microfones e checavam se havíamos deixado os celulares no silencioso quando a apresentadora chegou. Ela nos cumprimentou rapidamente, desejou boa sorte a todas, e então, sem que eu tivesse tempo para me preparar psicologicamente, o programa começou.

— Boa tarde, plateia, boa tarde, pessoal de casa! — ela falou, sorrindo para as câmeras. — Está no ar o *Linguagem do Amor*, o programa que nos ensina que o amor não precisa de palavras! Caso não tenha visto o programa anterior, vou explicar o que aconteceu até agora... Ontem ficamos conhecendo três atletas lindos, que contaram pra a gente sobre o dia a dia deles e também falaram sobre o que esperam de uma namorada... Vamos rever um pouquinho!

Todos se viraram para o telão, que começou a exibir as passagens mais marcantes do programa anterior.

Apesar de ter assistido pela TV, senti novamente a mesma emoção quando o rosto do Erico apareceu. Como alguém tão lindo podia ser também tão charmoso, inteligente e simpático?

Consegui desviar os olhos da tela para espiar a expressão das minhas colegas. Todas elas estavam praticamente babando enquanto ele falava... Apesar daquela reação ser esperada, senti um aperto no peito, uma mistura de ciúme e tristeza... Já tinha tanto tempo que eu trazia o Erico dentro de mim, que ali, vendo outras garotas também interessadas, era como se estivessem roubando uma parte do meu coração.

Resolvi então prestar atenção, para tentar abafar aqueles sentimentos.

O Erico estava contando que treinava duas horas pela manhã e duas horas à tarde, mas que também fazia musculação, pois o preparo físico era muito importante. Além disso, ele disse que procurava se alimentar bem e dormir pelo menos oito horas por noite. Em seguida, falou um pouco sobre a rotina de competições, disse que nas horas vagas gostava de viajar, velejar, ir ao cinema, passear com seus cachorros, ficar com a família...

Enquanto ouvia, senti vontade de velejar com ele para qualquer lugar do mundo, de assistirmos juntos a todos os filmes que ele quisesse, de ser apresentada para a sua família... E eu tinha a impressão de que talvez já conhecesse pelo menos um dos cachorros...

Logo depois, a apresentadora perguntou o que ele esperava de uma namorada. Ele deu um sorriso charmoso, que quase fez com que eu perdesse o ar, e então falou que gostaria de ter ao seu lado uma pessoa companheira, com quem pudesse dividir bons e maus momentos. Ele esperava que tivessem interesses em comum, mas que ela também tivesse suas próprias paixões, pois adoraria incentivá-la no que quer que fosse. Ele ainda disse que no futuro gostaria de ter uma grande família, com muitas crianças e animais correndo pela casa, o que me fez suspirar. Tudo que eu mais queria era estar naquele futuro dele.

A tela esmaeceu e então outro garoto foi focalizado, o atleta da Itália. Ele também era lindo, mas aparecer logo depois do Erico chegava a ser injustiça...

Assim que mostraram um trechinho também do terceiro concorrente, que era da Grécia, a apresentadora se virou para nós:

— E aí, meninas, animadas? — Nós todas assentimos, rindo, e então ela se voltou novamente para as câmeras. — Desde ontem, esses três rapazes estão sendo votados por vocês! Aliás, a votação se encerrará em poucos minutos, mas ainda dá tempo! Quem vocês querem que seja o *crush* dessas dez gatas aqui?

A câmera passou deslizando por cada uma de nós. Algumas das minhas colegas acenaram, outras sorriram, mas eu estava tão tensa pensando que em poucos minutos veria o Erico ao vivo que quando percebi que meu rosto estava no telão, me assustei a ponto de dar um pulinho no banco! As pessoas do auditório começaram a rir, e eu fiquei instantaneamente vermelha. Por sorte a apresentadora voltou a falar.

— Vocês podem acessar o site do programa, para conhecê-las melhor. Fizemos um perfil de todas essas moças, contando particularidades da vida delas! Mas agora, antes de chamar os três rapazes ao palco, vou contar o que vai acontecer a seguir.

Ele passou a listar as regras, que eu já sabia de cor, pois havia recebido um comunicado com todas as informações necessárias. Porém, para que o tempo passasse mais rápido, resolvi prestar atenção naquela explicação.

— Assim que essa votação terminar, uma nova será aberta, para que vocês escolham qual das garotas deve ter a chance de conquistar o coração do vencedor. As três mais votadas serão reveladas no programa de amanhã e então, durante a semana, cada uma delas terá três encontros com o crush, para que eles possam se conhecer melhor. No sábado que vem, o último dia do programa, descobriremos quem será a preferida dele. Porém, existe um detalhe importante... Elas terão que ficar mudas durante esses encontros. O rapaz até pode falar, mas elas só poderão respondê-lo gesticulando. Escrever também não é permitido. Mas a boa notícia é que abraços e beijos são...

O público aplaudiu, e subitamente algo me veio à cabeça. E se a Sula estivesse enganada e o Erico não fosse o vencedor? Nesse caso eu teria que inventar qualquer desculpa para deixar a competição! Eu não queria conquistar ninguém... além dele.

— E então, sem mais demora, vamos chamar os rapazes! Com vocês: Achilles, Leonel e Erico!

Por sorte, os aplausos foram bem altos dessa vez, assim ninguém conseguiu escutar as batidas do meu coração. Eu havia passado tanto tempo me contentando em ver o Erico através de uma tela e das minhas lembranças embaçadas que a emoção de admirá-lo de tão perto fez com que eu até tremesse! Ainda bem que eu estava sentada, senão corria sério risco de meus joelhos me traírem e eu espatifar no chão... porque o fato é que o Erico era *muito* mais lindo pessoalmente. Na única vez em que eu o vi frente a frente, o local estava escuro, ele estava encharcado, com o cabelo atrapalhado e mesmo assim eu já tinha ficado toda encantada... Imagine vê-lo agora todo produzido e sob centenas de holofotes...

De repente me dei conta de que minha irmã e a Sula estavam certas. Se aquilo não tinha sido amor à primeira vista, com certeza seria à segunda... Eu estava começando a perceber que nada mais importava. A única coisa que eu desejava naquele momento era que o Erico também gostasse de mim.

A apresentadora, com a ajuda de um intérprete, começou a conversar com eles. Quando chegou a vez do Erico, ele disse que não precisava que traduzissem e começou a falar em português com a voz mais linda que eu já tinha escutado. Será que havia algo nele que não fosse perfeito? Ah, sim... o fato de morar em outro país.

Ao ouvir a apresentadora e ele conversando, pude conhecer um pouco mais sobre as suas opiniões, porém pouco depois foi anunciado que a votação estava encerrada. Eu, que já estava com os batimentos cardíacos normalizados, senti meu peito subitamente voltar a palpitar.

Uma assistente de palco apareceu com um envelope, a apresentadora deu uma olhada, ameaçou declarar o nome do vencedor, mas então disse que teríamos que aguardar, pois primeiro precisava chamar os comerciais. Só faltei levantar de onde eu estava e tomar aquele papel da mão dela! Mas por sorte consegui me segurar, afinal não queria que além de tudo me achassem louca...

Algumas participantes começaram a conversar enquanto esperavam o programa voltar, outras levantaram para checar se a roupa estava amassada, mas eu preferi ficar onde estava, pois sabia que cada segundo em que eu pudesse admirar o Erico seria uma lembrança a mais que me abasteceria quando ele não estivesse mais perto de mim.

Percebi que várias pessoas da plateia estavam pedindo que ele se aproximasse para tirar fotos. Ele então se encaminhou em direção a elas, todo sorridente, mas uma produtora rapidamente o impediu, dizendo que ele não poderia fazer isso para não correr o risco de manchar a camisa ou o rosto com o batom das fãs, já que provavelmente elas não se contentariam apenas com uma selfie... O Erico levantou as mãos se desculpando, porém percebeu que algumas meninas estavam segurando algumas revistas com a foto dele estampada na capa e reportagens sobre sua carreira, pedindo autógrafos. A produtora rapidamente buscou tudo e entregou para ele, que se sentou e começou a escrever. Senti a maior curiosidade de ver sua caligrafia, mas, de repente, talvez atraído pelo meu olhar, ele segurou a caneta no ar, levantou a cabeça e me notou.

Foi como se um redemoinho se formasse dentro meu peito. Senti que eu havia novamente pulado naquela piscina gelada da Suíça, mas dessa vez não senti frio, muito pelo contrário... O calor tomou conta do meu corpo inteiro. O tempo parou e eu não ouvi mais nada. Era como se o estúdio tivesse desaparecido e só eu e ele estivéssemos ali. A princípio, os olhos dele demostraram curiosidade, mas então ele os estreitou levemente, como se estivesse se lembrando de algo...

— Arielle, posso passar pó no seu rosto, só pra tirar o brilho?

Levantei a cabeça assustada e me deparei com a Yasmin, segurando um estojinho e um pincel. Tornei a olhar para o Erico depressa, mas ele já estava novamente assinando as revistas. Foi como se aquele nosso momento nunca tivesse acontecido...

Assenti para a Yasmin que rapidamente retocou minha maquiagem e um minuto depois o programa voltou ao ar.

Os três concorrentes se posicionaram lado a lado bem no centro do palco e com isso tudo que eu podia ver eram as costas deles. Ou melhor, "dele", pois era a única que eu enxergava. E que costas...

A apresentadora então pegou o envelope novamente, releu, fez o maior suspense e, quando eu já estava achando que ia desmaiar de ansiedade — exatamente como o Lino tinha previsto —, ela falou:

— Obrigada pela participação de vocês três. Claro que todos querem saber o resultado, mas a mensagem que realmente queremos passar aqui é que o espírito esportivo é o mais importante. Tenho certeza de que os dois que não ganharam sem dúvida arrumarão várias outras pretendentes lá fora... Mas o que será conquistado por uma das meninas aqui presentes é o... — Ela parou um pouco e meu coração parou junto. — *Erico Eggenberg*!

Meus pés me impulsionaram para cima e eu comecei a me levantar, disposta a pular e bater palmas como a plateia, que estava indo ao delírio. Mas ao olhar para o lado, vi que as outras garotas, apesar de também estarem aplaudindo, continuavam elegantemente sentadas. Então me contive e fingi que tinha feito aquilo apenas para ajeitar meu vestido embaixo da perna.

Os dois desclassificados cumprimentaram o Erico com abraços e em seguida saíram do palco, e então a apresentadora também o parabenizou.

— Erico! Confesso que não estou muito surpresa... Pelo número de mensagens que recebemos nas redes sociais querendo saber mais sobre sua vida, eu até já esperava! O que achou de ter sido o escolhido?

Ele sorriu, meio sem graça, coçou a cabeça e falou:

— Ao contrário de você, eu estou bem surpreso! Realmente não imaginava que iria ganhar. Topei participar desse programa meio de brincadeira, mas jamais pensei que eu seria o mais votado... Só tenho que agradecer a todos que me escolheram!

— Infelizmente para receber o prêmio ainda vai demorar alguns dias... Que tal darmos uma olhadinha nas suas pretendentes? Já foi disputado por dez garotas ao mesmo tempo?

— Nem nos meus sonhos... — ele disse, rindo, e então a apresentadora o levou para um pouco mais perto de onde estávamos sentadas.

— São todas muito bonitas! — a apresentadora começou a passear com ele na nossa frente. — Algo me diz que o público terá muita dificuldade para escolher apenas três...

— Tenho certeza disso — o Erico disse, assentindo.

A apresentadora o levou novamente para a frente do palco e falou:

— Querido, até amanhã! Desde já estou torcendo para que você goste das três mais votadas!

— Independentemente de quem seja, eu sei que vou gostar... — ele disse, com educação, passando os olhos mais uma vez por todas nós, até que, de repente, eles pararam em mim. Ele então deu um sorriso, tornou a se virar para a apresentadora e disse: — Sei que vou gostar *muito*...

Blog da Belinha

Oi, pessoal! Vocês nem vão acreditar no que eu consegui para vocês... Uma entrevista exclusiva com o galã das Olimpíadas, o sonho de muitas garotas, o "enfeite" que faltava nesse singelo blog...

Já sabem de quem eu estou falando? Sim, dele mesmo! Do vencedor da primeira etapa do *Linguagem do Amor*! Do lindo e simpático Erico Eggenberg! ♥

Alguns dias atrás contei um pouquinho sobre ele, então vocês já devem saber que o Erico fala português! Aliás, o gatinho é poliglota! Ele também sabe italiano, inglês, alemão e francês! Mas vou deixar que ele mesmo conte como aprendeu a nossa língua e muito mais... Com vocês, Erico Eggenberg!

Belinha: Erico, em primeiro lugar, bem-vindo ao Brasil! É a sua primeira vez no país? Está gostando?

Erico Eggenberg: Sim, é a minha primeira vez aqui, mas tenho certeza de que não será a última. Estou encantado com tudo que já vi até agora, apesar de por enquanto só ter conhecido Brasília e o Rio de Janeiro. Espero conseguir tempo para visitar também outras cidades, vou tentar ficar uns dias a mais depois das Olimpíadas, só para fazer turismo.

Belinha: Que ótimo! Espero que o nosso país te conquiste de verdade, para que você queira mesmo voltar várias vezes. Já vimos que problemas com a comunicação você não tem, seu português é ótimo! Como você aprendeu a falar tão bem assim?

Erico Eggenberg: Desde criança eu tive contato com a língua porque o meu melhor amigo, o Phil, é brasileiro. Eu passei a infância na França, onde ele mora com os pais, quero dizer, agora ele está morando com a noiva, que também é brasileira... Quero dizer, na verdade ela nasceu em Liechtenstein, mas logo se mudou para o Brasil e... Ah, essa é uma longa história, um dia desses eu te conto! Mas o fato é que eu já sabia o básico por causa desse meu amigo e aí, nas Olimpíadas passadas, não fui tão bem quanto gostaria, ganhei uma medalha de bronze... Porém, meu técnico disse que foi uma ótima experiência e que tinha certeza de que na próxima a de ouro viria... Como eu já sabia que seria aqui no Brasil, aproveitei esses anos para estudar pra valer português, pois queria me comunicar diretamente com vocês, sem intérpretes...

Belinha: E com certeza você conseguiu! Depois vou querer que você me conte mesmo a história desse seu amigo, mas agora vamos aproveitar para falar sobre esporte! Como você começou a se interessar pelo tênis?

Erico Eggenberg: Eu era muito novo, devia ter uns 3 anos e meu tio, que era tenista, embora não fosse profissional, me deu uma raquete e uma bolinha. Gostei tanto que comecei a usar a raquete para arremessar a bola pela casa inteira, até que minha mãe percebeu que não ia sobrar nenhum vidro inteiro! Então ela disse pro meu tio que, se ele tinha me dado aquele "presente de grego", teria também que me dar umas aulas. Meu tio topou e logo no começo ficou impressionado com a minha habilidade, tanto que acabou me colocando em uma escola de tênis infantil. Levei tão a sério que aos 5 anos venci o torneio juvenil de Roland Garros, fui um dos tenistas mais novos a vencer! E aí nunca mais parei. Jogar tênis para mim é como me alimentar... algo que eu preciso fazer para sobreviver.

Belinha: Que interessante! Eu sou assim com leitura, mas talvez um pouco pior. Acho que prefiro ficar sem comida do que sem um livro... Ah, mas aproveitando que você falou da sua família, eles te apoiam? Sua mãe superou os vidros quebrados? Aliás, você tem outros irmãos na área ou é o único atleta da família?

Erico Eggenberg: Sim, quando minha família viu que era pra valer, passou a dar o maior apoio! Meus pais são meus maiores fãs, eles param o que estiverem fazendo para assistir aos meus jogos! Tenho duas irmãs mais novas, uma delas quer estudar Administração, para seguir os passos do meu pai, e a outra é modelo, como a minha mãe... Acho que os únicos que gostam de esportes lá em casa, além de mim, são os meus cachorros. Tenho dois: a Sharapova e o filho dela — o Sancho Gonzales —

que tem só seis meses! Eles são simplesmente obcecados com bolinhas de tênis, não podem me ver que pegam alguma no meu quarto e insistem até que eu as atire para eles buscarem!

Belinha: Que fofos! Os dois parecem gostar muito de você... Mas pelo visto não são os únicos, já que você ganhou disparado a primeira etapa do *Linguagem do Amor*! Como surgiu a ideia de participar desse programa?

Erico Eggenberg: A ideia não foi exatamente minha... Na verdade eu fiquei meio envergonhado de participar de um jogo em que garotas entrassem em uma disputa por mim, mas meus técnicos, minha família, meus fãs, todo mundo insistiu para que eu participasse! Minhas redes sociais ficaram lotadas de recados! Aí resolvi levar na brincadeira...

Belinha: Então isso significa que você não está procurando uma namorada?

Erico Eggenberg: Não... Quero dizer, sim, acho que todos nós esperamos encontrar uma pessoa que nos faça companhia, com quem possamos conversar sobre qualquer assunto... E, claro, que faça o nosso coração bater mais forte, às vezes só por lembrar dela... Mas acho que esses encontros acontecem por acaso, conjunção astral, destino... E não em um programa de TV específico para isso. Mas estou ansioso para conhecer melhor as garotas, tudo pode acontecer... Tenho certeza de que nos divertiremos muito e no mínimo seremos bons amigos.

Belinha: No mínimo... E por falar nelas, o que achou das dez participantes? O público está votando para definir as três que concorrerão a essa vaga no seu coração... Alguma preferência até agora?

Erico Eggenberg: Confesso que nem deu tempo de reparar direito, foi tudo tão rápido... Percebi que elas todas são muito bonitas. Mas eu realmente prefiro não considerar apenas a aparência. Creio que o público vá escolher bem, deixo nas mãos dele... E então, a partir de amanhã, quando eu puder conversar com as finalistas pelo menos por gestos, acho que poderei ter uma opinião mais definida...

Belinha: Sinceramente, você não me parece muito empolgado... Por acaso teria alguma pretendente lá na Suíça mesmo que já está tomando conta dos seus pensamentos? Soube que você sofreu um acidente uns meses atrás e, pelo que li, disse que foi salvo por uma sereia?

Erico Eggenberg (enrubescendo): Não, isso foi modo de falar... Na verdade eu nem sei se isso aconteceu mesmo ou se eu estava alucinando, por ter bebido muita água da piscina e também pelo frio que estava fazendo na hora. Só me lembro de que eu estava no quintal da minha casa falando com o meu amigo Phil no telefone, o que me ensinou português, como eu expliquei antes... Ele tinha ligado para me desejar feliz aniversário, pois tinha acabado de dar meia-noite. De repente, vi que meu cachorrinho — o Sancho — tinha vindo atrás de mim e, por receio de que ele fugisse para a rua, tentei pegá-lo. Ele ainda é pequeno e passa pela grade do portão. Só que minhas mãos estavam geladas e meio úmidas, por isso meu celular deslizou. E enquanto tentava agarrar ao mesmo tempo o telefone e o cachorro, acabei escorregando e aí não vi mais nada. Quando abri os olhos, eu estava todo molhado, deitado no colo dessa menina, que disse que me resgatou... E me recordo que por algum motivo ela cantou pra mim, a voz era tão linda... Acho que isso é a única coisa que eu realmente me lembro sobre ela. O resto está muito nebuloso. Mas, como ela nunca mais apareceu, talvez tenha sido apenas um sonho, alguém que minha imaginação criou.

Belinha: Uau, adoraria ter um livro com essa história na minha estante! Mas algo me diz que ela ainda não acabou... Espero que tenha um desfecho surpreendente!

Erico Eggenberg: Prometo que te conto se alguma novidade acontecer! E se algum escritor usar minha aventura como inspiração, te dou um exemplar do livro de presente!

Belinha: Você é um fofo, Erico! Muito obrigada pela entrevista e boa sorte... no jogo e também no amor!

Pessoal, essa foi a minha entrevista com o Erico! Então se alguém avistar uma sereia por aí, já sabe... Não deixe de avisar para ele! Mas, por enquanto, vamos todos torcer para que ele se encante também por uma humana, no *Linguagem do Amor.* Quem sabe ele não vai ter por aqui mesmo o seu merecido final feliz?

No meu canal do YouTube vocês podem ver algumas cenas que eu gravei de um treino do Erico que acompanhei! Desafio: será que vocês conseguem se concentrar no jogo e não no jogador? Duvido! ☺

Até amanhã!

Beijinhos da Belinha

◆ Capítulo 20 ◆

No dia seguinte, novamente cheguei à TV com antecedência. Dessa vez a Sula estava comigo, pois ela queria se certificar de que eu seguiria a sua indicação para o figurino.

— Sula, tem certeza de que você não quer assistir ao *Atleta's Voice* ao vivo? Apesar da sua apresentação ter sido ontem, é sempre bom conhecer os concorrentes... — falei, tentando persuadi-la mais uma vez. Na verdade, eu estava com esperança de que a Yasmin me ajudasse novamente... Por mais que o Sebastião e a Sula tivessem criticado, as minhas irmãs me ligaram assim que o programa terminou dizendo que nunca tinham me visto tão bonita, que eu ficava muito bem na tela, que eu havia nascido para a TV... E o Lino inclusive falou que deu pra ver perfeitamente que o Erico tinha olhado para mim por mais tempo do que para as outras garotas... e que aquilo era esperado, pois eu estava brilhando!

Por isso eu realmente gostaria que a Yasmin me vestisse outra vez, mas também não podia rejeitar a ajuda da Sula... Ela estava tão empolgada que era como se estivesse concorrendo em vez de mim! Por isso concordei que ela fosse comigo.

Quando chegamos à emissora, várias garotas já estavam se arrumando. Me aproximei para cumprimentá-las, mas a Sula me puxou pela mão, sussurrando:

— Está louca? Essas meninas não são suas colegas, são *concorrentes*! Nada de ficar de conversa fiada com o inimigo...

Fiquei sem graça, pois várias garotas estavam acenando para mim, então apenas dei um pequeno sorriso de volta enquanto a Sula me olhava feio e fazia sinal para que eu a seguisse.

Meio contrariada, fui atrás dela, que entrou na mesma sala onde a Yasmin tinha me levado no dia anterior. Fiquei surpresa por ela saber exatamente o local onde ficavam as roupas, mas me lembrei de que ela estava fazendo estágio com uma tia que era produtora, por isso era natural que soubesse...

— Sua tia produz qual programa? — perguntei, curiosa, enquanto a Sula começava a analisar as araras. Nós já havíamos passado por várias produtoras e pelo visto não era nenhuma delas.

— Normalmente aquele de esportes, que passa diariamente — ela respondeu. — Então, por já ser da área, minha tia virou uma das supervisoras da Gincana Olímpica, pois tiveram que chamar produtores também de outros programas, para dar conta de tanto trabalho extra... Ela é a responsável por fazer com que o tema "esporte" não se perca, para que os apresentadores sempre se lembrem de que estão lidando com atletas. Por isso ela gostou tanto quando eu ofereci para ajudar. É trabalho que não acaba mais, ela fica circulando por todos os programas pra conferir se está tudo certo...

Balancei a cabeça, concordando. Realmente devia ser bem trabalhoso... Porém, fiquei curiosa sobre outra coisa:

— O fato de você fazer nado sincronizado teve alguma influencia familiar? Porque você falou que sua tia trabalha em um programa de esportes e tal...

A Sula, sem tirar os olhos das araras, respondeu:

— Sim, comecei a nadar exatamente por causa da minha tia. Ela já foi nadadora e, por não ter tido filhos, queria tanto que eu seguisse seus passos que meu pai acabou atendendo a vontade dela e me matriculando em uma escolinha. Acho que ela ficou meio chateada quando viu que eu fui pro lado do nado sincronizado, em vez da natação em si. Mas já superou, hoje em dia ela torce por mim e faz tudo pra me ajudar. — De repente ela tirou uma roupa de uma das araras, dizendo: — Aqui! Vista essa!

Olhei para o conjunto vermelho de blusa e calça que ela me estendia e fiquei meio apreensiva.

— Sula, por eu já ser ruiva, você não acha que pode ficar meio exagerado? Quero dizer, se pelo menos fosse apenas uma das peças, mas a calça e a blusa são vermelhas, além do meu cabelo...

— De jeito nenhum! — ela disse, empurrando as roupas para mim. — Isso é exatamente do que você precisa:

chamar a atenção! Você não viu como as outras meninas são lindas? Quer ficar apagada ao lado delas?

Sim, eu queria me destacar, mas não parecer um bombeiro...

Porém, para não contrariá-la — afinal, eu devia a ela a minha participação naquele programa — resolvi vestir, na esperança de que ao ver o resultado final ela concordasse com a minha opinião.

Fui para trás de uma das araras para me trocar, como no dia anterior, mas ela disse:

— Está com vergonha de quê, Arielle? Já te vi de maiô várias vezes! Tenho certeza de que de calcinha e sutiã não vai ter muita diferença... A não ser que você tenha dois umbigos! — Ela deu uma gargalhada, e eu então comecei a trocar de roupa devagar. Porém, assim que tirei a calça jeans, ela deu uma boa olhada no meu corpo e falou: — Realmente a calça é a decisão mais acertada. Com tantas celulites você certamente afugentaria o Erico no instante em que ele batesse o olho em suas pernas!

Olhei depressa para baixo, eu nunca tinha visto nenhuma celulite nas minhas pernas. Essa era uma vantagem da natação. E a Yasmin no dia anterior até as havia elogiado...

Ao ver que eu estava analisando minhas coxas, ela falou:

— A gente nunca consegue ver as próprias imperfeições. Mas acredite em mim, por sorte ontem você não teve que se levantar. Mas, se for uma das três finalistas, certamente terá que andar pelo palco e eu nem quero estar do seu lado quando assistir à reprise do programa pela internet e enxergar o que estou vendo agora...

Respirei fundo e então vesti a calça. Em seguida coloquei também a blusa.

— Ficou perfeito! — A Sula bateu palmas.

Olhei depressa no espelho, para tentar enxergar a perfeição. Quase chorei... A calça até que tinha caído bem, mas a blusa parecia dois números acima do meu tamanho! Não estava terrível, mas nem de longe eu vivenciei aquela sensação de me sentir linda como no dia anterior.

A Sula se aproximou, ajeitou um pouco a blusa e em seguida foi até o armário de sapatos.

— Aqui, vista estas botas.

Olhei para as botas pretas de cano alto que ela estava me entregando e, sem pegá-las, perguntei:

— Hum, Sula, você não acha que está meio quente para isso? Não seria melhor uma sandália?

Ela revirou os olhos e jogou as botas no chão.

— Você não entende nada de televisão, não é, Arielle? O estúdio tem ar-condicionado! Imagina, sandálias iriam *matar* a roupa! Com botas você vai ficar muito mais elegante!

Eu havia notado o ar-condicionado, mas no programa anterior eu não tinha sentido o mínimo frio, talvez por causa da minha euforia.

Calcei as botas devagar e olhei no espelho. Eu estava parecendo o Papai Noel! Falei isso para ela, que riu como se eu tivesse contado uma piada.

— Ai, Arielle, você é muito engraçada! Não, você não está parecendo o "bom velhinho"! Mas tenho certeza de que o Erico vai querer te levar de presente! Vamos logo, você ainda tem que fazer a maquiagem e arrumar o cabelo.

Dei mais uma olhada para o espelho, mas ela já estava no corredor, pedindo que me apressasse. Contrariada eu a segui.

Ao chegar ao camarim onde funcionava o salão, vi que todos se lembraram de mim. Fiquei feliz por aquilo, eu ia pedir para eles me arrumarem exatamente como no dia anterior, assim pelo menos a maquiagem e o cabelo poderiam me salvar. Porém a Sula falou:

— Vocês podem fazer um rabo de cavalo nela? Acho que é bom passar uma imagem esportiva, afinal isso não é um concurso de beleza, ela tem que ser autêntica.

O cabeleireiro me olhou, como se quisesse saber se eu concordava com aquilo, mas como a Sula estava bem ali do lado, simplesmente me sentei e deixei que ele seguisse as ordens dela. Ele terminou em dois minutos, disse que mesmo de cabelo preso eu ficava bonita, e então a maquiadora se aproximou.

— Vamos colocar cílios postiços de novo, Arielle? — ela perguntou, sorrindo.

Eu tinha amado tanto aquela novidade que fiquei até triste quando cheguei em casa depois do programa e tive que tirá-los para dormir. Eu poderia usar aquilo para sempre! Por isso assenti, feliz, mas a Sula novamente entrou no meio.

— De jeito nenhum! Não quero que a Arielle fique parecendo uma drag queen! Ela tem que passar naturalidade para o público!

Ela falou aquilo com tanta certeza que a maquiadora no mesmo instante levou a caixinha com os cílios para longe, fazendo com que eu desejasse que eles saltassem das mãos dela e pulassem para os meus olhos, como por encanto. Porém, como não estudei em Hogwarts, eles continuaram imóveis e a moça apenas passou um rímel nos meus próprios cílios, que apesar de não serem muito curtos, ficaram longe de exibir o glamour que eu tinha visto nos meus olhos no dia anterior.

Percebendo que eu tinha ficado meio pra baixo, a maquiadora falou no meu ouvido em um momento que a Sula estava distraída:

— Não se preocupe, você é linda mesmo sem artifícios... É até bom pra variar um pouco, mas se você for uma das três escolhidas, prometo que no sábado que vem vou colocar em você os maiores cílios que alguém já viu! Aí sim vai parecer uma drag!

Nós rimos, ela terminou de me maquiar e me virou para o espelho. Surpreendentemente eu gostei. Eu podia até não saber fazer mágica como o Harry Potter, mas com certeza aquela maquiadora sabia!

Depois de pronta, fui para o camarim onde todas as participantes estavam reunidas, sempre "escoltada" pela Sula. Assim que chegamos lá, uma produtora veio avisar que em dez minutos entraríamos no estúdio, então se precisássemos ir ao banheiro ou beber água, era pra fazermos isso logo.

— Arielle, vou para a plateia de uma vez — a Sula disse assim que a produtora terminou de falar. — Ontem peguei um lugar horrível, na última fileira! Quero ficar bem na frente dessa vez, para poder sinalizar pra você, caso queira te passar algum recado sobre a sua postura. Foi péssimo aquele pulinho na cadeira que você deu ontem quando a câmera focou em você!

Eu já havia esquecido daquilo, mas fiquei envergonhada só de recordar. Ela então se afastou e eu comecei a torcer para que o tempo passasse depressa, pois além de estar morrendo de ansiedade, eu já começava a sentir calor dentro daquela roupa. Mal podia esperar para entrar no estúdio, onde o ar-condicionado era bem mais potente.

— Arielle, onde você estava? Te procurei por toda parte!

Virei para trás e me deparei com a Yasmin, a produtora do dia anterior. Percebi que ela estava me analisando e pelo visto não gostava do que via...

— Você chegou só agora? — ela perguntou, sem entender. — Seu cabelo e maquiagem até que estão bons, mas se tivesse vindo antes poderíamos ter escolhido outra roupa. Você ficou tão bem de vestido ontem...

Respirei fundo e decidi falar a verdade:

— Minha amiga escolheu essa roupa. Não quis contrariá-la, pois ela tem me ajudado muito. Mas eu realmente preferia um vestido...

Devo ter feito uma expressão tão triste ao dizer aquilo que, talvez por pena, ela falou:

— Vem, vou avisar que você está com dor de barriga e vai ter que atrasar uns minutinhos!

Apesar de não ter gostado da desculpa que a Yasmin inventou, fui atrás dela até chegarmos à sala das roupas. Por sorte ela já sabia exatamente o que queria e não teve que procurar.

— Olha, eu vi esse vestido mais cedo e achei a sua cara! Tinha até separado para te mostrar, torcendo para que você gostasse. — Era um vestidinho verde-água, de um ombro só, que tinha uma saia de tule que caía até um pouco acima do joelho. — Veste pra gente ver como fica enquanto eu pego uma sandália!

Obedeci e só de tirar aquela fantasia de tomate já me senti melhor. Coloquei então o vestido que Yasmin tinha me entregado e nem precisei olhar no espelho pra saber que eu havia amado! Mais uma vez, parecia que a roupa tinha sido feita pra mim.

— Nossa, você está parecendo uma sereia! — ela disse, admirada. Na mesma hora lembrei que o Erico se referia a mim assim, quer dizer, à garota que o havia salvado. Achei que aquilo era um bom sinal...

Porém, tinha algo me preocupando.

— Não está aparecendo as celulites? — perguntei, sem graça.

— O quê? — ela me olhou como se eu fosse louca. — Você não tem celulite nenhuma, que história é essa? Anda, veste essa sandália depressa.

Ela me entregou uma sandália prateada e quando me olhei no espelho, tive a mesma sensação do dia anterior. Eu estava perfeita. Era como se uma fada madrinha tivesse me vestido!

Abracei a Yasmin em um impulso e falei:

— Obrigada!

Ela sorriu surpresa e disse:

— Não tem de quê, boneca! Você é naturalmente linda, mas lembre-se de que, dependendo da roupa que colocar, pode esconder isso... Eu só não permiti que isso acontecesse. Agora vamos correr, programa ao vivo não pode atrasar!

Eu concordei e ela me levou até o estúdio. Depois de me indicar onde deveria me sentar, ela disse no meu ouvido:

— Boa sorte! Tenho certeza de que você vai ser uma das três finalistas e então vamos escolher uma roupa ainda mais linda para a final!

Eu agradeci, feliz por ter dado tempo, e respirei fundo, para recuperar o fôlego antes do programa começar. Porém, nesse momento, olhei para a plateia e de repente me lembrei de que eu tinha esquecido um pequeno detalhe... A Sula estava sentada na primeira fileira. E pelo jeito que olhava para a minha nova roupa, não tive dúvidas. Ela estava com tanta raiva que poderia me matar...

• Capítulo 21 •

— Boa tarde, pessoal de casa e do auditório! Esse é o *Linguagem do Amor* e hoje é o penúltimo programa ao vivo! E é exatamente agora que as coisas vão esquentar! No primeiro dia, conhecemos três dos atletas mais lindos das Olimpíadas! Vocês votaram para escolher o mais fofo entre eles, e ontem, no segundo programa, ficamos sabendo que o preferido foi o suíço Erico Eggenberg! Em seguida nós conhecemos dez garotas estonteantes que querem conquistar o coração desse rapaz... Porém, apenas três terão a chance de tentar, e quem vai escolhê-las novamente serão vocês! As votações estão abertas desde ontem, e posso dizer que nada está definido ainda, cada voto faz diferença! Então corra para o nosso site para escolher sua preferida! Vote também por SMS ou telefone nos números que estão aí na tela! Lembramos que todas as concorrentes que não falam português estão com fones de ouvido e recebem simultaneamente a tradução de tudo que conversamos aqui...

Enquanto a apresentadora falava, minha mente voou para longe... Mais cedo a Sula tinha me mostrado no Blog da Belinha uma entrevista do Erico, que pelo visto havia sido realizada no dia anterior, logo após o resultado da votação. Ao lê-la, fiquei ainda mais apaixonada por ele, se é que isso era possível... Como alguém podia ser exatamente o que eu queria, o que eu havia sonhado por toda a minha vida?

Antes da viagem à Suíça, nas minhas escapadas, eu sempre conhecia alguns garotos que pareciam interessantes à primeira vista. Porém, bastava um olhar mais demorado ou uma conversa breve para eu descobrir que eles não eram nada do que eu desejava, mesmo sem saber direito o que eu queria. Eu só tinha certeza de que não era nenhum deles e não via sentido em desperdiçar meu (pouco) tempo em relacionamentos fugazes, não via razão em gastar minhas poucas horas em liberdade com pessoas que não tinham nada a ver comigo. Eu me bastava, não precisava estar com alguém apenas para não ficar sozinha... Mas ao mesmo tempo, sempre sonhei em encontrar alguém diferente. Uma pessoa que eu sabia que existia em algum lugar, que, ao conhecê-la melhor, me fizesse ter vontade de saber ainda mais.

E então ele apareceu.

"Isso é amor platônico." Foi o que mais escutei depois que conheci o Erico. O Lino, o Sebastião, as minhas irmãs... Todos diziam que eu tinha inventado aquela paixão. Mas agora eu começava a perceber que não havia sido invenção. *Intuição* era o termo mais adequado. Ao vê-lo pela primeira vez, ainda na festa, meu coração já sabia. Porque, ao contrário dos outros meninos que eu conhecera antes, ao ter mais informações sobre o Erico, senti vontade de me aproximar, e não de me afastar. O jeito dele, os pensamentos, as palavras... Tudo fazia com que eu quisesse chegar ainda mais perto.

Aquela entrevista havia esclarecido vários pontos que tinham me atormentado por um tempo. Primeiro, fiquei feliz de saber que ele não tinha entrado naquele programa por ser mulherengo ou vaidoso ao extremo... Havia feito aquilo apenas por pressão, exatamente como eu — embora o meu programa original fosse outro. Em segundo lugar, gostei de ler a versão dele sobre os fatos da festa. Ele tinha ficado preocupado com a possibilidade de o cachorrinho fugir, por isso fez de tudo para capturá-lo. E até algo que lá no fundo me assombrava havia sido esclarecido agora: com *quem* ele estaria falando no telefone aquela noite, se seria com alguma namorada... Mas não, ele estava conversando com o melhor amigo! E por último, ele ainda deu a entender que não tinha perdido a esperança de encontrar a "garota que o salvou..."

Fiquei feliz também de saber que pelo visto ele ainda se lembrava da minha voz! Após lermos juntas a entrevista mais cedo, a Sula garantiu que daria um jeito de fazê-lo escutar a minha gravação, assim ele descobriria de uma vez quem era aquela garota... E era por isso que agora eu estava tão preocupada por tê-la contrariado. Eu realmente não devia ter trocado de roupa, podia perfeitamente ter me vestido de vermelho se aquilo a deixava satisfeita! Mas naquele momento, ali na plateia, a Sula parecia estar se sentindo traída, como se eu não reconhecesse tudo que ela vinha fazendo por mim... Mas eu reconhecia. Assim que o programa terminasse teria que me desculpar e, dali em diante, faria tudo que ela sugerisse.

De repente ouvi a apresentadora dizer o meu nome e aquilo me fez voltar à realidade. Olhei depressa pra ela, que parecia estar esperando que eu respondesse alguma coisa. Me virei para a menina que estava sentada ao meu lado, uma japonesa, mas ela apenas deu de ombros, pois certamente não sabia falar uma palavra em português...

— Pode repetir, por favor? — criei coragem para perguntar. — Eu estava...

— Sonhando com o Erico! — ela disse, rindo. — Não se preocupe, é justificável! Se eu estivesse concorrendo a um "troféu" daqueles, também estaria no mundo da lua! Eu perguntei se você acha que tem mais chances, por ser a única brasileira na disputa.

Olhei para a Sula instantaneamente. Ela havia me falado que com certeza eu tinha mais chances por aquele motivo, já que o Brasil inteiro, o país sede das Olimpíadas, estaria torcendo por mim. Mas eu não achava aquilo justo.

Por isso, o que respondi foi:

— Não sei se tenho mais chances, mas eu sinceramente não gostaria que as pessoas votassem em mim apenas por esse motivo, por eu ser a única concorrente do nosso país. As outras meninas também merecem ganhar. Pelo pouco que pude conversar com elas, percebi que todas são simpáticas, esforçadas e inteligentes. Além de lindas, claro!

Então, gostaria de concorrer de igual para igual, no mesmo nível. Por isso, peço que não votem em mim só por causa da minha nacionalidade. — Parei um pouco, vi que estavam esperando que eu concluísse, e então falei: — Votem em quem vocês acham que merece mais. Em quem tenha mais chances de viver um conto de fadas com o Erico... Em quem vocês acreditam que possa fazê-lo mais feliz.

O público aplaudiu, a apresentadora sorriu para mim e disse que então deixaria cada uma das outras garotas dizer por que mereciam ganhar. Minha cabeça vagou novamente enquanto elas respondiam. Eu realmente pensava aquilo? E se eu não fosse uma das mais votadas? Provavelmente morreria ao ver pela TV o Erico saindo com outras meninas! Mas eu sabia que as perspectivas eram favoráveis, o Lino tinha me mostrado uma enquete que um portal de notícias tinha feito, e eu figurava entre as três primeiras. Não era garantido, mas provavelmente minhas chances eram boas...

Relaxei um pouco, mas de repente, sem que eu estivesse preparada para aquilo, a apresentadora chamou o Erico ao palco. Senti meu corpo ficar tenso no mesmo instante.

Ele entrou sorrindo e acenando, e para mim foi como se estivesse andando em câmera lenta. Mas provavelmente era apenas um contraste com o meu coração, que estava acelerado. Será que alguma daquelas garotas ali presentes também se sentia assim? Aliás, será que alguém no mundo vivenciava um sentimento maior que o que naquele momento dilacerava o meu peito?

A apresentadora o cumprimentou e disse:

— Erico, gostaria que você se sentasse, pois a partir desse momento a votação está encerrada! Já vamos descobrir o nome das três garotas que vão ter três encontros com você! Está ansioso?

Ele sorriu para a apresentadora e falou que mal podia esperar. E então se virou para nós e disse:

— Meninas, desde já queria agradecer a todas vocês! Espero que possamos ser amigos!

— Só acho que elas querem mais do que amizade.... — a apresentadora disse, rindo. O Erico coçou a cabeça sem graça e olhou para o chão. Ele realmente não parecia muito confortável naquele papel de "disputado".

Ele então se sentou enquanto a produção entregava um envelope para a apresentadora. Senti minhas mãos começarem a tremer e tudo que eu desejava era que aquilo acabasse depressa. Porém, claro que a apresentadora teve que chamar os comerciais antes...

Mais uma vez notei que a plateia estava desesperada por um pouco da atenção do Erico, que pelo visto estava respondendo a uma entrevista, pois um repórter estava conversando com ele e fazendo anotações. Dei uma olhada rápida para a Sula, receosa de que ela ainda estivesse brava comigo, mas ela parecia mais tranquila, estava lixando as unhas, como se estivesse alheia a tudo à sua volta. Melhor assim...

A Yasmin apareceu para retocar a minha maquiagem, me desejou boa sorte mais uma vez, e então avisaram que o programa iria voltar ao ar.

Respirei fundo e agradeci por estar de rabo de cavalo. Apesar do ar-condicionado congelante, eu estava morrendo de calor. Percebi que não era a única. O Erico estava se abanando com uma carta que havia recebido de alguém da plateia, parecendo tão nervoso quanto eu.

A apresentadora então abriu o envelope com o resultado e começou aquele suspense básico:

— Em primeiro lugar, como o Erico bem disse, gostaria de agradecer a todas que participaram. Sabemos que isso tudo é uma brincadeira e que o foco realmente são as Olimpíadas que começam na semana que vem. Espero que vocês todas brilhem nas quadras, nas piscinas, nos tatames... da mesma forma que brilharam aqui no palco. Mais uma vez, bem-vindas ao nosso país, estamos de braços abertos para vocês!

Eu sabia que aquele discurso todo era necessário, mas se ela demorasse mais um minuto, provavelmente eu teria um ataque do coração. Quando eu tinha me tornado tão ansiosa assim?!

— E então, sem mais delongas, vamos às três mais votadas!

Finalmente!!!

— Com 27% dos votos, a terceira mais votada foi Heather Evans, ginasta, do Canadá!

A Heather, que era uma loira linda, se levantou sorrindo e foi até a apresentadora, que a abraçou e pediu que ela esperasse ao lado.

— Para a segunda mais votada, temos que dizer touché, afinal, ela é esgrimista! A ucraniana Anastasia Lobanovskiy teve 32% dos votos!

Todos bateram palmas e eu fiquei surpresa por ela ter tirado o segundo lugar, pois sem a menor dúvida era a mais bonita. Na verdade, podia ter disputado o concurso de Miss pois certamente iria ganhar, com aquele rosto de Mila Kunis.

A Anastasia também levantou e pude ver que ela não apenas andava, ela praticamente desfilava pelo palco! Certamente era modelo. O que aquela menina estava fazendo nas Olimpíadas? Devia estar nas passarelas e capas de revista, isso sim!

Eu sabia que estava pensando aquilo tudo por puro medo da concorrência, o que tinha de mais a garota ser modelo e atleta ao mesmo tempo? Então resolvi me concentrar no último anúncio. Decidi me preparar para *não* ouvir o meu nome, assim a decepção seria menor. Será que mesmo que eu não ganhasse, a Sula ainda conseguiria entregar a minha gravação para o Erico? Mas com três beldades ao lado, será que ele teria o mínimo interesse em mim?

— E finalmente chegou a hora de revelar quem conquistou a preferência do público! Aliás, tenho uma curiosidade para contar. Essa garota é a atleta mais jovem do país dela a participar dessas Olimpíadas...

Espera. Eu era a atleta mais nova do Brasil nos Jogos! Então...

— Com 41% dos votos, a mais votada foi a nossa princesinha das águas, como ela é conhecida por aqui! A nadadora Arielle Botrel!

Quase fiquei surda com os aplausos ao meu redor, mas acabei congelando na cadeira. Ela realmente tinha falado meu nome?

Olhei para a frente e a Sula estava fazendo sinais desesperados para que eu levantasse depressa. Obedeci e fui em direção à apresentadora, que estava de braços abertos para me receber.

— Querida, estou muito feliz por você continuar no páreo! Acompanho sua carreira desde o início e sei que, além de linda, você é muito esforçada! Como está se sentindo? Pronta para mais essa disputa? Sabemos que nas piscinas você arrasa, mas e agora? Será que vai ganhar também o coração do Erico?

Ao dizer isso, ela apontou para ele. Quando nossos olhares se encontraram, senti mais uma vez o redemoinho do dia anterior. Calor, frio, lembranças, desejos... Ele estava sorrindo e parecia curioso com o que eu ia responder, mas quando abri a boca, a apresentadora falou: — Shhh, a partir de agora você não pode falar nada na presença dele. A comunicação deve ser feita exclusivamente por gestos!

Eu então olhei para ele novamente, fiz um coraçãozinho com as mãos e suspirei. O público bateu palmas, ele abriu ainda mais o sorriso e deu uma piscadinha para mim. Naquele momento, eu não tive mais dúvidas. Eu faria até o impossível para ganhar... Porque sem ele, eu não conseguiria mais viver.

Princesa na final

Foi definido ontem as três finalistas do *Linguagem do Amor*, o programa de namoro da Gincana Olímpica. A nadadora brasileira Arielle Botrel vai disputar o coração do tenista suíço Erico Eggenberg com a ginasta canadense Heather Evans e a esgrimista ucraniana Anastasia Lobanovskiy.

Arielle não se sentiu muito bem após a final do programa e por isso não pôde dar entrevistas, mas a assessoria de imprensa dela garantiu que a nadadora está muito emocionada, pois nutria há bastante tempo uma paixão platônica por Erico. Segundo fontes seguras, ela teria inclusive terminado o namoro com seu colega de equipe Lino Lemos exatamente por causa de Erico, após tê-lo visto no Grand Prix de Zurique, na Suíça, alguns meses atrás.

Ainda segundo a assessoria, Erico foi o motivo pelo qual Arielle resolveu se inscrever no Linguagem do Amor, após por ter ouvido boatos de que ele participaria do programa. Se isso for verdade, ela realmente deve estar muito emocionada por ter chegado à final. Só esperamos que a nossa "princesa das águas" seja tão boa em conquistar corações quanto é nas raias. Estamos torcendo para que Arielle traga mais essa vitória para o nosso país! ■

• Capítulo 22 •

— Arielle, concentre-se! Sua marca na piscina hoje está a pior dos últimos seis meses! Deixe para pensar no Erico na hora do encontro de vocês!

Ouvir o meu técnico dizer aquilo fez com que eu batesse as pernas na água com mais força, mas não por causa da minha marca, e sim por querer que aquilo acabasse logo... Eu teria o meu primeiro encontro com o Erico naquela noite e precisava não apenas me produzir, mas também me preparar psicologicamente!

Assim que cheguei à borda, ele respirou fundo e disse:

— Sua pernada está ótima, mas o que houve com seus braços? Onde está o vigor? Arielle, faltam dez dias para o início das Olimpíadas! Se você soubesse o quanto estou arrependido por ter te inscrito nessa Gincana Olímpica... Eu devia saber! Todos os adolescentes são inconsequentes, mas pensei que você fosse uma exceção! Que engano! Agora está aí mais preocupada em ganhar o coração desse garoto do que a medalha de ouro!

— Ah, quer falar de arrependimento? — Saí da piscina, ofegante. — Eu é que estou arrependida, devia ter imaginado o que você e aquela maldita assessoria de imprensa estavam tramando... Que ideia foi essa de não me deixar dar entrevistas no final do programa ontem e depois divulgar informações extremamente distorcidas, como se eu fosse uma fã apaixonada do Erico, que só faltasse colocar pôsteres dele nas paredes do meu quarto?! Agora o garoto deve estar até com *pena* de mim!

Ele ficou meio atônito, mas logo recuperou a pose.

— Você devia agradecer, isso sim! O que fizemos deu ao público a impressão de que você só está nesse programa por amor e ainda a deixamos com uma imagem de garota que corre atrás do que quer! E quem liga para o que esse Erico pensa?

— Eu ligo! E estou cansada de todo mundo me dando ordens e me dizendo o que fazer! Tem uma pessoa aqui, ok? Não sou uma máquina de ganhar medalhas, tenho sentimentos!

Ao dizer isso, me enrolei na toalha e me afastei a tempo de me encontrar com o Lino, que estava chegando para o treino dele.

— Ele é o culpado! — falei, apontando para o Sebastião. — Não venha me repreender também!

Eu sabia que meu amigo não ia gostar nem um pouco de terem ressuscitado aquele nosso suposto namoro. Ele me olhou, sem entender nada, mas nem me dei ao trabalho de explicar. Me vesti depressa e fui para o apartamento, pois eu realmente precisava ficar um tempo sozinha.

Assim que cheguei e peguei meu celular, vi, desanimada, que havia 10 chamadas não atendidas! Oito eram da Sula e duas das minhas irmãs. Eu não estava nem um pouco a fim de falar com nenhuma delas, pois sabia que iriam novamente me dar instruções sobre o meu encontro. Na noite anterior eu só havia conseguido dormir de madrugada, pois tive que ouvir todas elas falarem por horas... Por isso, depois de enfiar o telefone dentro de uma gaveta, entrei no banho, deixei que a água levasse embora todas as minhas preocupações e foquei no que realmente interessava: o Erico. Permiti que meus pensamentos me levassem de volta para o dia anterior.

Logo que o programa acabou, fui cercada por repórteres e fãs... Todos queriam falar comigo. Porém, a Yasmin conseguiu me tirar do meio da multidão e me levou para um camarim.

— Parabéns, Arielle! — Ela me deu um abraço caloroso. — Eu tinha certeza de que você ia ganhar! E você foi tão fofa fazendo aquele coração com as mãos no final... Aposto que o público todo já está apaixonado por você! E o Erico também!

Eu agradeci e nesse momento a Sula apareceu com o Sebastião. Ele me abraçou, explicando que havia chegado um pouco atrasado e ido direto pra plateia, mas que tinha visto o programa inteiro e que sabia que aquela era apenas a primeira vitória relacionada às Olimpíadas.

Eu disse que esperava que estivesse certo e em seguida ele saiu para conversar com os repórteres que pelo visto continuavam do lado de fora esperando para falar comigo.

A Sula então se aproximou e eu fiquei apreensiva. Ela não estava mais tão brava por eu ter trocado de roupa, mas também não parecia muito amigável...

— Não falei que você ia ser uma das três finalistas? — ela comentou com as mãos na cintura. — Quando vai começar a confiar em mim? Aliás, que ideia foi essa de colocar esse vestido curto na última hora? Não havíamos concordado que era melhor não exibir as pernas? Você deu sorte, viu... Os telespectadores realmente devem ter votado só pelo fato de você ser brasileira, pela sua aparência é que não foi!

— De forma alguma... — a Yasmin falou e só naquele momento a Sula pareceu notar a presença dela. — Eu que sugeri que ela trocasse. Percebi que a Arielle não estava se sentindo muito bem de vermelho e acho que a chave da vitória é nos sentirmos confiantes. Por isso sugeri esse vestido, que combinou perfeitamente com o corpo lindo dela. E, ao se sentir bonita, ela emanou boas vibrações e as pessoas em volta com certeza perceberam isso...

— Ah, então foi você que mandou a Arielle trocar de roupa... — a Sula disse, olhando a Yasmin de cima a baixo.

— Sugeri — ela respondeu. — Eu não *mando* ninguém fazer nada, acho que cada pessoa deve tomar suas próprias decisões, só indico o que acho que funciona melhor na TV.

— Entendo... — a Sula falou, meio pensativa. — Como é o seu nome mesmo? Você é produtora?

— Yasmin — ela respondeu, prontamente. — Sou produtora, sim, comecei há pouco tempo. Você é a Sula Benhur, não é? Eu te vi no *The Atleta's Voice*. Boa sorte no fim de semana que vem!

— Obrigada, querida! — a Sula disse, com um sorrisinho. — Mas acho que não vou precisar de sorte, a Arielle é que vai. Aliás, o que acontece agora? Quando vai ser o primeiro encontro dela com o Erico?

A Yasmin pegou uma planilha e falou:

— Parece que... amanhã.

— Amanhã?! — gritei. Eu não esperava revê-lo cedo assim, pensei que dariam um dia de intervalo. Não que eu estivesse reclamando...

— Sim — a Yasmin confirmou. — Esse primeiro encontro é marcado pela produção e os próximos vocês mesmos vão combinar. Amanhã todas as três finalistas vão fazer alguma refeição junto com o Erico: café da manhã, almoço ou jantar. Você foi escolhida para jantar com ele às 19h. Um motorista vai te buscar às 18h15 e o Erico vai te esperar já no restaurante. Alguma dúvida?

— Eu tenho! — a Sula falou, meio indignada. — Por que ela vai ser a última? O Erico já vai estar entediado pelo papo furado das outras duas. E, além disso, tanto ele quanto a Arielle vão estar cansados, nós, atletas, treinamos muito durante o dia! E temos que dormir cedo para treinar mais na manhã seguinte...

A Yasmin franziu as sobrancelhas e respondeu:

— Bom, acho que a conversa das outras meninas não deve ser tão chata assim... Com certeza vão falar das Olimpíadas, que é o objetivo principal de todos. E também devem contar sobre os próprios países... Creio que as horas vão passar e eles nem vão perceber. Sobre o horário, escolhemos pela porcentagem de votos. A menos votada de manhã, a do meio à tarde e a Arielle à noite. Na verdade, acho que ela foi a mais favorecida... À noite tudo é mais romântico, né?

A Yasmin sorriu para mim e eu respondi que adorei ter sido a última, assim teria o dia inteiro para me preparar.

— Vou deixar meu telefone com você — ela falou, anotando em um papel. — Não sou eu que vou acompanhar vocês amanhã no encontro, mas caso precise de ajuda para se vestir ou para qualquer outra coisa, pode me ligar!

Ela me entregou e disse que precisava ver se estava tudo certo com as outras meninas e se as outras produtoras tinham passado as informações para elas.

Assim que ela saiu, o Sebastião voltou dizendo que um motorista da emissora já estava esperando para me levar de volta para o alojamento.

— Mas e as entrevistas? — perguntei, sem entender. Tinha uma fila de repórteres lá fora...

— Já avisei que você não vai falar com ninguém agora, pois está muito cansada. Antes de dar qualquer entrevista, temos que conversar muito bem para combinar o que você vai dizer. Não pode entrar em contradição com o que a assessoria de imprensa vai divulgar.

— Isso mesmo — a Sula concordou. — É bom realmente ensaiar antes para você não falar nenhuma bobagem... — Olhei, achando que era brincadeira, mas ela estava séria.

O Sebastião então franziu a testa e falou:

— Não foi o que eu quis dizer. Na verdade a Arielle é muito inteligente. Veja só, hoje mesmo a resposta que ela deu para a apresentadora foi perfeita, ao mostrar que não se sentia superior às outras só por ter nascido no país sede das Olimpíadas. Só faltei pular no palco para abraçá-la quando ouvi aquilo, pegou superbem! As pessoas agora com certeza a consideram humilde, solidária...

— E *mentirosa* — a Sula completou. — Claro que votaram nela por causa da nacionalidade! Ela devia ter falado que agradecia ao Brasil, só isso. Aquela história de dizer que queria concorrer no mesmo nível... Duvido que alguém tenha caído!

Eu ia começar a dizer que havia sido sincera, mas o Sebastião voltou a falar que o motorista estava me esperando, por isso troquei de roupa depressa. Eu já tinha muito o que pensar naquela noite e precisava dormir cedo para estar com a aparência descansada no dia seguinte!

Porém, a Sula disse que iria no carro comigo, pois assim poderia me dar instruções... Por isso, durante os trinta minutos que durou o percurso, tive que escutá-la dizer como eu deveria vestir, sentar, olhar para o Erico, gesticular... Resumindo, a Sula queria que eu me transformasse nela! Porém, desde o caso da roupa, mais cedo, algo havia mudado... Comecei a perceber que minhas opiniões podiam ser diferentes das dela. A Yasmin estava certa. Se eu tivesse participado do programa com o figurino escolhido pela Sula, com certeza teria me sentido péssima, exatamente como no dia anterior quando estava me achando linda e ela falou que eu estava horrível. Dessa vez, porém, como ela só tinha me visto realmente pronta quando eu já estava no palco, me senti confiante o suficiente para conversar com a apresentadora e até para fazer aquele coraçãozinho com as mãos, que, pelo que a Yasmin dissera, tinha feito sucesso... Aliás, pensando bem agora, como eu havia tido coragem de fazer aquilo?!

Mas o fato é que, apesar de tudo, eu sabia que devia muito à Sula. Era por causa dela que eu estava ali. Só que eu sentia também que podia caminhar sozinha daquele momento em diante. Eu não queria conquistar o Erico por causa das instruções de outra pessoa, ele tinha que conhecer quem eu era de verdade. Eu queria que ele gostasse do meu jeito, das minhas ações, dos meus gestos... Já que das minhas palavras não seria possível.

Pelo menos por enquanto...

• Capítulo 23 •

Um motorista passou para me buscar exatamente às 18h15. Eu já estava pronta havia mais de uma hora, por isso fiquei grata pela pontualidade.

O dia havia se arrastado... Depois de muita insistência, acabei retornando as ligações da Sula e das minhas irmãs. Elas queriam basicamente me dar mais recomendações, mas eu disse que se ouvisse qualquer outra instrução era capaz de ter um colapso e esquecer tudo! Elas pareceram preocupadas com aquela possibilidade e resolveram parar de me perturbar.

Porém, resolvi seguir um dos conselhos: dormir um pouco para o tempo passar mais rápido e também para amenizar as olheiras. Só que a ansiedade não deixou. Fiquei umas duas horas apenas rolando de um lado para o outro da cama, imaginando como seria o encontro, pensando em como eu devia agir, prevendo todas as situações para não correr o risco de estragar tudo... Até que às quatro da tarde, o Lino apareceu com a Michelle. Eles vieram perguntar se eu precisava de alguma ajuda, mas também queriam que eu soubesse que não tinham ligado para a notícia que havia saído nos jornais. O namoro já estava bem sólido, e eles sabiam perfeitamente que os repórteres adoravam inventar histórias sobre a minha vida. E que era até esperado colocarem o Lino no meio, por estar sempre tão perto de mim.

Aproveitei para pedir a opinião deles entre duas roupas que eu havia separado. Eu não queria parecer desleixada, mas também não achava nada legal que o Erico pensasse que eu tinha ficado horas preocupada com a aparência (por mais que fosse a verdade). Os dois foram unânimes. Apontaram para a minissaia preta com blusa e blazer brancos. Assim eu ficaria básica e elegante ao mesmo tempo, já que o blazer daria um "up" no visual. E, se sentisse calor, poderia simplesmente tirá-lo. Nos pés uma sapatilha pretinha com strass, já que eu não tinha nada com salto na minha mala... Desejei estar em casa para assaltar o guarda-roupa das minhas irmãs.

A Michelle então perguntou se eu queria ajuda para me maquiar. Eu ia agradecer e dizer que não precisava, mas ao olhar para ela, vi que como sempre estava linda, maquiada, mas de uma forma tão natural que apenas acentuava os traços mais bonitos dela. Por isso fiz que sim com a cabeça, meio sem graça, mas ela pareceu tão feliz por aquilo que disse que ia correr ao apartamento dela para buscar sua bolsa de maquiagens.

Aproveitei para arrumar o cabelo. Resolvi deixá-lo solto, mas prendi de um dos lados, como o cabeleireiro da emissora tinha feito no primeiro dia.

Por isso, quando a Michelle terminou, eu já estava praticamente pronta. Só precisei vestir a roupa escolhida e passar perfume.

— Você está linda! — o Lino disse, batendo palmas. — Se esse cara não achar isso, ele é um bobo!

— Vai achar sim! — a Michelle disse, abrindo o batom que ela havia deixado pra passar na minha boca depois que eu já estivesse vestida. — Quando voltar pra cá, me manda uma mensagem contando tudo? Não vou conseguir dormir sem saber como foi!

Eu prometi que mandaria e então eles foram embora, me desejando boa sorte.

Passei o resto do tempo praticamente imóvel, com medo de sujar a roupa ou borrar a maquiagem. Tentei ler um livro para passar o tempo, mas meus pensamentos não me deixaram concentrar, por isso acabei ligando o computador, para ver notícias sobre as Olimpíadas. Porém, acabei no site do *Linguagem do Amor*, tentando descobrir informações sobre os encontros do Erico com as outras finalistas. Mas eles ainda não tinham atualizado, as últimas notícias eram do dia anterior...

Por isso, quando finalmente o motorista chegou, desci voando as escadas.

Uma produtora chamada Nádia, que eu ainda não conhecia, também estava no carro e disse que iria acompanhar o nosso encontro, para se certificar de que não haveria palavras... Ela até me pediu desculpas por isso, mas eram as regras. Eu disse que entendia, mas no fundo eu realmente não sabia como conseguiria ficar à vontade com alguém vigiando nosso encontro...

Chegamos ao local e uma equipe de filmagem já estava esperando. E assim que desci do carro, senti flashes na minha cara... Ou seja, os repórteres também já estavam a postos. Pelo jeito aquilo ia ser bem complicado.

Entrei no restaurante e logo vi que tinham fechado uma ala especialmente para o nosso encontro. Duas câmeras estavam posicionadas em tripés em volta da mesa e nela, já sentado, estava o Erico.

Fui me aproximando devagar, tentando guardar cada detalhe dele. Percebi que estava vestindo uma camisa escura, calça jeans, um sapatênis... e que o cabelo estava meio molhado, como se tivesse acabado de sair do banho.

Ele estava olhando alguma coisa no celular, mas assim que me viu, se levantou.

— Oi, Arielle! — ele disse, sorrindo. Meu coração deu um mortal triplo ao ouvi-lo dizer o meu nome pela primeira vez! Eu realmente não estava esperando aquilo.

Eu já ia responder o cumprimento, mas ele colocou depressa o dedo na frente da própria boca, me lembrando de que devia ficar em silêncio.

— A menina do Canadá foi desclassificada — a produtora, que estava atrás de mim, explicou. — Ela esqueceu e falou com o Erico...

Nossa! Por pouco aquilo não havia acontecido comigo também! Pelo visto o mais difícil nem seria ter "plateia" e sim me controlar para que palavras não escapassem sem querer. Eu não podia ser considerada uma tagarela, mas passar a vida inteira falando e de repente ser obrigada a me calar, era mais difícil do que eu imaginava...

O Erico então puxou a cadeira para que eu me sentasse, todo cavalheiro, e eu sorri, sem graça, lutando para não dizer obrigada.

Nesse momento a Nádia se aproximou e falou que iria se sentar em uma mesa mais afastada, para nos dar privacidade, mas que as câmeras estariam filmando tudo, por isso era para eu tomar cuidado, pois os vídeos seriam analisados depois e qualquer deslize significaria minha desclassificação.

Concordei com a cabeça, mostrando que eu tinha entendido, e ela então se afastou.

O Erico sorriu pra mim mais uma vez e perguntou o que eu gostaria de beber. Olhei para a frente e notei que ele estava tomando um suco de laranja. Apontei, mostrando que ia querer o mesmo, e em seguida ele chamou o garçom e fez o meu pedido.

— Então você é nadadora, Arielle? — ele perguntou apenas para introduzir algum assunto. — Há quantos anos você nada?

Puxa, aquela pergunta não era tão simples assim... eu havia aprendido a nadar antes mesmo de andar! Mas eu havia entrado na equipe aos 13 anos. Como explicaria aquilo pra ele? Respirei fundo e comecei a fazer mímicas, como se eu tivesse segurando um neném. Ele então perguntou:

— Desde bebê?

Eu assenti, toda feliz. Quer dizer que aquilo era como brincar de mímica... Quando criança eu adorava aquela brincadeira, tínhamos que descobrir nomes de filmes ou músicas através dos gestos que alguém fazia... Valeu pelo treino!

Mostrei então a mão esquerda pra ele, indicando o número quatro com os dedos e em seguida dei umas braçadas, querendo mostrar que eu já nadava profissionalmente havia quatro anos. Ele franziu as sobrancelhas e tentou:

— Quando você tinha 4 anos aconteceu alguma coisa?

Fiz que não com a cabeça. Apontei para a mesa, querendo indicar o tempo presente e em seguida joguei a mão direita para trás, como se estivesse varrendo o ar, para indicar o passado.

— Que complicado... — ele disse, rindo. — Passaram-se quatro anos desde alguma coisa?

Concordei.

— Ah! — ele ficou empolgado por ter acertado. Desenhei no meu peito então uma medalha imaginária, e isso ele captou na hora. — Já sei! Tem quatro anos que você ganhou o primeiro prêmio da sua vida?

Fiz "mais ou menos" com as mãos. Na verdade eu havia ganhado muitas medalhas antes, mas não em um torneio profissional. Puxa, aquilo era frustrante!

Ele viu que fiquei meio desanimada e por isso disse:

— Lembre-se de que são apenas três dias... Depois você vai poder me explicar tudo que eu não conseguir entender agora.

Meu coração bateu mais forte só por ele cogitar a possibilidade de nos encontramos depois do programa acabar e então resolvi virar o jogo. Como o restaurante dava vista para a praia e estávamos na janela, apontei para o mar e em seguida para ele, querendo perguntar se ele já tinha ido à praia no Rio de Janeiro.

— Você quer nadar agora? — ele perguntou, meio admirado.

Eu ri fazendo que não com a cabeça. Novamente apontei pra ele, que falou que não queria nadar, preferia ficar ali e jantar comigo. Eu ri mais uma vez e então desenhei com o dedo um sol na mesa. Ele pensou um pouco e perguntou:

— Quer saber se eu gosto de praia?

Novamente neguei, apontei outra vez para a praia e para ele, em seguida para a mesa querendo dizer "aqui" e com a mão fiz outra vez o gesto indicando passagem de tempo.

— Arielle, posso te falar uma coisa? — ele perguntou, estreitando os olhos. Assenti e então ele acrescentou: — Que bom que você é nadadora, pois se fosse mímica iria morrer de fome! — E em seguida riu, mostrando que estava brincando.

Cruzei os braços e fechei a cara, fingindo estar brava. Ainda rindo, ele puxou de leve a minha mão, só para que eu descruzasse os braços, mas no momento em que encostou em mim, senti uma espécie de choque... Olhei para as mãos dele na minha e em seguida para o rosto, que agora estava sério, me olhando. Ele então apertou minha mão um pouco mais dizendo:

— Era brincadeira... Eu entendi, você queria saber se eu gostaria de andar com você na praia, não foi?

Revirei os olhos e deixei minha cabeça cair na mesa, como se estivesse prestes a desistir. Ele tornou a rir e falou:

— Acho que errei mais uma vez, mas para aquela pergunta a resposta seria sim... Depois do jantar a gente pode dar uma volta na praia... se você quiser.

Assenti rapidamente. A noite estava bem clara e aquele ponto era bem movimentado, cheio de quiosques. Além disso, certamente a produtora e a equipe de filmagem viriam atrás da gente, então não tinha perigo.

Ele me estendeu o cardápio, perguntando o que eu gostaria de pedir. Escolhi uma salada com frango grelhado e ele então perguntou se eu estava de dieta para as Olimpíadas. Fiz sinal de mais ou menos com as mãos. Na verdade eu tinha que controlar o peso constantemente por causa da natação, cada quilo a mais influenciava o meu tempo na piscina. Mas naquele momento era só falta de apetite mesmo... A presença dele estava me alimentando completamente.

Assim que o jantar chegou e ele começou a comer, fiz sinal para o prato e para ele. Dessa vez ele entendeu...

— Está ótimo! — ele disse, sorrindo. — Quer experimentar?

Neguei com a cabeça, mas ele estendeu o garfo com um pedaço do salmão que tinha pedido. Franzi a testa, pois eu não era fã de frutos do mar, mas ele entendeu errado.

— Está com nojo de mim? — ele perguntou, brincando, mas na mesma hora eu larguei o garfo e balancei as mãos na frente do meu corpo, para ele perceber que não tinha nada a ver com ele. Apontei para o salmão, franzindo novamente as sobrancelhas. — Entendi... — ele disse, me tranquilizando. — Por ser nadadora você se solidariza com os peixes e não consegue comê-los...

Bem, eu nunca tinha pensado por aquele ângulo... Acabei balançando a cabeça levemente, mostrando que era mais ou menos aquilo.

Ele continuou a fazer algumas observações, mas como eu sempre tinha que parar de comer para responder, já que precisava gesticular, acabamos passando a maior parte do jantar em silêncio.

Quando terminamos, ele apontou para a praia e perguntou se eu realmente gostaria de dar uma volta. Concordei depressa, pois eu queria muito que aquele encontro durasse mais. Ele chamou a Nádia, explicou o que queríamos fazer. Ela então pagou a conta e pediu para um dos rapazes da equipe nos acompanhar com uma das câmeras enquanto os outros desmontavam a aparelhagem que estava dentro do restaurante e já levassem para o carro.

Assim que saímos, notei que uma leve brisa tomava conta da orla. Atravessamos a rua e começamos a andar lado a lado pelo calçadão. Algumas pessoas olhavam curiosas pelo fato de estarmos sendo filmados, outras pareciam nos reconhecer, mas resolvi abstrair e fingir que não tinha câmera nem ninguém, caso contrário não conseguiria aproveitar o momento.

Passamos por um carrinho de picolés e o Erico então perguntou se eu gostaria de um. Lembrei-me da dieta, mas eu tinha comido tão pouco no jantar que um sorvete não faria diferença. Apontei para um de limão e assim que o vendedor me entregou, ele pediu um de chocolate. A produtora se aproximou depressa para pagar, mas o Erico disse que podia deixar, já tirando o dinheiro do bolso, e aproveitou para perguntar se ela gostaria de um também. A Nádia ficou sem graça, agradeceu e logo se afastou.

Eu então sorri pra ele e apontei para o picolé, meneando a cabeça, como se estivesse agradecendo. Em seguida o estendi na direção dele, para saber se ele queria experimentar.

Ele se aproximou, deu uma mordida e falou que estava bom, mas que o de chocolate era melhor. Em seguida colocou o picolé dele na frente da minha boca para que eu provasse. Por não querer que ele acabasse pensando que eu estava realmente com nojo ou coisa parecida, dei uma mordidinha, embora eu tentasse me manter o máximo possível afastada de qualquer coisa de chocolate...

— Bem melhor, não é? — ele disse, analisando minha expressão. Tive que concordar...

Continuamos andando, os picolés terminaram e ele então apontou para um banco, onde poderíamos sentar.

Ficamos um tempo só olhando as ondas. Eu daria tudo para aquela noite nunca mais acabar... Mas de repente ele se virou para mim, dizendo:

— Arielle, quero te perguntar uma coisa... Eu estava lendo um jornal hoje mais cedo e nele tinha várias matérias sobre a Gincana Olímpica. Uma delas era a seu respeito...

Respirei fundo, já sabendo a notícia que ele tinha lido. Com certeza era a que havia me feito discutir com o Sebastião.

— Sabe qual é? — assenti, e ele continuou: — Tudo que estava escrito lá... é verdade?

Fiquei olhando para ele sem saber o que dizer. Aliás, como mostrar! Já seria complicado explicar com palavras, por gestos era praticamente impossível...

Suspirei e tornei a olhar para o mar, desejando soltar a voz e revelar tudo. Mas se eu fizesse isso, seria desclassificada do programa no mesmo instante. Daquele jeito pelo menos nós poderíamos passar mais tempo juntos, ainda teríamos dois encontros e neles teríamos a possibilidade de ficar mais próximos. Assim, quando eu finalmente contasse, ele já me conheceria um pouco melhor e entenderia as razões pelas quais eu não o havia procurado logo após o acidente, como ele tinha pedido. Além disso, o Sebastião recomendara mil vezes que eu não expusesse aquilo, ainda mais na frente das câmeras! As pessoas podiam ficar com uma impressão errada, me culpar ou algo assim...

— Você não quer falar sobre isso? — ele perguntou, tentando ver o meu rosto.

Levantei as mãos, mostrando que eu não sabia como dizer. Apontei para a minha boca, tentando explicar que precisaria falar.

Ele então sugeriu:

— Posso ir perguntando e você vai fazendo sim e não com a cabeça?

Concordei.

— Ok! — ele disse, satisfeito. — O que eu li na notícia é verdade?

Fiz mais ou menos com a mão.

— Você esteve em Zurique recentemente, para o Grand Prix de esportes aquáticos, e me viu?

Isso era o que eu chamava de ir direto ao assunto! Balancei a cabeça afirmativamente.

— E é verdade que terminou com seu namorado por minha causa?

Eu ri, pois aquela parte da notícia era absurda. Franzi a testa negando com veemência. E ainda mostrei com gestos que não tinha nenhum namorado.

— Que bom — ele riu, aliviado. — Pelo fato de não ter outra pessoa e também por eu não ser o estopim de nada... Imagina se aparece um ex seu aqui querendo me bater? — Neguei com a cabeça mais uma vez, para que ficasse muito claro que não tinha ninguém, e ele então começou a fazer outra pergunta: — É verdade que... — Ele parou de falar, como se estivesse pensando exatamente no que dizer. Fiz um sinal com a mão, pedindo que ele continuasse, eu estava curiosa.

Ele pareceu meio sem graça, mas então perguntou baixinho, como se não quisesse que o câmera, que continuava ali, captasse o que ia perguntar:

— Você só entrou no programa por minha causa?

Ele estava tão perto que pude perceber a tonalidade verdadeira dos seus olhos. Antes eu pensava ser da cor de uma piscina. Mas agora eu via que não era bem isso. Eles eram como o mar quando fica mais fundo... Aquele tom exato em que o verde se torna azul.

— Arielle, Erico, está ficando tarde e vocês dois têm treino amanhã cedo. Seus técnicos pediram que vocês não demorassem muito.

Olhamos pra trás e vimos que a produtora estava ali. Eu me levantei depressa, mas ele segurou minha mão, pedindo que eu esperasse.

— Pode nos dar mais três minutos? — ele perguntou para ela, que concordou, mas avisou que já ia pedir para o motorista buscar o carro.

Eu então tornei a me sentar, sentindo meu coração disparar.

— E aí? — ele perguntou, me olhando intensamente, como se quisesse ler meus pensamentos.

Eu suspirei e vagarosamente fiz que sim com a cabeça. Não tinha por que mentir. Eu só estava naquele programa por causa dele.

Nós ficamos apenas nos olhando por uns segundos e ele então perguntou:

— Posso contar um segredo? — Eu assenti e ele disse: — Eu torci pra você ser uma das finalistas...

Arregalei os olhos, admirada, me sentindo mais feliz do que nunca!

— No primeiro dia que te vi no programa, assim que te olhei, senti algo diferente... — ele continuou. — Foi como se já te conhecesse de algum lugar. Achei aquilo loucura, mas agora penso que talvez eu tenha te visto lá em Zurique... — Balancei os ombros, para mostrar que aquilo eu não podia responder. Ele ficou me olhando por mais um tempinho, então sorriu, colocou atrás da minha orelha uma mecha do meu cabelo que o vento tinha bagunçado e perguntou: — Quer ir ao cinema comigo amanhã?

Demorei uns segundos para processar a pergunta, pois estava perdida dentro dos olhos dele, que pareciam ansiosos pela minha resposta. Então fiz que sim, sorrindo. Não tinha nada que eu quisesse mais na vida.

Ele se levantou e estendeu a mão, para me ajudar a levantar também. Segurei, mas quando fiquei em pé, ele não me soltou.

Então ficamos assim, de mãos dadas, até o motorista chegar...

• Capítulo 24 •

Acordei sem saber direito onde me encontrava. Eu estava sonhando que nadava em mar aberto e, por mais que procurasse, não achava um lugar para descansar. Eu já estava ficando sem ar, só via azul para todos os lados. De repente, comecei a escutar o meu nome, a princípio baixinho, mas aos poucos o som foi aumentando, até que eu acordei. Abri os olhos assustada e dei de cara com a Sula ao lado da minha cama.

— O que você está fazendo aqui? — perguntei, me levantando depressa. — Que horas são?

— Sete horas, estou te chamando há um tempão! — ela disse como se fosse meio-dia. — Eu toquei a campainha algumas vezes, mas como você não ouviu, uma de suas colegas de apartamento abriu pra mim. Aliás, que garota chata, ficou reclamando que estava cedo demais para visitas... Até parece! Não sou uma simples visitante, já sou de casa!

— Aconteceu alguma coisa? — Esfreguei os olhos, aflita. Mais tarde eu teria que me desculpar com as meninas. — Meu treino hoje é só às dez.

— Claro que aconteceu! Tem uma foto do Erico te beijando espalhada pela internet inteira! Dá pra explicar o que aconteceu? Por que deixou isso acontecer? Eu não te falei que era para ser difícil? Para esnobar ele um pouco, para não parecer que está louca por ele? Já bastava aquela notícia que saiu no jornal ontem! Não sabe que homens não gostam de mulheres oferecidas?

— Me beijando? Mas isso não aconteceu... — Acordei de vez, já pegando meu celular para procurar, porém, antes que eu encontrasse, ela colocou o próprio telefone na frente do meu rosto e eu pude ver a foto com outra notícia, como a do dia anterior.

ROMANCE ENTRE ATLETAS

O Linguagem do Amor, programa integrante da Gincana Olímpica, está saindo melhor do que o esperado! Os atletas teriam três encontros para se conhecer e então, no último dia, ao vivo, decidiriam se ficariam juntos ou não... Porém, ao que parece, dois participantes já tomaram essa decisão antes mesmo do programa terminar. A nadadora brasileira Arielle Botrel e o tenista suíço Erico Eggenberg foram vistos ontem aos beijos, à luz da lua, na praia da Barra da Tijuca.

Vale lembrar que também ontem uma das concorrentes ao coração de Erico foi desclassificada por desacatar a regra básica do programa. Ela esqueceu que deveria ficar muda e cumprimentou o tenista.

Com isso, seguem no páreo apenas Arielle e a esgrimista ucraniana Anastasia. Porém, pelo que pudemos constatar, quem parece ter enfiado uma espada no coração de Erico foi a nossa nadadora. Ponto para o Brasil!

Constatei que realmente parecia que estávamos prestes a nos beijar, mas era apenas o ângulo da foto... Na verdade, naquele momento nós estávamos sentados e ele só havia aproximado o rosto para ver direito minha expressão.

Expliquei isso para a Sula, que falou que eu devia processar aquele fotógrafo, pois agora o mundo inteiro achava que nós estávamos tendo um caso e que com isso o Erico iria se afastar de mim, pois sem nem mesmo ter me beijado, já estavam chamando aquilo de namoro... Se realmente acontecesse alguma coisa, ia sair no jornal até a data do nosso casamento!

— Homens têm medo de compromisso, é preciso ir devagar, senão eles tomam chá de sumiço... — ela acrescentou.

Fiquei preocupada no mesmo instante. Eu tinha ido dormir tão empolgada...

— Nós combinamos de sair hoje de novo — falei para a Sula. — Ele me chamou para ver um filme. Acha que tem risco de ele cancelar?

Ela levantou as sobrancelhas admirada.

— Ah, quer dizer que já está nesse nível? Então um beijo de verdade não estava tão longe assim... — Fiquei meio envergonhada, mas ao mesmo tempo feliz. Porém, ela completou: — Mas agora acho que ele pode desistir, sim. Se fosse você, faria isso antes.

— Quê? Como assim?

— Veja bem... — ela começou a falar com o dedo levantado, como se estivesse dando uma aula de matemática e fazendo cálculos. — Com todas essas notícias, o Erico com certeza pensa que você está apaixonada por ele...

Balancei os ombros e falei:

— Mas eu estou... — Eu já tinha cansado de lutar contra aquilo, era melhor admitir de uma vez, pra mim e pra todo mundo.

— Mas não pode entregar assim de bandeja! — Ela chacoalhou meus ombros, como se quisesse me acordar. — Ele vai se assustar! Ninguém gosta de pessoas grudentas, o Erico vai achar que você vai ficar na cola dele como um carrapato e por isso vai acabar fugindo! O que estou propondo é que você dê um espaço pro garoto. Se afaste antes que ele faça isso... Assim ele vai ver que não é tão simples, que você não está totalmente na dele. E que, se quiser ficar com você, terá que fazer um certo esforço também.

— Sula, você não entende? Esses encontros estão nas regras do programa! Eu tenho que ir querendo ou não... E sinceramente, eu quero. Quero muito!

— É óbvio que você quer, arrumamos essa bagunça toda de troca de programas por causa disso e é e por isso mesmo que fico insistindo pra você fazer as coisas direito, para que o esforço compense! Acho que você devia parecer menos ansiosa, só isso, podia ter dado uma folga entre um encontro e outro. Está muito fácil pra ele... E inclusive, você tinha a desculpa perfeita pra recusar, já que é o dia da estreia do seu *melhor amigo* na Gincana Olímpica. Pensei que você ia querer ficar ao lado dele pra dar apoio moral, ou pelo menos assistir ao vivo pela TV...

Era a estreia do Lino no *Atleta Chef*... Eu tinha me esquecido completamente! E depois de todo o apoio que ele tinha me dado no dia anterior...

— Esqueceu do programa, não é? — ela deduziu pela minha expressão. — Na verdade, acho que você também esqueceu a regra básica... Não deixar os amigos de lado por causa de um amor! São os amigos que seguram nossa mão quando os amores vão embora. Por isso, quando alguém te der um conselho, seja sobre roupas ou comportamento, você deve escutar. Pois com certeza a pessoa está pensando apenas no seu bem.

E dizendo isso, ela saiu, parecendo magoada.

Voltei para a minha cama com vontade de chorar. A Sula tinha razão, eu realmente não estava sendo uma boa amiga. Nem para ela, nem para o Lino e nem mesmo para as minhas irmãs. Elas não paravam de me ligar e mandar mensagens pedindo que eu contasse cada detalhe do que vinha acontecendo, mas eu estava tão ocupada por causa dos treinos e da Gincana Olímpica que nem tinha disposição para conversar...

Coloquei o travesseiro no rosto e lembrei mais uma vez da noite anterior. Eu queria tanto ver o Erico de novo que o meu peito chegava a doer! Mas apoiar o Lino naquele momento era mais importante.

Por isso, levantei mais uma vez, entrei no chuveiro e, assim que deu 9h, peguei meu telefone e liguei para a Yasmin, a produtora que vinha me ajudando com o figurino do programa. Ela havia me passado o número dizendo que era pra eu ligar caso precisasse de ajuda, e eu com certeza estava precisando...

Ela atendeu de imediato e então, após me identificar, expliquei que havia combinado com o Erico de ir ao cinema, porém tinha me esquecido de que seria a estreia do programa do qual Lino, meu melhor amigo, ia participar e ao qual eu gostaria muito de assistir.

— Como não posso falar com o Erico, não tenho como avisar que vou ter que cancelar... Você pode fazer isso pra mim, por favor? — perguntei, esperançosa.

Ela ficou um tempinho calada, mas logo disse:

— Arielle, acho que seu amigo iria entender se você explicasse a situação... Afinal, é por causa da Gincana Olímpica, o cinema seria contado como o segundo dos três encontros que você precisa ter com o Erico. Mas eu tenho uma ideia, que inclusive pode render uma boa chamada em nosso site. Posso explicar a situação para o Erico e dizer que em vez do cinema vocês vão assistir ao *Atleta Chef*. Eu reservo lugares para vocês na plateia. Assim você apoia o seu amigo e não perde a saída com o gatinho... Que tal? Não vai ser tão romântico como um cineminha, mas vocês podem fazer isso no terceiro encontro... Ou mesmo depois. Porque, pelo que percebi vendo as filmagens de ontem, ele já fez a escolha dele.

Se estivéssemos frente a frente, eu teria dado um beijo nela! Aquela ideia era fantástica! Eu realmente preferia ir ao cinema, mas daquele jeito eu conseguiria conciliar as duas coisas.

Ela então disse que pediria para o motorista me pegar às 17h e em seguida buscaríamos o Erico, assim eu ficaria com ele também no caminho até a emissora. Agradeci mil vezes e fui treinar feliz. Porém, assim que o treino acabou, o Sebastião ficou olhando para mim com uma expressão meio estranha.

— O meu tempo piorou de novo? — perguntei, apreensiva. — Por que essa cara?

Ele respirou fundo e disse:

— Seu pai me ligou hoje bem cedo. Ficou uns vinte minutos falando que era minha responsabilidade cuidar de você e que eu não estou fazendo isso direito. Disse que aceitou que você participasse do programa de namoro apenas pelo marketing, mas que em nenhum momento pensou que eu permitiria que você namorasse de verdade! E contou também que só faltou morrer do coração ao abrir o jornal hoje cedo e te ver aos beijos com o "tenista sem vergonha", nas palavras dele...

Fechei os olhos me sentindo realmente cansada. Além de tudo, eu ainda teria que enfrentar o meu pai?

— Sebastião, não teve beijo nenhum. Se vocês olharem direito, vão ver que o Erico nem encostou no meu rosto. A legenda que colocaram foi tendenciosa, então as pessoas já olham esperando um beijo e acabam enxergando isso...

— Não importa, Arielle — ele me interrompeu. — Preciso te falar umas coisas. Quando você chegou aqui hoje, notei algo diferente. Pensei que era o cabelo, mas logo vi que ele estava igual. Depois achei que tivesse perdido peso, mas percebi que também não era isso. E então notei que era o seu olhar. Você vai fazer 17 anos em menos de um mês, mas a impressão que dá é que está mais nova. Você está leve, feliz... E quer saber? De ontem pra hoje, seu tempo na piscina melhorou consideravelmente!

Fiquei surpresa com aquilo. Pensei que ele fosse me dar bronca, mas em vez disso estava me elogiando?

— Desde aquela noite na Suíça tenho observado suas atitudes. Apesar de ter me desobedecido e ido àquela festa, quando o rapaz caiu na piscina, você fez a coisa certa: o salvou e ligou para mim. Então o seu pai descobriu tudo e pediu para você focar exclusivamente na natação, e você atendeu... por um tempo. Mas até isso eu entendo. Não sei se o fato de ter ficado no mesmo programa do Erico foi realmente simples coincidência ou uma armação sua, mas me lembro de como eu era na adolescência. Fazia tudo impulsivamente, agia como se o mundo fosse acabar amanhã... Exatamente como você faz. A diferença é que eu não tinha nem um pouco da sua responsabilidade. Tenho observado o seu crescimento diante dos meus olhos. Está deixando de ser aquela menina meio mimada e "rebelde sem causa", e se tornando uma mulher que corre atrás do que deseja. Mas que, ao mesmo tempo, tenta conciliar tudo e agradar a todos. Isso é bom, claro. Mas fico com receio de que seja muita pressão para você.

Ah, que bom que ele reconhecia isso...

— Mas, surpreendentemente, parece que você está dando conta — ele completou. — Acho que seu pai pensa que você ainda é uma criança... Mas pode ser que tenha uma surpresa ao chegar aqui.

— Aqui onde? — perguntei, sem entender.

— No Rio. Como acha que não sei cuidar de você, ele resolveu fazer isso. Ele chega no sábado, quer assistir à final do *Linguagem do Amor*. E disse que vai ficar pelo menos uns dez dias, até a sua primeira prova nas Olimpíadas. Mas pediu que eu não te contasse nada, quer fazer surpresa.

Revirei os olhos, com preguiça. Por que o meu pai precisava fazer isso?

— Então, acho melhor você dar um jeito de esconder esses beijos, sejam eles reais ou não... Senão é capaz de ele adiantar essa viagem e acabar com esse namoro, antes mesmo de começar — o Sebastião completou.

Agradeci o conselho e voltei desanimada para o apartamento. Eu precisava tomar banho, almoçar, me arrumar... e ainda nem tinha ideia do que iria vestir para encontrar o Erico.

Porém, ao chegar lá, a Lúcia, uma das atletas que dividia o apartamento comigo, estava saindo. Ela me cumprimentou e falou:

— Deixaram isso pra você. — Ela apontou para o sofá e vi que tinha uma caixa. Fiquei surpresa e já ia perguntar quem tinha deixado, mas ela completou: — Ah, e parabéns! Pelo visto você vai ganhar o *Linguagem do Amor*, né? Li a notícia do beijo, alguém postou no Facebook.

— Não foi um beijo... — comecei a explicar, mas ela já estava longe.

Sentei no sofá, realmente cansada. Eu ia ter que ficar negando aquilo o dia inteiro? Provavelmente sim, pois, se as pessoas já estavam compartilhando a notícia nas redes sociais, o mundo todo já estava sabendo.

Olhei para a caixa e resolvi abrir logo. Eu não tinha a menor ideia do que podia ser, mas quando comecei a tirar a fita adesiva que a rodeava, notei que um cartãozinho estava pregado em um dos lados.

Querida Arielle,

Vi essa roupa aqui na TV e pensei que você gostaria de usá-la hoje... Achei melhor te mandar de uma vez, já que você vem pra cá junto com o Erico. Ele vai te achar deslumbrante, esse look é informal e chique ao mesmo tempo! Nos pés você pode usar aquela sua sapatilha pretinha. Ah, não se preocupe, me devolva tudo no sábado, quando vier para o programa ao vivo. Aliás, já estou pensando no que você vai vestir nessa ocasião... Tem que ser algo muito especial, pois tenho certeza de que você vai ser a ganhadora!

Um beijo enorme e boa sorte!

Yasmin

Ao ler o bilhete, todo o desânimo que eu estava sentindo passou como por encanto. E ao ver a roupa, dei um grande sorriso. Era um shortinho preto de couro e uma blusinha de crochê toda colorida, com um decote canoa bem acentuado, para aparecer os ombros. Ela tinha mandado também um colar e uma pulseira.

Coloquei tudo de volta na caixa e a abracei, novamente me sentindo feliz. Pelo visto, problemas sempre iam existir. Mas enquanto tivessem pessoas dispostas a me ajudar, tudo daria certo no final.

Capítulo 25

Quando vieram me buscar, eu estava bem mais tranquila que no encontro do dia anterior, embora um pouco apreensiva. Eu tinha certeza de que o Erico havia lido aquela notícia e eu não tinha ideia do que estaria pensando. Mas logo vi que não precisava me preocupar.

Assim que entrou no carro, ele se sentou do meu lado, pois a produtora que iria acompanhar estava no banco da frente, e me cumprimentou com um beijinho. Enrubesci instantaneamente e ele então falou:

— Quero te pedir desculpas. Ontem, enquanto estávamos conversando, não vi que tinha fotógrafos por perto Pensei que fosse só o pessoal do programa. Você deve ter visto a reportagem que saiu hoje sobre a gente na praia... e a *foto*. — Assenti, e ele continuou: — Agora entendo um pouco mais o que você quis dizer a respeito daquela notícia que saiu ontem. Alguns repórteres aumentam os fatos e distorcem a realidade, não é? — Concordei novamente. Ele então sorriu e completou: — Espero que o beijo que nunca existiu não tenha trazido problemas para você.

Na verdade tinha trazido alguns. Mas o que eu imaginava ser o maior deles, que era exatamente a reação que a foto causaria no *Erico*, pelo visto era apenas coisa da cabeça da Sula. Por isso neguei, mostrando que ele podia ficar tranquilo.

Ele então mudou de assunto.

— Desculpa também pelo cinema ter dado errado. A moça da produção me ligou dizendo que preferia que participássemos da plateia do *Atleta Chef*, para o público não passar a semana inteira sem ter notícias nossas na TV, já que o próximo programa vai ser só no sábado...

— Então era isso que a Yasmin tinha falado pra ele... — Na verdade, por um lado foi bom — ele continuou. — Tenho uma amiga que está participando, ela é da minha equipe de tênis. Vai fazer um fondue de chocolate suíço. Então vai ser legal, pois vou poder torcer e também te apresentar pra ela.

Fiquei surpresa e indiquei com as mãos que eu também tinha um amigo concorrendo.

— Que coincidência! E o que ele vai cozinhar?

Fiquei meio sem graça, pois não era nenhum prato elaborado como o da amiga dele... Pobre Lino! Por minha culpa havia tido apenas uma semana para aprender a cozinhar alguma coisa.

Olhei em volta e de repente vi um McDonald's do outro lado da avenida onde estávamos passando. Apontei.

— Hambúrguer? — ele perguntou, admirado. Assenti, e ele então falou: — Já gostei do seu amigo.

Sorri, me sentindo feliz por também poder apresentá-lo ao Lino. Eu tinha certeza de que eles se dariam bem.

Logo que chegamos à emissora, nos encaminharam para a plateia. A Michelle, que estava sentada na primeira fila, acenou assim que me viu, parecendo admirada e feliz por eu estar ali. Com gestos, expliquei para o Erico que ela era a namorada do meu amigo, e ele então acenou para ela também, que ficou toda satisfeita e fez um sinal positivo quando Erico não estava olhando, para me mostrar que tinha aprovado...

O programa logo começou. Os concorrentes iam apresentando seus pratos para os jurados, que provavam e então diziam se tinham gostado ou não. Lá pela metade, o apresentador apontou para nós dois rindo, dizendo que estava confuso, pois pensou que estava no *Atleta Chef*, mas pelo visto era o *Linguagem do Amor*. Todos riram e a câmera focou na gente.

Aos poucos fui percebendo que a troca não tinha sido de todo ruim. No começo fiquei me questionando se não devíamos ter ido mesmo ao cinema, pela privacidade. Mas depois lembrei que de todo jeito alguém nos filmaria, eram as regras... E pelo menos ali podíamos conversar um pouco. Quero dizer, ele conversava e eu fazia gestos. Mas mesmo assim pude descobrir algumas novidades.

Fiquei sabendo que ele detestava maçãs, que adorava pimenta, que não comia cebola e que seu prato preferido era um cozido de vitela com creme e champignon que a avó dele costumava fazer.

Ele também quis saber sobre as minhas preferências e eu consegui explicar que adorava massas, mas que não podia comer tanto quanto gostaria, pois tinha medo de engordar. Ele então disse que achava difícil aquilo acontecer, por causa da minha rotina de exercício, mas que, se eu ganhasse uns quilinhos, continuaria linda do mesmo jeito. Balancei a cabeça, mostrando que ele estava enganado, mas sentindo meu coração derreter pelo elogio.

Em certo momento que o apresentador disse algo engraçado, eu ri e ele falou:

— Adoro sua risada... É o único vislumbre da sua voz que posso escutar. Não vejo a hora de poder te ouvir falar sobre tudo!

Ainda bem que eu não podia responder, pois, se fosse permitido, naquele momento certamente eu diria que estava perdidamente apaixonada por ele, já que nunca na vida eu tinha sentido algo tão forte. Parecia que, por não poder me expressar com a fala, a emoção ficava concentrada no peito e ia expandindo cada vez mais.

Enquanto assistíamos aos concorrentes cozinharem, ele fazia alguns comentários no meu ouvido sobre os pratos e só de sentir a proximidade da sua boca na minha pele, eu arrepiava. Uma hora, ao encostar na minha mão e perceber que estava gelada, ele ficou todo preocupado, perguntou se eu queria que ele conseguisse um casaco para mim. Tentei explicar através de gestos que eu estava bem e que o frio da minha mão era só por causa do ar-condicionado (embora no fundo eu soubesse que era pelo nervosismo por ele estar ao meu lado), mas o Erico então a segurou e ficou assim até esquentá-la.

Estava tudo tão agradável que eu gostaria que aquele programa se estendesse madrugada afora... Porém, após apenas uma hora de duração, ele terminou. A amiga do Erico, que se chamava Chiara, tinha passado para a próxima fase, o que nos fez aplaudir muito. Já o hambúrguer do Lino não tinha agradado... Segundo os jurados, ele tinha deixado a carne tostar um pouco além do ponto e colocado muito queijo... Eu teria achado ótimo, mas fiquei triste por não terem gostado. Já o Lino não pareceu se importar, estava levando tudo como se fosse uma grande brincadeira.

O pessoal da produção nos chamou, antes que a plateia saísse, para evitar que pedissem autógrafos ou selfies. Fomos encaminhados para uma sala onde os participantes estavam reunidos. Percebi que o espaço era uma cozinha improvisada, onde eles haviam cozinhado os pratos que apresentaram.

O Erico de cara avistou a amiga dele e foi cumprimentá-la. Ele me apresentou para ela em alemão e em seguida me explicou que tinha dito que eu era uma das participantes do *Linguagem do Amor*. A amiga deu um grande sorriso e perguntou se eu entendia inglês. Eu fiz que sim com a cabeça, e ela então me falou rindo que o treinador deles estava querendo me matar, pois naquela manhã, durante o treino, o Erico só falava de mim e estava completamente disperso... Ele arregalou os olhos e fez que não com a cabeça, e então falou com ela em alemão alguma coisa que eu não entendi, e a Chiara deu uma gargalhada do comentário. Em seguida ela se virou para mim e disse novamente em inglês que o Erico estava fazendo chantagem com ela, ameaçando divulgar fotos dela bêbada nas redes sociais se ela contasse mais algum segredo dele.

Ri junto com os dois, mas nesse momento vi o Lino, então fiz sinal para que eles entendessem que eu iria cumprimentá-lo.

Ele me abraçou assim que me aproximei, dizendo que não esperava que eu fosse, mas que tinha ficado muito feliz ao me ver lá do palco.

— Lino, sinto muito por você não ter passado... — falei, realmente chateada.

Ele bagunçou meu cabelo, dizendo que era tudo minha culpa, mas na mesma hora falou que estava brincando e que tinha achado até bom, pois agora podia se dedicar totalmente aos treinos, em vez de ficar inventando moda no fogão.

Ele então viu o Erico, que ainda estava conversando com a amiga, e me disse, baixinho:

— Como estão as coisas? Nem conversamos hoje, já que não estive na piscina por causa do programa... Aquele beijo que saiu no jornal foi montagem, né?

Fiquei feliz por pelo menos alguém ter percebido! Apenas fiz que sim com a cabeça, pois nesse momento o Erico se aproximou e eu tive que voltar para minha versão "muda".

— Muito prazer! — o Erico falou, estendendo a mão. — Sobrou daquele hambúrguer? Aqueles jurados com certeza não sabem o que é bom!

O Lino riu, apontando para a cozinha improvisada, e disse que, embora não tivesse sobrado, achava que podia fazer um para ele e perguntou se eu também queria.

O Erico riu, pensando que fosse brincadeira, mas o Lino falou que era sério, pois os produtores tinham dito que ao final eles podiam comer o que tinha sobrado.

— Então eu quero sim... — o Erico disse. — Só vou ver com minha amiga se sobrou um pouco de fondue, assim teremos também sobremesa!

A Michelle bateu palmas, dizendo que tinha ficado louca pra provar aquele fondue, e aproveitou para dizer:

— Erico, seu português é perfeito! Melhor do que o nosso! Como pode isso?

Rimos muito e ele explicou mais uma vez que seu melhor amigo era brasileiro e que nos últimos quatro anos ele havia feito um curso intensivo. Ele então se afastou para procurar a Chiara e, enquanto o Lino e a Michelle começaram a separar os ingredientes para os hambúrgueres, avistei a Yasmin.

Fui depressa falar com ela, pois precisava agradecer pelo carinho que ele teve ao me enviar a roupa.

— Arielle, você está linda! — ela falou assim que me aproximei! Eu disse que era graças a ela, que então retrucou: — Vi quando vocês chegaram, mas não quis atrapalhar... Estou sentindo o maior clima de romance, o Erico não tira o olho de você!

Eu dei um abraço nela, sem conseguir me conter. Eu estava tão feliz que poderia abraçar o mundo inteiro.

— Tem um minutinho? — ela me perguntou ao notar que o Erico ainda estava conversando com a Chiara. Respondi que sim, e então ela fez sinal que eu a acompanhasse. Assim que saímos daquela sala, ela me direcionou para o corredor que eu já sabia que daria na sala dos figurinos. — Quero te mostrar de uma vez o que imaginei para você usar na final.

Concordei e assim que entramos, ela tirou de uma das araras um vestido cor-de-rosa bem clarinho, que dependendo da luz podia ser até confundido com branco. Ela me disse que aquele tom se chamava "rosa-blush". A parte de cima era toda rendada, com um decote reto que deixava os dois ombros de fora, e a saia, que ia até o chão, era feita com várias camadas de seda. A cintura era bem marcada por uma faixa da mesma cor.

— Nossa... — falei, colocando o vestido na frente do meu corpo e me olhando no espelho. — Parece que foi feito para uma princesa.

Ela assentiu feliz e disse:

— Sim, foi exatamente por essa razão que me lembrei de você... Não é assim que te chamam? Princesa das águas? — Eu sempre ficava sem graça ao ouvir aquele apelido, mas estava tão hipnotizada pelo vestido que nem importei. — E foi também por isso que eu achei que esse acessório combinaria perfeitamente.

Ela pegou uma caixa em um armário e tirou dela uma tiara de brilhante bem fininha. Em seguida colocou no meu cabelo, que eu havia deixado solto.

— Uau... — ela disse, me olhando pelo espelho. — Já pode fazer parte da realeza!

Eu ri, mas tive que admitir que ela estava certa. Eu realmente ia ficar linda com aquela roupa.

— Olha, vou deixar tudo bem escondido aqui atrás da última arara — ela me mostrou onde iria guardar. — Quando você chegar no sábado, caso eu esteja ocupada, pode vir aqui direto pegar.

Eu disse que nem sabia como agradecer, ela então me abraçou respondendo que não precisava, pois adorava fazer as pessoas felizes, e então voltamos para a cozinha.

Os hambúrgueres já tinham ficado prontos, e o pessoal estava apenas me esperando para devorá-los. Eu nem sabia que estava com fome até dar a primeira mordida... O Lino realmente tinha aprendido a cozinhar, aqueles jurados não entendiam nada de comida!

Depois, ainda provamos o fondue da Chiara, que também estava perfeito, e por cerca de meia hora ficamos lá, apenas conversando, comendo e rindo, até que nos avisaram que precisariam liberar aquela sala para arrumar para o dia seguinte.

Com pesar, eu e o Erico nos despedimos da Michelle e do Lino, pois eles iriam para o alojamento em outro carro, mas o Erico disse para eles que esperava que nós quatro pudéssemos sair juntos algum dia, depois que as Olimpíadas terminassem. Mais uma vez meu coração se alegrou por ver que ele estava me incluindo em seus planos futuros...

No carro, ele novamente se sentou ao meu lado. Já tinha anoitecido e ficamos um tempo calados, só vendo o movimento das ruas. Sem perceber, dei um suspiro e encostei a cabeça no encosto do banco, o que fez o Erico me olhar e dizer:

— Está cansada? Vem cá. — E então passou o braço atrás das minhas costas para que eu pudesse encostar a cabeça no ombro dele. Em seguida, ele começou a fazer carinho pelo meu cabelo bem de leve, eu então fechei os olhos e desejei que a gente demorasse muito pra chegar...

Durante todo o percurso ficamos assim. Pela primeira vez desde o começo da Gincana não senti necessidade de palavras. Estávamos tão à vontade um com o outro e o meu corpo parecia se moldar tão perfeitamente ao dele que estar ali bastava. Porém, quando já estávamos quase no alojamento, uma questão veio à minha cabeça... E a menina da Ucrânia, a esgrimista? Pelo que eu tinha lido, ele só havia almoçado com ela no dia anterior e pelo visto não tinha sido nada de mais; nenhum repórter tinha publicado foto de beijos que não haviam de fato acontecido... Mas certamente os dois sairiam novamente no dia seguinte.

Como se tivesse lido meus pensamentos, bem nesse momento o Erico falou:

— Arielle, gostaria de te ver amanhã de novo, mas como já nos encontramos ontem e hoje, talvez seja melhor darmos um intervalo de um dia. — Eu sabia... Ele ia se encontrar com a outra menina! Mesmo sabendo que isso era obrigatório por causa do programa, senti uma mistura de ciúme e tristeza. A minha expressão deve ter me traído, pois ele rapidamente explicou: — É que pelas regras nós só podemos ter mais um encontro. E, caso a gente faça isso amanhã, serão muitos dias sem te ver até sábado! Vou ficar com saudade...

Eu abri o maior sorriso e concordei com a cabeça. Em seguida, coloquei a mão em cima do coração, mostrando que também ia ficar com saudade. Ele ficou me olhando por uns segundos, como se estivesse anotando mentalmente cada detalhe meu e então se aproximou um pouco mais e deu um beijo bem devagar no meu rosto.

— Boa noite, Arielle... Vou pensar em algo para fazermos na quinta-feira, tá?

Assenti, e ele então abriu a porta para descer do carro. Porém, quando estava saindo, ele se virou novamente pra mim e disse, sorrindo:

— Espero sonhar com você.

Eu dei um sorriso maior que o dele e suspirei. Pelo menos aquele problema eu não ia ter. Porque com certeza eu já estava sonhando...

Capítulo 26

Assim que cheguei ao meu quarto e me troquei, resolvi mandar uma mensagem para as minhas irmãs, só pra contar que tudo havia corrido bem. Porém, assim que abri minha bolsa, levei um susto: o celular do Erico também estava lá! Quando começamos a comer os hambúrgueres, ele pediu que eu guardasse e, com tudo que se passou, nem me lembrei de devolver.

Eu ainda estava com o aparelho na mão, pensando em como faria para avisá-lo, quando chegou uma mensagem.

Nas vezes que via minhas irmãs bisbilhotando o celular dos namorados, eu era a primeira a recriminar. Sempre considerei aquilo uma invasão de privacidade, uma espécie de violação de correspondência alheia... Elas sempre riam de mim, dizendo que quando eu namorasse, iria fazer exatamente o mesmo. Eu pensava que elas estavam profundamente enganadas... Até aquele momento.

Ver aquela mensagem piscando bem na minha frente, pedindo para ser lida, atiçou cada milímetro da minha curiosidade. Mesmo assim, respirei fundo e deixei o celular de lado. Foi quando outra mensagem surgiu na tela. Eu teria resistido. Teria mesmo. *Se* os meus olhos não tivessem captado o meu nome lá no meio dela.

Sem pensar nem meio segundo, peguei o celular e olhei. Logo vi que as mensagens eram do Phil, o tal melhor amigo brasileiro, que havia ensinado Erico a falar português.

> E aí, como foi? O tal beijo inventado se tornou real? Olhei na internet e se eu fosse você não perdia tempo... Muito linda a Arielle! Aquela Anastasia é bem gata também, mas tem cara de brava. A Arielle parece uma boneca.

Gostei instantaneamente daquele Phil... Passei para a próxima. Eu já tinha cometido o crime, só mais uma não ia fazer diferença...

> Fiquei pensando, acho que é melhor mesmo você esquecer aquela menina. Sei que pensa que vocês têm uma ligação, por ela ter salvado sua vida e com certeza você nunca vai esquecer isso... Mas, exatamente por ter ganhado outra chance de viver, acho que você tem que aproveitar.

Opa, opa... Agora eu ia ter que entender aquela história direito. Fui em direção à minha cama levando o celular, pois sabia que eu teria uma longa pesquisa pela frente. Recostei e comecei a ler as mensagens antigas.

Fala, Erico! Bom saber que você já está com um celular novo! Mas da próxima vez que cair na piscina ou em qualquer outro lugar, não tente bancar o goleiro! Podia ter sido pior se a garota misteriosa não tivesse aparecido. Não seria apenas o celular que teria pifado, se é que você me entende... E eu não posso perder meu melhor amigo e futuro best man!

Pela data, vi que ele estava falando da queda do Erico na piscina, na festa da Suíça! E eu era a tal garota misteriosa...

Fui pra próxima, que era a resposta do Erico.

Nem brinca! Faço questão de te ver entrar naquela igreja! Mas já falei, lembra de me avisar a data do casamento com muita antecedência, tenho que me programar por causa dos torneios. Agora, sobre a garota misteriosa... Ela continua um mistério. Tentei fazer uma lista com todas as meninas que eu me lembro de ter cumprimentado na festa, mas nenhuma delas se parece com o pouco que me recordo... Que na verdade não é quase nada. Não me lembro da cor dos cabelos dela, nem da pele, nem do que vestia. Só sei que ela tinha um olhar que parecia um farol. A noite estava escura, mas aqueles olhos iluminaram tudo. E a voz... Quando ela cantou foi como voltar pra casa. Embora eu já estivesse em casa. Dá pra entender? Acho que não, nem eu entendo!

Sem conseguir respirar direito, li a seguinte.

Claro que não lembra! Esqueceu o que os médicos disseram? Encontraram você em um quadro grave de hipotermia! Não estava em condição de entender nada mesmo, estava delirando. Se essa menina não estivesse lá, meu amigo, já era. Só acho estranho ela ter fugido. Tem certeza de que ela não teve culpa pela sua queda? Será que não foi embora por causa disso?

Ai!

Ninguém teve culpa, já falei! Foi um acidente! Escorreguei ao tentar pegar o Sancho e o celular ao mesmo tempo, só isso... Você está parecendo meus pais, que queriam abrir uma investigação para desvendar tudo! Não tem nada para descobrir, a não ser o paradeiro da garota. Mas se ela não quer que eu a encontre, não vou forçar a barra. Já pedi nas redes sociais, saiu no jornal... Com certeza ela viu. Se não quer que eu saiba quem é, vou respeitar. Eu só queria mesmo agradecer... e contar que desde aquele dia, aquela imagem desfocada dela nunca mais saiu da minha cabeça. E nem a voz de sereia...

Suspirei...

Cara, tá apaixonado?! Você nem sabe se é mesmo uma pessoa real ou se foi alucinação por causa do afogamento! Tem certeza de que os médicos fizeram todos os exames? Acho que essa batida na cabeça afetou sua sanidade!

Ah, quer falar sobre sanidade? Quando você me disse que ia pegar um avião e parar numa cidade qualquer do Brasil só pra tentar encontrar o seu amor de infância, de quem você nem mesmo sabia como era o rosto atualmente, eu não te chamei de louco!

Erico... não estou te recriminando. Mas é que no caso da Áurea, eu pelo menos sabia que ela existia. Mas você nem sabe se essa sua... "sereia" é mesmo de verdade!

Eu sei que ela é real, só não lembro os detalhes. Tenho esperança de encontrá-la por acaso e tudo voltar à minha mente. Mas como a maioria dos convidados da festa eram atletas de outras nacionalidades, provavelmente só voltarei a vê-la nas Olimpíadas... E então te apresentarei pra ela, para você ver que não era alucinação!

Em seguida eles mudaram de assunto, e então fui rolando as mensagens pra baixo até chegar a algumas mais atuais.

Phil, você nem imagina o que o meu técnico fez... Me inscreveu em um programa de TV para arrumar uma namorada durante as Olimpíadas! Acredita nisso? Ele disse que eu fiquei abatido depois daquela festa, por não ter encontrado a menina da piscina, e acha que outra garota pode resolver o problema! Francamente!

Hahahaha! Desculpa, tive que rir! Será que dá pra assistir a esse programa pela internet? Preciso ver isso! Seu técnico devia saber que conquistar mulheres nunca foi um problema pra você... Mas pense pelo lado bom. Se for mesmo uma atleta, quem sabe a menina-sereia não participa desse programa também?

Meu medo é exatamente ela ser atleta e me achar ridículo por participar de algo assim. Não sei o que levaria alguém a fazer isso... Tirando o fato do técnico inscrever a pessoa sem consentimento, como o meu fez comigo!

Sorri ao ver que ele também tinha problemas com o treinador. Decidi ir para as mensagens realmente atuais, pois queria saber o que ele estava achando da Gincana Olímpica... e de mim.

E aí, astro da TV? Como está se sentindo por ter ganhado a votação? Vi as 10 garotas que estão concorrendo e, sinceramente, acho que participar desse programa não está sendo tão difícil como você imaginava... Gostou de alguma em especial?

Tem razão, dificuldade nenhuma! Só fico meio sem graça de ser disputado assim, mas tudo bem, faz parte do jogo! Sobre as meninas... Apesar de todas serem lindas, teve uma que me chamou mais atenção. Ruiva, cara de sapeca, mas com um corpo que vou te contar... E, quando ela olhou pra mim, foi como se eu a conhecesse de algum lugar...

Acha que pode ser a garota da piscina?

Não sei... Li um pouco sobre ela no site do programa, mas não descobri quase nada... Só sei que é brasileira, tem 16 anos e é nadadora, por influência do pai, que foi campeão olímpico.

Sei quem é! Arielle Botrel, não é isso? A história dessa menina é meio sofrida. A mãe era uma famosa cantora brasileira e morreu quando ela nasceu, parece que por complicações no parto.

Não tinha ideia disso... Que triste. Tomara que ela seja uma das mais votadas, gostaria de conhecê-la melhor...

Então quer dizer que ele já sabia sobre o meu passado... Meio irritada, pulei algumas mensagens até que cheguei a uma do dia anterior.

Acabei de voltar do primeiro encontro com a Arielle. Gostei muito dela... E tive coragem de perguntar sobre aquela notícia do jornal. Ela confirmou que esteve na Suíça! E também que se inscreveu no programa só por minha causa...

Sério? Então o que está esperando? Se ela confessou que gosta de você e se você também ficou a fim dela... Já está resolvido. Avisa lá pros produtores que você já fez sua escolha.

Não é simples assim, tem um cronograma que temos que seguir. Aliás, uma das concorrentes foi desclassificada, agora só restam duas. Me pediram para lembrá-las constantemente que não podem falar, para não correr o risco de o programa acabar, caso todas sejam eliminadas. Mas sabe o que fiquei pensando? Por ser nadadora, com certeza a Arielle conseguiria tirar alguém da água...

Acha que a menina que você vem procurando pode ser ela? Por que não perguntou?

Tá louco? Queria que eu falasse: por acaso foi você que me salvou na piscina outro dia? Se não fosse, com certeza ela acharia estranho! E, se fosse, deve ter um bom motivo por não ter revelado isso até agora. Melhor ir devagar. Mas fiquei realmente interessado... Ela tem algo diferente das outras concorrentes. Aliás, diferente de qualquer menina que já conheci. Um magnetismo, algo que faz com que eu queira chegar mais perto, tocar nela, passar horas conversando... Ela instigou minha curiosidade pra valer! Vamos sair juntos novamente amanhã.

Cara, nunca te vi assim! Acho que essa menina realmente mexeu com você...

E sabe o que eu fiquei pensando depois? Se a mãe era cantora, será que ela não teria herdado o talento vocal? A história está começando a se encaixar! Eu gostaria tanto que a menina da piscina e a Arielle fossem a mesma pessoa...

Vou tentar descobrir mais pra te contar. Talvez meus pais saibam de alguma coisa sobre os pais dela...

Meio desconfortável por perceber que estavam procurando informações a meu respeito, pulei para algumas das últimas mensagens, que pelo visto tinham sido trocadas algumas horas mais cedo, um pouco antes de nos encontramos para ir ao *Atleta Chef*.

Erico, tenho más notícias... Conversei com a minha mãe e ela conhece bem a história da família da Arielle, parece que os pais dela eram muito conhecidos mesmo. Ela disse que a Arielle é a única filha que seguiu a carreira do pai exatamente por NÃO cantar!

As irmãs dela são cantoras, mas ela tem um trauma de infância, causado pela morte da mãe, que fez com que adquirisse um bloqueio em relação a isso. O pai e a avó até a levaram a um psicólogo, para tentar fazer com que ela soltasse a voz, mas parece que o negócio é sério. Ou seja, ela não é a sua sereia... Desculpa por ter que te contar isso.

Entendo... Tudo bem. Provavelmente aquela menina da piscina deve ter sido mesmo apenas um sonho. Ou, se existir, realmente não quer aparecer. Pode não gostar de mim por alguma razão ou até mesmo ser comprometida... Mas quer saber? Por incrível que pareça, acho que meu treinador estava certo... Ter conhecido outras garotas fez com que eu esquecesse um pouco essa história. Daqui a pouco vou encontrar a Arielle e estou aqui todo ansioso, acredita? Não paro de pensar nela desde ontem... Só espero que ela não esteja brava, hoje saiu uma notícia no jornal dizendo que nos beijamos ontem, o que não é verdade! Não que tenha faltado vontade...

Aleluia! Santa Arielle! Que bom que ela acordou o meu amigo, já estava preocupado!

Sim... Vou deixar a "garota-sereia" nos meus sonhos... Caso ela apareça algum dia, volto a pensar nisso. Tenho que ir agora, vou terminar de me arrumar para o encontro.

Mande um abraço para a Arielle!
Já gosto dela mesmo sem conhecer!
E me dê notícias na volta!

E então a próxima mensagem já era a primeira que eu havia lido, que tinha acabado de chegar. Fiquei mais um tempo segurando o celular dele e em seguida o desliguei, tomando cuidado de deixar exatamente como estava antes. Eu o recoloquei na minha bolsa e me deitei, ansiosa para a manhã seguinte chegar logo. Porque de repente percebi que aquele programa não importava mais... Eu já sabia o que tinha que fazer.

Resta uma

Ontem à noite a concorrente Anastasia Lobanovskiy anunciou em suas redes sociais que desistiu do *Linguagem do Amor*. A esgrimista alegou que a escolha de Erico Eggenberg já estava bem clara e que continuar no programa seria perda de tempo.

"Desde o começo notei que o Erico gostou da Arielle, percebi como ele a olhou quando a anunciaram como finalista. Eles saíram dois dias seguidos e pelo que vi nos jornais, até já se beijaram... Não quero perder meu tempo, faltam poucos dias para as Olimpíadas e eu prefiro focar nisso, que é o meu objetivo principal. Posso arrumar um namorado depois."

Hoje cedo, a produção do programa confirmou o desligamento de Anastasia. Porém, o *Linguagem do Amor* ainda não está definido. Pelas regras, Arielle e Erico, que já tiveram dois encontros, ainda têm que se encontrar mais uma vez até sábado, quando acontecerá a final. Até lá, ela também deve continuar a se comunicar com ele apenas por gestos, senão também será desclassificada e o programa não terá ganhadores. Apenas no programa ao vivo eles devem revelar se querem mesmo ficar juntos. ■

• Capítulo 27 •

— Isso é a coisa mais ridícula que já escutei! Sem concorrentes, eles têm que acabar com o programa... Não sou obrigada a participar de algo que não quero!

O Sebastião bufou e começou a explicar mais uma vez. Tapei os ouvidos, pois eu realmente não queria ouvir aquilo tudo de novo. Desde o momento em que eu tinha chegado pra treinar e dito que eu ia pedir pra sair do programa, ele me falou que não seria tão simples assim, pois outra pessoa tinha passado na minha frente.

— A Anastasia, a ucraniana, desistiu ontem à noite. Com isso, só restou você! Antes, já seria péssimo desistir, você passaria uma imagem de perdedora para os patrocinadores. Mas agora envolve muito mais do que o seu próprio patrocínio... Envolve também a emissora de TV, existe um cronograma a seguir! Anunciantes já compraram espaço nos intervalos do *Linguagem do Amor* para colocarem seus produtos! Pelas regras, a última concorrente é obrigada a ficar até o final, lembra? Sinto muito, mas você vai ter que aguentar mais quatro dias! Qual é o problema nisso? Até ontem você estava adorando fazer o papel de namoradinha preferida desse Erico... E agora chega aqui dizendo que quer desistir?

Sim, eu havia tomado aquela decisão. As mensagens do Erico me fizeram enxergar que por todo aquele tempo eu estava errada. Eu havia seguido conselhos de todo mundo em vez de ouvir meu próprio coração e agora queria urgentemente recuperar o tempo perdido.

Durante a noite inteira, eu havia ficado processando as informações. Pelo que eu tinha entendido, o Erico estava relutante em gostar de mim exatamente por causa da "menina da piscina"... Ele não estava bravo pelo fato da tal garota não ter se identificado. Não. Ele continuava curioso para encontrá-la e até desejava que ela fosse eu! Eu precisava contar para ele que seu desejo havia se realizado! Eu realmente não queria concorrer comigo mesma...

Por isso, tudo que eu mais queria naquele momento era parar de brincar. Eu tinha que contar a verdade para o Erico, explicar que havia me escondido apenas por *medo*... Medo do que as pessoas iam pensar, medo do meu pai, medo da imprensa, mas, especialmente, medo dos meus próprios sentimentos.

Eu estava tentando explicar isso tudo para o Sebastião, quando surpreendentemente o próprio Erico apareceu, seguido pela Nádia, a produtora do programa que havia nos acompanhado no primeiro encontro. Mesmo com o sol que estava fazendo, senti meu corpo inteiro gelar.

— Oi, Arielle — ele disse, sorrindo, enquanto se aproximava. — É tão diferente te ver assim... — Coloquei a mão na cabeça imediatamente e fiquei aliviada ao perceber que ainda não tinha colocado a minha touca de natação, apesar de estar usando um roupão e chinelo! Provavelmente ele estava me achando horrível... — Você é ainda mais bonita à luz do dia e no seu "habitat natural".

Levantei as sobrancelhas, admirada. No mínimo a luz do sol o havia cegado...

O Sebastião então arranhou a garganta e disse:

— Muito prazer, eu sou o técnico da Arielle. Sebastião Silva.

O Erico na mesma hora apertou a mão dele, dizendo que já o conhecia de nome e que era um imenso prazer encontrá-lo pessoalmente.

— Arielle, o Erico disse que esqueceu o celular dele com você ontem — a Nádia explicou depois de me cumprimentar também. — Eu te liguei, mas não atendeu, então fomos até o seu apartamento e suas colegas disseram que você tinha vindo para cá.

Eu ia começar a dizer que podíamos ir lá buscar, assim aproveitaria para já conversar com o Erico. Mas o Sebastião, ao perceber a minha intenção, colocou a mão na frente da minha boca e falou, depressa para a produtora:

— Eu estava aqui agora mesmo dizendo para a Arielle que o programa continua mesmo com a desistência da ucraniana. Ela está achando que a partir de agora pode usar a voz, mas você pode esclarecer pra ela, por favor?

A Nádia assentiu e falou:

— Eu acabei de explicar a mesma coisa para o Erico, ele também pensou que a partir de agora vocês estivessem "livres"... Mas não é bem assim. Se o *Linguagem do Amor* fosse durante a semana, poderíamos dar um jeito de abreviá-lo. Mas o problema é que o programa é ao vivo e o próximo é apenas no sábado... Vocês já têm fãs, têm torcida, todos querem saber em tempo real o que está acontecendo. Diariamente colocamos na internet vídeos dos encontros de vocês e o número de visualizações é o maior entre todos da Gincana Olímpica! Vocês dois realmente agradaram. Com a eliminação da Heather e a desistência da Anastasia, o que todo mundo quer saber agora é se vocês estão mesmo apaixonados, como dizem os jornais... Todos torcem por um beijo ao vivo, na grande final do programa.

Enrubesci no mesmo instante e vi que o Erico ficou sem graça também.

— Por isso — ela continuou —, peço que tenham paciência. Faltam poucos dias. Vamos seguir as regras e no sábado encerramos o programa em grande estilo. É para o bem de vocês também. Com certeza a participação de vocês nas Olimpíadas vai bater recorde de audiência, todos vão querer acompanhar, pois vão ficar com saudades de vê-los pela TV! Posso contar com vocês?

O Erico olhou para mim, como se estivesse deixando a decisão nas minhas mãos. Olhei para o Sebastião, que me lançou um olhar apreensivo, e então apenas dei de ombros e assenti.

— Ótimo! — a Nádia disse, sorrindo. — Já que é assim, tenho uma ideia. Como agora só vocês dois estão participando do programa e nós precisamos de conteúdo, tanto para passar no programa ao vivo quanto para colocar no site, o que acham de, em vez de apenas mais um encontro, vocês terem dois?

— Isso é possível? — o Erico perguntou, franzindo as sobrancelhas. — Pelas regras seria apenas mais um...

— Sim, podemos dizer que foi algo informal. Amanhã vocês podem ir ao cinema, como haviam combinado ontem, antes dos planos mudarem. E então na sexta-feira, podem acompanhar os treinos um do outro, inclusive sem câmeras, porque não é permitido exibir na TV os treinos dos atletas. Claro que teremos que tirar algumas fotos, mas tudo bem à vontade. Que tal?

Assenti depressa com a cabeça. Pra mim estava ótimo. O que eu queria mesmo era poder falar com ele, mas, já que aquilo não seria possível, pelo menos estar perto já era bom o suficiente...

O Erico também concordou, e ela então bateu palmas dizendo:

— Hoje nós vamos mostrar no site do programa o encontro de ontem. Foi muito legal a parte que vocês comeram hambúrguer no final!

— Quem comeu hambúrguer? Às vésperas das Olimpíadas isso chega a ser loucura, hein...

Olhei para trás e vi a Sula chegando, com o cabelo molhado e de maiô. O treino dela provavelmente tinha terminado naquele momento em uma das outras piscinas.

— Oi, Sula — a Nádia cumprimentou. — Ontem a Arielle e o Erico participaram da plateia do *Atleta Chef*. Foi o maior sucesso, o público amou! E por falar nisso, como está a sua música para a próxima apresentação? Está ensaiando? Dessa vez os jurados vão ser mais rígidos...

Ela respondeu que estava tudo certo e então se aproximou do Erico, dizendo:

— Olá... Acho que ainda não fomos apresentados. Sou nadadora de nado sincronizado e estou participando do *The Atleta's Voice*.

Ele na mesma hora estendeu a mão pra ela, dizendo:

—Eu sou o Erico, muito prazer!

— É claro que eu sei quem você é... — ela disse, rindo. E se aproximando mais, deu um beijo de cada lado do rosto dele. — Quem não conhece o garoto mais lindo das Olimpíadas?

O Erico agradeceu meio sem graça e então disse:

— Arielle, que horas posso passar no seu apartamento para pegar meu celular? Preciso ir embora agora, tenho treino daqui a pouco.

O Sebastião começou a dizer que se eu quisesse podia ir com ele buscar naquele momento, mas a Sula na mesma hora falou:

— De jeito nenhum! A Arielle tem que treinar também! Como eu já terminei, posso ir lá buscar...

O Erico então disse que não tinha tanta pressa, mas a Sula insistiu, por isso, meio a contragosto, entreguei minha chave pra ela, explicando que o celular ainda estava dentro da minha bolsa, que eu tinha deixado em cima da cama.

— Nós vamos com você, lá já é metade do caminho para o apartamento do Erico — a Nádia disse e por alguma razão aquilo me deixou mais tranquila.

Eles então se despediram de mim e do Sebastião e nós logo começamos o treino, que durou cerca de uma hora. Porém, quando saí da piscina, a Sula ainda não tinha voltado. Esperei mais algum tempo e aí resolvi ir andando, talvez ela estivesse no caminho. Mas fiz todo o percurso e nem sinal dela... Comecei a torcer para que alguma das outras meninas estivesse no apartamento para que eu pudesse entrar, mas assim que cheguei vi que a Sula estava sentada confortavelmente no sofá da sala, lendo revistas.

— Pensei que você fosse voltar com minha chave — falei, fechando a porta. — Fiquei lá esperando...

— Por que eu voltaria? — ela falou, sem tirar os olhos da página que estava lendo. — Você não teria que vir pra cá mesmo? Estou cansada, não quero gastar energia à toa.

Eu também estava cansada e sem vontade de gastar energia... com *ela*. Por isso apenas dei de ombros e perguntei se havia encontrado o celular do Erico.

— Sim, tudo certo. Ele estava sem bateria. Uma pena, ofereci pra vir aqui só pra dar uma espiada nas mensagens dele antes de devolver... Claro que você não pensou nisso, né? Poderia ter descoberto várias coisas interessantes!

Apesar de ter mesmo feito várias descobertas, eu não me orgulhava de ter olhado o celular dele. Por isso, apenas falei que ia tomar banho, pois estava louca para tirar o cloro do corpo. Porém, antes que eu entrasse, ela falou:

— E você e o Erico? Você não me conta mais nada... Pelo que estou percebendo, vocês estão progredindo, né?

Aquela pergunta me deixou um pouco desconfortável. Sim, na minha opinião estávamos progredindo muito! E a sensação de perceber aquilo era tão boa que eu queria guardar cada segundo passado com ele apenas para mim... Eu tinha medo de falar sobre aquilo e a Sula fazer algum comentário que furasse a bolha de felicidade que parecia estar me envolvendo.

Então, apenas fiz que sim com a cabeça, e ela na mesma hora acrescentou:

— Você continua mantendo aquele acontecimento na Suíça em segredo, né? Lembre-se, se contar isso pra ele, pode estragar tudo! Ainda mais agora... Ele vai ficar com raiva por você não ter revelado isso pra ele desde o primeiro encontro, vai se sentir enganado...

Pelo que eu tinha lido nas mensagens, eu já sabia que ele não ia importar. Mas eu queria contar tudo para ele com *palavras*... Que era exatamente o que eu tinha a intenção de fazer antes de a produtora e o Sebastião me explicarem que eu precisava ter paciência, pois o programa não podia terminar assim. Por isso, eu teria que esperar mais um pouco antes de contar tudo pra ele.

Então, apenas disse para a Sula que continuava escondendo aquele fato, que só contaria depois do programa terminar.

Ela pareceu feliz e então disse:

— Vi em cima da sua cama uma caixa da emissora com um short e uma blusa. O pessoal de lá gosta mesmo de você, né? Eles não costumam emprestar roupas, geralmente os convidados só podem usar durante o período do programa, mas têm que devolver antes de voltar pra casa.

— É, normalmente sim — respondi. — Mas como eu já estava indo mesmo para a TV, e junto com o Erico, a Yasmin resolveu me enviar. Ela disse que posso devolver no sábado, quando for lá para o programa ao vivo.

— Yasmin? Não é aquela produtora que fez com que você trocasse aquela roupa vermelha linda que eu havia escolhido por um vestido sem graça?

Fiz que sim com a cabeça, mas concordando apenas em partes. Sim, ela era a produtora. Mas não, o vestido não era nada sem graça...

— Cuidado com essa produtora, Arielle! — a Sula disse. — Acho que ela não vai muito com a sua cara, só escolhe roupas que não te favorecem! Pelo que vi, a de ontem também era péssima! Espero que no dia da final você não se deixe influenciar e siga as minhas indicações...

Resolvi não contar que a roupa da final já tinha sido escolhida, exatamente pela Yasmin, e estava totalmente aprovada por mim... Eu sabia que no sábado a Sula teria apresentação no *The Atleta's Voice* e provavelmente só me veria pronta quando eu já estivesse para entrar no palco. Eu não queria que ela ficasse com má impressão da Yasmin, que era tão legal comigo e quem eu já considerava uma amiga...

— Eu realmente gosto da ajuda dela, Sula... Não só em relação às roupas. Ontem, quando eu liguei avisando que não poderia ir ao cinema por causa do programa do Lino, foi ela que sugeriu que eu então visse o programa lá na emissora, com o Erico. Assim eu não teria que desmarcar o encontro e ainda prestigiaria o meu amigo...

Ela ficou me olhando processando a informação, mas de repente olhou o relógio e falou:

— Ah, olha só! Já está tarde, não posso ficar aqui fofocando! Tenho que ir pro estágio, estou cheia de problemas lá pra resolver...

— Você precisa de alguma ajuda para ensaiar a música que vai cantar no sábado? — perguntei, educadamente.

— Não, obrigada, está tudo sob controle! — ela levantou e foi se encaminhando para a porta. — Acho que dessa vez as cadeiras não vão virar pra mim, mas tudo bem, já atingi meu objetivo só de ter passado para a segunda fase...

— Se precisar de algo, pode contar comigo — reafirmei. — Aliás, qual música você vai cantar?

Ela me deu uma piscadinha e falou:

— Surpresa! Não gosto de contar antes pra não dar azar!

Fiquei curiosa, mas disse:

— Tudo bem, boa sorte desde já! Não sei se a gente vai se encontrar antes de sábado..

Já saindo, ela falou:

— Quer apostar que vamos?

Ela então me deu um tchauzinho, e eu fiquei parada na porta, sentindo que lá no fundo eu gostaria muito que ela perdesse aquela aposta...

Blog da Belinha

Oi, gente! Hoje eu trouxe notícias dos bastidores da Gincana Olímpica! Ontem fui ao cinema e vocês nem sabem quem eu encontrei lá! Sim, o casal mais amorzinho das Olimpíadas, ou melhor, "futuro casal"... Já sabem de quem eu estou falando, né? Da lindíssima Arielle Botrel, a nossa princesa das águas, e do gato Erico Eggenberg, que com certeza é o príncipe das quadras! Olha só, até nos apelidos eles combinam! ♥

Como já contei para vocês, conheço a Arielle desde antes da Gincana começar, ela ajudou uma amiga minha (que vocês conhecem, mas ela me mata se eu contar essa história aqui!) em uma situação complicada envolvendo uma peruca! E o Erico até já foi entrevistado por mim! Por isso, posso garantir que os dois são muito fofos e que eu estou torcendo muito para eles ficarem juntos! Não, eles ainda não ficaram... Segundo os dois me informaram ontem, aquele beijo que saiu no jornal é *fake*!!! Tá vendo? Não acreditem em tudo que vocês veem ou leem por aí... A não ser, claro, que seja aqui no blog! Aqui tudo é 100% real! E até o que não é acaba virando, como a Gincana Olímpica! ☺

Mas vou contar o que aconteceu ontem. Eu estava no cinema com a minha prima Clara, que aproveitou que estou hospedada aqui no Rio de Janeiro e veio passar uns dias comigo. Já estava passando o trailer, quando vi o Erico e a Arielle entrando. Ele — cavalheiro como sempre — na mesma hora pegou a mão dela, para garantir que ela não tropeçasse ao procurar os assentos no escuro e acabasse machucando suas valiosas pernas de nadadora, que trarão muitas medalhas para o nosso país. Mas o que importa é que mesmo naquele blecaute todo, eu os reconheci e contei para a Clara. Acontece que bem atrás da gente tinha uma turma de adolescentes, eles ouviram o meu comentário e começaram a falar uns para os outros...

Resultado: assim que o Erico e a Arielle se sentaram, as pessoas do cinema inteiro começaram a tirar fotos dos dois com flash, por causa da escuridão, e em um momento que o Erico disse alguma coisa no ouvido da Arielle, alguém puxou um coro de "beija, beija!", que foi acompanhado por todo o cinema! Ele então deu um beijinho no rosto dela, o que levou todo mundo ao delírio! Com isso, os seguranças do cinema foram chamados e os dois acabaram convidados a se retirar! Achei um absurdo, eles não tiveram culpa! Mas quer saber? Acho que nem se importaram, pois estavam rindo muito! Ao sair os dois ainda acenaram para a galera! Fala se tem casal mais fofolete?!

Aí eu acabei saindo também para conversar um pouquinho com eles. Foi quando os dois me garantiram que (ainda) não estão namorando. Mas eu já avisei que estamos shippando muito!!! Ah, sabe o que mais? A Arielle finalmente concordou em dar uma entrevista aqui pro blog! Agora é só aguardar!

Não percam a final do *Linguagem do Amor* no próximo sábado às 16h! Eu, claro, estarei lá cobrindo tudo para dar notícias exclusivas para vocês!

Beijinhos da Belinha!

Capítulo 28

— Sinceramente? Fiquei apavorado ontem! Pensei que iam arrancar as nossas roupas e cabelos para guardar de souvenir!

Soltei uma gargalhada... Aliás, aquilo era tudo que eu vinha fazendo. O Erico era tão bem humorado e dizia coisas tão engraçadas que eu não tinha outra opção a não ser ficar constantemente com um sorriso no rosto.

A nossa ida ao cinema no dia anterior tinha sido um fracasso e um sucesso ao mesmo tempo... Encontrei o Erico já no shopping, pois uma produtora havia me ligado dizendo que ele teria que dar uma entrevista por perto, por isso ela iria com ele direto para lá. Porém, logo que o avistei na porta do cinema, notei que estava rodeado de fãs pedindo fotos. Fiquei meio de longe, só admirando o carinho com o qual ele tratava as pessoas, mas de repente ele me viu e fez sinal para que eu me aproximasse. E então aquelas pessoas todas que estavam em volta dele vieram correndo para mim! Mas não eram só fotos, elas perguntavam se podiam me beijar, me abraçar, e pediram autógrafos em todos os lugares visíveis! Até uma testa eu tive que autografar!

Como a multidão de curiosos estava cada vez maior, os seguranças do shopping ficaram com medo de dar tumulto e pediram para aguardarmos em uma salinha da administração até o filme estar prestes a começar, assim no escuro ninguém nos veria. Porém, acho que algumas pessoas têm a mesma visão noturna dos gatos, pois nos reconheceram mesmo na penumbra. E então começou tudo de novo. As fotos, os autógrafos... Até que provavelmente a única pessoa do cinema que estava mais interessada no filme do que na gente resolveu acabar com aquela bagunça toda e foi reclamar. Com isso, o gerente do cinema nos pediu desculpas, mas solicitou que deixássemos o local. Todo mundo vaiou e começou a jogar papel de bala na cabeça do gerente e também na da moça que tinha reclamado. Foi meio assustador, mas ao mesmo tempo engraçado!

Vou te falar que esse negócio de TV realmente mexe com a emoção das pessoas... Nesses anos todos que os jornais, sites e revistas vinham publicando notícias a meu respeito, eu nunca tinha presenciado qualquer reação parecida. Algumas pessoas apontavam em minha direção, no máximo pediam um autógrafo... Era uma admiração meio a distância. Mas bastou o meu rosto aparecer na televisão para o mundo inteiro enlouquecer! Agora o Sebastião queria até contratar seguranças para mim! Seguranças! Como se a falta de liberdade que eu tinha antes já não fosse suficiente...

Apesar do cinema não ter dado certo, a noite não foi totalmente perdida. Nós voltamos para o alojamento e antes de chegar aos apartamentos vimos que alguns atletas estavam fazendo uma espécie de confraternização na beira de uma das piscinas. O Lino e a Michelle estavam lá, então fomos cumprimentá-los. Tinha uns garotos tocando violão, umas meninas estavam em volta cantando, e a noite estava tão agradável que acabamos ficando ali por um tempo.

Em certo momento, ao notar que eu estava prestando atenção na música, o Erico disse:

— Fiquei sabendo que suas irmãs são cantoras... — Gelei, pois já pressentia o que vinha a seguir. — Você não quis seguir os passos delas?

Eu sabia que ele estava apenas checando a informação que havia recebido do amigo, mas explicar aquilo *falando* já seria complicado... Aquele assunto levaria a tudo que eu gostaria de revelar para ele, sobre o momento em que o salvei na piscina e cantei para mantê-lo acordado, e também tudo que aconteceu antes e depois... Eu só estava esperando o programa terminar para ter minha voz de volta, e assim poderia contar para ele cada detalhe. Já tinha inclusive ensaiado como falaria, como eu cantaria para ele a mesma música para tentar fazer com que ele se lembrasse. Eu esperava que aquela fosse apenas a primeira de várias canções que eu ainda cantaria só pra ele... Porém, naquele momento, eu não tinha como explicar tudo aquilo apenas por gestos.

Por isso, dei um suspiro, pensando em como eu queria que o tempo passasse depressa, mas ele provavelmente entendeu errado, pois apertou a minha mão, dizendo:

— Desculpa, não precisa explicar, sei que alguns assuntos são delicados... — E então ele passou os braços pelos meus ombros e me puxou, como se quisesse me confortar...

Eu sabia que aquilo era por causa do suposto "trauma de infância" que o amigo dele havia contado que eu tinha. E mais uma vez eu quis acabar com tudo, abrir a boca e explicar que eu não tinha problema nenhum, que tudo aquilo havia começado apenas por eu não querer causar um trauma no *meu pai*!

Mas no final das contas acabei conseguindo me segurar, talvez por aquele abraço dele estar tão quentinho e aconchegante... Era melhor mesmo que ele pensasse que eu estava triste, assim continuaria me confortando daquele jeito. E ele realmente continuou até que a produtora nos avisou que precisávamos ir para os apartamentos, pois o nosso dia começaria cedo na manhã seguinte, já que acompanharíamos os treinos um do outro, e por isso, se não dormíssemos logo, ficaríamos cansados.

Porém, a produtora estava errada, pois só de saber que eu iria vê-lo, e sem câmeras dessa vez, acordei revitalizada e feliz...

Encontrei o Erico na quadra de tênis e ele já estava fazendo o aquecimento quando cheguei. Eu já o tinha visto jogando em alguns vídeos na internet, mas nada se comparava a assistir àquilo ao vivo. Ele estava todo de branco, com uma faixa na testa, para que o cabelo não caísse nos olhos e para aplacar o suor. Mesmo no aquecimento, percebi que ele havia nascido para aquilo e que se sentia à vontade ali como se fosse a segunda casa dele.

Em certo momento, ele deu um saque complicado e eu bati palmas. Foi quando ele me viu.

— Ei, chegou tem muito tempo? — ele perguntou, correndo para onde eu estava e assim que se aproximou, pegou a minha mão e deu um beijinho, como aqueles príncipes da Disney sempre fazem. Levantei as sobrancelhas surpresa, mas ele explicou: — Estou suado, não queria molhar seu rosto...

Eu não me importaria se ele tivesse me enchido de suor! Mas ao mesmo tempo fiquei feliz de saber que ele tinha dado um jeito de me beijar de alguma forma.

Ele me apresentou para o treinador, que disse em inglês que estava feliz de finalmente me conhecer. Fiz um gesto mostrando que sentia o mesmo, e ele então riu, falando que não sabia como eu estava conseguindo me manter calada, pois ele certamente já teria soltado algumas palavras sem querer. Eu respirei fundo, concordando que realmente era complicado, e mostrei um dedo, para ele entender que só faltava um dia.

Em seguida eles me indicaram onde eu poderia sentar para ver o treino e assim, durante mais de uma hora, torci por ele como se já fosse um dos jogos das Olimpíadas.

Ao final, o treinador disse que ele tinha feito a melhor pontuação das últimas semanas e que ia me contratar para ficar na primeira fila da plateia quando fosse pra valer, pois pelo visto havia sido um bom incentivo...

— De jeito nenhum, certamente ela iria me distrair... — o Erico disse, sorrindo. — Eu ia ter que olhar pra lá o tempo todo pra ver se nenhum dos outros tenistas estava puxando papo com ela!

O treinador então disse que eu estava proibida de aparecer em qualquer dos torneios do Erico, e eu levantei a mão como se estivesse jurando que colaboraria.

Nesse momento, a Nádia, a produtora que naquele dia estava acompanhando o nosso encontro avisou que estava na hora do meu treino. O Erico me explicou que só iria passar no vestiário para uma chuveirada e que em seguida me encontraria lá.

Cheguei nervosa à piscina. Eu estava acostumava com a plateia, mas nunca tivera um convidado tão especial...

Quando já tinha uns 15 minutos de treino, ele chegou, apenas de short e com a camiseta dobrada sobre um dos ombros. Aquela visão fez com que eu perdesse totalmente o ritmo e o Sebastião na mesma hora me repreendeu. Ao ver que era "só" o Erico que tinha chegado ele revirou os olhos, falou para eu começar de novo, e então o cumprimentou, pedindo para manter uma certa distância para que eu não corresse o risco de me afogar a cada vez que olhasse pra ele.

Fiz uma careta pro meu técnico e continuei a nadar, tentando me superar a cada movimento, para que o Erico ficasse com uma boa impressão de mim.

Ao final o Sebastião falou que o meu tempo tinha sido ótimo e na sequência já se despediu, dizendo que tinha um problema para resolver. Eu sabia que na verdade ele queria apenas nos deixar sozinhos. Apesar de a produtora estar sentada em um banco bem perto, para verificar se eu continuava muda, percebi que ela também estava colaborando, pois fingia estar entretida no celular.

Tirei a touca de natação e já ia sair da piscina, quando o Erico se aproximou e agachou na beirada, para falar comigo.

— É tão lindo te ver nadar... Nunca vi ninguém com tanto foco e precisão. Parece um peixe mesmo. — Eu sorri para ele que então olhou para os meus cabelos, que estavam boiando na água e falou: — Não, na verdade, parece uma sereia...

Ele estava me olhando tão intensamente que comecei a me perguntar se estaria se lembrando do momento que o salvei. Eu também estava de cabelo molhado naquela hora e ele havia me chamado de sereia... Aquilo podia ter despertado a memória dele. Porém ele logo levantou e perguntou:

— A água está boa? Fiquei com vontade de dar um mergulho. Será que alguém vai treinar aqui agora?

Feliz com a possibilidade de nadar com ele, mostrei no relógio que tínhamos 10 minutos antes da próxima pessoa chegar.

O Erico rapidamente guardou a blusa, tirou o short, ficando só de sunga, e pulou. E eu só faltei engolir água porque o meu queixo caiu ao ver a perfeição do corpo dele.

Ele veio nadando em minha direção e ficamos um tempo conversando dentro d'água, daquele jeito que já estávamos acostumados, ele falando e eu gesticulando. Até que em um certo momento ele mergulhou e puxou os meus pés. Eu fingi que assustei, o empurrei de brincadeira. Ele então me segurou e em seguida me carregou no colo. Coloquei meus braços por cima dos ombros dele, o abraçando e ele começou a passear comigo assim pela piscina, sem dizer nada. Fiquei me perguntando se ele estaria sentindo as mesmas emoções que estavam rodando dentro do meu peito... O meu corpo estava colado no dele e a sensação que aquilo causava em mim me fazia tremer e ter vontade de apertá-lo ainda mais.

— Arielle... — ele falou de repente. Afastei um pouco meu rosto para encará-lo, mas ele não disse nada.

Só ficou analisando com o olhar cada centímetro da minha pele. Comecei a sentir algo diferente de tudo que já havia sentido. Eu só queria que ele aproximasse sua boca da minha um pouco mais, e, talvez por ter notado a direção do meu olhar, foi exatamente o que fez.

Fechei os olhos, sabendo o que estava por vir, mas bem nesse momento alguém mergulhou na piscina, praticamente em cima da gente.

Nós nos assustamos e eu coloquei os pés no chão depressa, me afastando. E então a pessoa que tinha mergulhado submergiu na nossa frente e eu pude ver quem era... A *Sula*.

— Arielle, Erico! Não percebi que vocês estavam aqui, desculpa! Não molhei vocês, né?

Ela caiu na gargalhada, e o Erico então a cumprimentou, dizendo que nós já estávamos de saída.

— Mas já? — ela falou com uma expressão triste. — Ia convidar vocês para assistir ao nosso treino. Olha, minha equipe está aqui.

Ela apontou para as outras meninas, que realmente estavam se aquecendo na beira da piscina. Eu não tinha a menor ideia de que o próximo treino era da equipe dela... Normalmente elas treinavam bem cedo ou no final da tarde...

Como se tivesse lido meus pensamentos, a Sula falou:

— Vamos treinar nossa coreografia em um horário diferente hoje, porque vou ficar o resto do dia na emissora, ensaiando para o *The Atleta's Voice* amanhã! Aliás, foi ótimo ver vocês, porque quero fazer um convite... Como fiquei sabendo que vocês assistiram ao *Atleta Chef*, que tal prestigiarem a minha apresentação também?

Eu ainda estava pensando em como ia explicar com gestos que não daria, pois no horário da apresentação dela eu estaria me arrumando para o *Linguagem do Amor*, quando ela falou:

— Posso pedir pra te buscarem mais cedo, Arielle. Assim você já fica arrumada antes! Minha tia é produtora lá, você sabe, com certeza ela dá um jeitinho se eu pedir...

A Nádia, que ainda estava sentada nos olhando, falou com uma expressão meio estranha, como se não estivesse muito satisfeita com aquilo:

— Sim, ela faz tudo que a Sula pede.

O Erico então disse:

— Não sei... Tenho que treinar amanhã cedo, pode ficar meio corrido.

— Por favor... — a Sula olhou pra ele como se fosse começar a chorar. — Não tenho muitos amigos e a presença de vocês seria muito importante pra mim... Tenho certeza de que vocês vão gostar da música que escolhi!

O Erico me olhou, como se estivesse indagando se eu estava de acordo, e eu — ainda que contra minha vontade — fiz que sim com a cabeça. Na verdade, eu também estava ansiosa pelo dia seguinte e por isso mesmo queria ter tempo para me arrumar com calma. Eu não tinha mais dúvidas de que o *Linguagem do Amor* teria um final feliz e queria estar linda para o Erico na hora que finalmente pudesse falar... Mas agora eu precisaria me apressar para ter tempo de fazer tudo.

Nós então nos despedimos da Sula, que estava radiante por termos aceitado seu convite, e saímos da piscina. O Erico e a Nádia falaram que iam me acompanhar até o meu prédio e, quando estávamos quase chegando, ela acrescentou:

— Posso fazer um pedido antes de vocês se despedirem? — Nós concordamos e ela disse, rindo: — Eu estou vendo o que está prestes a acontecer... Mas será que vocês podiam, por favor, deixar isso para a final do programa amanhã? A minha chefe é brava, ontem ela até despediu uma funcionária por um motivo idiota... E eu sei que ela iria me matar se soubesse que deixei vocês se beijarem sem uma câmera registrando o momento! — E aí ela se afastou um pouco, para nos dar privacidade.

Eu e o Erico ficamos sem graça, mas ele rapidamente se adiantou e me deu só um beijinho na bochecha. Depois sorriu e ficou me olhando... Comecei a sentir de novo todas aquelas sensações da piscina, e então ele falou:

— Adorei mesmo te ver nadando e não vejo a hora de te encontrar de novo. Até amanhã, *princesa das águas*...

Em seguida ele foi embora com a produtora e pela primeira vez na vida eu me senti feliz ao escutar aquele apelido...

Capítulo 29

— Nádia, você viu a Yasmin? — perguntei um tempo depois de chegar à emissora.

No fim das contas, acabei gostando de ir pra lá mais cedo, pois eu mal havia dormido na noite anterior de tanta ansiedade. Assim pelo menos eu me distrairia e o tempo passaria mais rápido. Porém, já tinha uns quarenta minutos que eu estava lá e ainda não havia encontrado a Yasmin. Eu queria devolver a roupa que ela me emprestara e também agradecer... Além disso, mesmo que no dia do *Atleta Chef* ela tivesse dito que eu poderia ir à sala dos figurinos e buscar o vestido que ela havia separado para eu usar na final do *Linguagem do Amor*, eu não queria fazer aquilo sem ela. Apesar de nunca termos conversado direito, eu já a considerava uma amiga, pois ela realmente parecia gostar de mim. A recíproca era verdadeira e por isso eu gostaria que ela estivesse comigo naquele momento. E também depois. Eu sentiria falta dela quanto tudo terminasse.

— Yasmin? — a Nádia franziu as sobrancelhas. — A novata? Aquela morena, de cabelo bem comprido?

No mesmo instante lembrei que a Yasmin tinha mesmo dito que estava lá havia pouco tempo. Respondi que era exatamente ela e então a Nádia respirou fundo e retrucou:

— Foi despedida, lembra que eu te falei sobre isso ontem? Uma pena, todo mundo gostava dela... Mesmo sendo tão novinha, era supereficiente.

— Despedida? Mas por quê? — perguntei, triste. Sim, ela havia falado sobre uma produtora que haviam mandado embora, mas eu nunca ia imaginar que havia sido logo a Yasmin. — Eu também gostava muito dela...

A Nádia olhou para trás, chegou mais perto de mim e sussurrou:

— Acho que a nossa supervisora está meio maluca, a Yasmin não foi a única! Estou morrendo de medo de ser a próxima. Hoje ela despediu os músicos que iam tocar no *The Atleta's Voice*, acredita? Eles estavam afinando os instrumentos e sem querer deu um curto circuito, que queimou umas caixas de som. Aí ela disse que eles não estavam preparados para tocar ao vivo e mandou todo mundo embora!

— Mas e agora? Não vai ter mais programa? — perguntei, surpresa.

— Vai sim, mas os atletas vão ter que dublar! Ontem o ensaio foi todo gravado, parece até que estavam adivinhando que alguma coisa podia acontecer...

— Pelo menos isso... — falei, pensando na Sula. Ela vinha ensaiando tanto que se cancelassem o programa eu não queria nem estar perto... — Mas e a Yasmin? O que ela fez?

— Fiquei sabendo que...

— Arielle, te procurei por toda parte! — Olhamos para trás e vimos a Sula chegando com uma mulher. A Nádia, parecendo assustada, rapidamente se despediu e saiu. — Essa é a minha tia, ela estava doida pra te conhecer pessoalmente!

— Muito prazer, Arielle! — A tia dela se aproximou. — A Sula fala muito de você... E eu acompanho a sua carreira desde que você era criança!

Eu a cumprimentei e contei que a Sula também falava muito dela.

— A Sulinha é a filha que eu nunca tive... — ela abraçou a sobrinha. — Faço tudo por ela!

— Eu também faço tudo por você, tia...

As duas ficaram abraçadas por uns segundos e então a Sula percebeu uma coisa.

— Arielle, você está de calça jeans! Vai participar do programa assim? Pensei que aquela produtora que te vestia mal tivesse sido despedida...

Ela olhou para a tia com as sobrancelhas franzidas e de repente tive um estalo! Ela era a supervisora! A pessoa que havia despedido a Yasmin... Será que tinha feito aquilo a pedido da Sula? Mas a Sula pediria isso só porque a Yasmin tinha me ajudado?! Não podia ser...

Meus pensamentos começaram a girar na minha cabeça. No dia anterior, quando contei que ela tinha me enviado a caixa com a roupa, a Sula havia ido embora depressa dizendo que tinha *assuntos* para resolver na emissora...

— Claro que a Arielle ainda não está vestida — a tia falou. — Escolhe uma roupa bem linda pra ela enquanto vou checar se está tudo certo para o seu programa.

— Não precisa! — falei, depressa. — Tenho certeza de que posso encontrar sozinha alguma roupa que fique bem em mim... Já está quase na hora do *The Atleta's Voice* e ela precisa retocar a maquiagem. Olha, está com a testa meio oleosa por causa do calor... Não pode aparecer na TV assim!

A testa da Sula estava perfeita, mas assim que disse isso, ela começou a esfregar o rosto, dizendo:

— Já que não preciso mais ficar com medo daquela produtora estragar seu visual, vou lá dar uma bronca na maquiadora por ela não ter feito o trabalho direito! Ainda bem que você me avisou! Nunca vi um lugar com tanta gente incompetente! — Fiquei com medo da Sula acabar dando um jeito de despedirem a maquiadora também, mas ela estava tão preocupada com a apresentação que não teria tempo pra isso. Quando estava saindo, ela se virou e disse: — Não demora a ir pra plateia, quero que você e o Erico se sentem bem na frente!

Eu falei que estaríamos lá e assim que ela sumiu pelo corredor, corri para a sala dos figurinos para trocar de roupa. Nesse momento, meu celular apitou. Vi que tinha chegado uma mensagem do Lino. Deixei para ler depois, ele certamente devia estar querendo me desejar boa sorte, e fui direto para trás das araras, onde a Yasmin tinha escondido o vestido rosa que havia me mostrado no dia do

Atleta Chef. Senti o maior alívio ao ver que ele continuava ali! E era ainda mais lindo do que eu me lembrava... Com tristeza, peguei também a tiara e a sandália que a Yasmin havia separado para eu usar. Será que ela realmente tinha sido despedida por implicância da Sula? Eu não podia acreditar... Mais tarde eu teria que telefonar para me desculpar, afinal, indiretamente a culpa era minha...

Eu ia começar a me vestir, mas tive uma ideia. Se eu usasse aquele vestido para assistir ao programa da Sula, não ia ter a menor graça quando chegasse a hora do *Linguagem do Amor*. O Erico já teria me visto, os telespectadores também... Então passei o olho pelas araras e encontrei um vestidinho preto, simples, mas muito bonito. Vesti depressa e aprovei minha imagem no espelho.

Em seguida, dobrei cuidadosamente o vestido rosa e o coloquei na mochila, que eu havia levado para guardar a roupa que estava usando. Eu não sabia se teria tempo de voltar ali, então precisava já levá-lo comigo, assim só precisaria ir a um banheiro trocar. Lembrei mais uma vez de a Yasmin dizendo que gostaria que eu parecesse uma princesa na final. Prometi pra mim mesma que, embora ela não estivesse mais ali, eu realizaria aquele seu último desejo.

Uma produtora me levou para a plateia do *The Atleta's Voice* e me mostrou onde eu deveria sentar, na primeira fila, como a Sula tinha determinado. Meu coração deu um salto quando vi que o Erico já estava lá.

Assim que eu me aproximei, ele se levantou.

— Que bom que você chegou! — ele disse, me cumprimentando com um beijo no rosto. — Estava com saudade. Você está linda...

Agradeci, completamente derretida, e apontei para a roupa dele, mostrando que ele também estava muito bem.

— Ansiosa para a final do programa? — ele perguntou no meu ouvido assim que nos sentamos, pois já tinha uma câmera apontada em nossa direção. Balancei minhas mãos, como se elas estivessem tremendo. Ele riu e as segurou, dizendo que ia passar depressa.

Ficamos um tempo só observando a produção terminar de arrumar o palco, e então de repente ele me olhou, parecendo meio nervoso:

— Arielle, posso te perguntar uma coisa? Na verdade já tem um tempo que quero te fazer essa pergunta, mas tinha resolvido deixar pra depois que o *Linguagem do Amor* terminasse. Só que hoje de manhã encontrei o Lino quando eu estava indo treinar...

Olhei surpresa para ele. O Lino não tinha me falado nada sobre aquilo! Repentinamente me lembrei da mensagem dele que chegou quando eu estava começando a me vestir e que eu julguei ser de boa sorte...

O Erico continuou:

— Nós conversamos um pouco e eu comentei que estava feliz, pois em poucas horas você poderia falar e que não sabia como você tinha aguentado ficar praticamente uma semana de boca fechada. Ele riu e disse que você já estava acostumada a esconder a sua voz...

Eu poderia matar o Lino naquele momento...

— Na verdade, acho que pensou que eu soubesse do que ele estava falando, pois quando viu que eu não estava entendendo, disse que estava brincando e deu um jeito de se despedir logo. Mas eu não sabia... Quero dizer, não tenho a mínima ideia do que ele quis dizer com aquilo.

Comecei a torcer para aquele programa começar logo! A plateia já estava lotada, as câmeras já estavam a postos, o que estavam esperando?

— Quando tivemos o nosso primeiro encontro e eu comentei sobre aquela notícia do jornal, você confirmou que tinha me visto em Zurique... — ele tornou a falar. — Foi na minha casa, não é? Na festa que meus pais deram para os atletas do Grand Prix... — Ok, aquilo eu podia responder, então assenti devagar. Ele sorriu satisfeito e continuou: — Por favor, não pense que sou louco, mas essa pergunta que preciso fazer é um pouco estranha... Na verdade eu já havia tirado isso da cabeça, mas depois que o Lino fez aquela observação, uma cisma que eu tinha há algum tempo voltou.

Agora sim a minha mão estava tremendo de verdade. Eu não queria que ele perguntasse aquilo, não naquele momento, com várias câmeras em cima de nós, sem que eu pudesse me explicar direito! Agora só faltavam algumas horas até o *Linguagem do Amor* terminar e então eu poderia contar a verdade com todas as palavras que aquela história merecia...

— Teria alguma chance de você ter cantado para mim lá na festa? — ele perguntou de uma vez só, e pelo jeito que estava me encarando, parecia muito ansioso pela resposta.

Respirei fundo e fiquei um tempo só olhando pra ele. Comecei a levantar a cabeça devagar e já ia abaixá-la, para indicar que sim, mas alguns acontecimentos me interromperam. Primeiro, vi que tinham ligado o telão que ficava no fundo do palco e ele estava mostrando exatamente a imagem que aquela câmera na nossa frente estava captando. Com certeza tinha filmado cada palavra que o Erico havia perguntado e estava pronta para registrar também a minha resposta. Olhei para a plateia e vi que todo mundo estava assistindo a nós... E de repente eu gelei. Em uma das últimas fileiras, no meio de todas aquelas pessoas, estava o meu pai! O Sebastião tinha mesmo me contado que ele viria de surpresa no sábado, para assistir à final do meu programa, mas com tanta coisa na cabeça eu não tinha nem me lembrado... Ele provavelmente tinha ido do aeroporto direto para a emissora e contaram para ele que eu estava ali. Notei que ele não tinha visto onde eu estava sentada, mas olhava fixamente para o telão, com uma expressão meio triste.

Então subitamente veio à minha cabeça o momento exato em que, vários anos antes, ele havia feito aquela mesma cara ao me ver cantar no quintal... Talvez eu tivesse mesmo um trauma no fim das contas, porque a simples possibilidade de o meu pai saber a resposta verdadeira para a pergunta do Erico fez com que meu pescoço mudasse de direção e balançasse a minha cabeça de um lado para o outro. *Não*. Eu não tinha cantado.

O Erico pareceu meio decepcionado e disse, baixinho:

— Ah, tudo bem, eu acho que te confundi com alguém... — E então ele virou para a frente e ficou meio pensativo.

Eu me arrependi no mesmo instante de não ter falado a verdade, por isso puxei o braço dele para que me olhasse, e ele fez isso, mas nesse momento todas as luzes da plateia foram apagadas e o *The Atleta's Voice* finalmente começou.

— Desculpa, acho que não vou conseguir ver seus gestos nessa escuridão — ele disse no meu ouvido. — No intervalo você me mostra, tá? — E então tornou a olhar para a frente, pois um apresentador tinha acabado de entrar no palco e começou a explicar como o programa funcionaria. Arrasada, mas sem ter o que fazer, resolvi prestar atenção.

— No sábado e no domingo passados, as cadeiras dos jurados viraram para várias atletas-cantores, que estão de volta hoje para disputar a semifinal! Dessa vez os jurados serão mais rígidos! E você de casa também pode votar para ajudar a escolher quais deles irão para a grande final que acontece amanhã!

Fiquei com um pouco de pena dos concorrentes, por terem que esperar mais um dia inteiro para que aquilo terminasse... Ainda bem que o *Linguagem do Amor* terminaria naquele dia, senão eu certamente morreria de ansiedade!

— Antes de chamar os concorrentes, precisamos dar um aviso. Nós tivemos um problema com os músicos. Programa ao vivo tem dessas coisas... — o apresentador explicou, visivelmente constrangido por estar ocultando a verdade. — Por isso, hoje todos os participantes vão cantar com playback. Mas fiquei sabendo que fazem isso tão bem que vocês nem vão notar!

As pessoas da plateia ficaram meio alvoraçadas, começaram a reclamar que queriam ouvir os atletas cantando ao vivo... Mas para não dar muito problema, o apresentador rapidamente chamou o primeiro concorrente, um jogador de futebol alemão, que cantou, ou melhor, *dublou* uma música do Michael Jackson. O público, apesar da dublagem, adorou a voz do alemão e um jurado até virou a cadeira para ele. O garoto saiu pulando de felicidade pelo palco, o que fez todo mundo rir, e o apresentador em seguida anunciou:

— A segunda concorrente é uma nadadora brasileira! Com vocês, Sulamita Benhur!

A Sula apareceu no palco e a plateia, que estava meio barulhenta, emudeceu no mesmo instante.

Ela estava com um vestido prata, bem decotado e colado no corpo, que realçava todas as suas curvas. Os cabelos escuros estavam arrumados e virados para um lado só. Eu nunca a tinha visto tão bonita, parecia que havia saído direto da capa de uma revista... A Sula podia até não ter bom gosto para escolher as minhas roupas, mas certamente sabia escolher muito bem as dela.

— Essa menina é aquela sua amiga, não é? — o Erico perguntou, sem tirar os olhos dela. Fiquei um tempo pensando se "amiga" seria a definição correta, mas para facilitar, apenas assenti.

O apresentador então perguntou se a Sula achava que as cadeiras iam virar para ela novamente, que suspirou ao falar:

— Não importo com isso... Acho que todos os meus colegas merecem e estou feliz apenas por ter participado.

Lembrei no mesmo instante que ela havia me dito para tratar os participantes do meu programa como *concorrentes*. Já os dela podiam ser tratados como colegas... Interessante. Além disso, aquele discurso parecia bastante com o meu, que por sinal ela havia criticado.

Ela continuou:

— Na verdade, estou muito nervosa porque hoje tem uma pessoa especial na plateia. Alguém que me encantou desde a primeira vez em que o vi. Ele nem tem ideia que eu penso nele a cada segundo dos meus dias... Ninguém tem. É o meu segredo.

A plateia continuava estática, todo mundo pelo visto queria saber de quem ela estava falando... Menos eu. Porque de repente comecei a sentir algo muito ruim por dentro. Minha intuição estava gritando que eu havia sido enganada e que ia pagar caro por aquilo...

— Eu tive que abafar meu sentimento porque sempre valorizei muito as amizades. Só que uma das minhas melhores amigas, a quem considero uma irmã, não pensa assim. Ela é muito competitiva, e mesmo sabendo que eu tinha me apaixonado, não ligou e continuou tentando seduzir essa pessoa, apenas para disputar comigo, só para provar que é melhor do que eu... Fiquei triste com isso, mas ela sempre foi muito mimada, está acostumada a conseguir tudo que quer... Então na verdade eu tenho pena por ela ser assim, por não enxergar como é bom ajudar as pessoas à nossa volta. E por isso, acabei abafando o que eu sentia. Porém, ao ver o meu amor tão lindo aqui na plateia hoje, senti que precisava fazer essa confissão, pois esse sentimento está muito grande para caber no meu peito, está me consumindo...

As câmeras estavam todas voltadas para ela. O mau pressentimento que eu estava sentindo estava me dando um enjoo tão grande que eu estava a ponto de vomitar ali mesmo!

Ela continuou:

— Eu o vi pela primeira vez uns meses atrás, em uma festa depois de um torneio que aconteceu na Suíça. Foi amor à primeira vista. E exatamente por estar admirando ele a distância, presenciei quando caiu em uma piscina e bateu a cabeça...

O quê?!

— Ele começou a se afogar e eu não tive dúvidas. Saí correndo, pulei na piscina e o salvei, mesmo com o frio que estava fazendo! Eu o aqueci o máximo que pude, chamei uma ambulância... e, enquanto esperava, cantei uma música para que ele não dormisse e corresse o risco de ter uma concussão.

Parecia que alguém tinha me enrolado com fita isolante, pois eu simplesmente não conseguia me mover, estava em choque. Com muito esforço, virei um pouco a cabeça para o Erico e vi que ele estava olhando hipnotizado para o palco.

— Então, desculpa, *Arielle*. Sei que você o conquistou, apesar de eu ter pedido para você ter consideração pelos meus sentimentos, pela nossa amizade... Ele já é seu, não precisa mais ficar contando vantagem, dizendo toda hora que ele está caindo de amores por você! Eu já entendi... A cada vez que você diz isso para mim, meu coração se despedaça ainda mais. Mas eu não poderia viver sem contar para ele essa história. E sem cantar para ele aquela música mais uma vez... Pois a cada vez que eu a escuto, sou carregada de volta para aquela noite... Onde eu gostaria de viver para sempre, apesar do frio e do medo. Porque apesar disso tudo, aquele foi o único momento em que ele esteve nos meus braços. Então, essa é pra você... Erico Eggenberg.

E em seguida ela começou a cantar "The Sweet Escape".

Percebi que o Erico estava dividido entre olhar para o palco e para mim, como se estivesse me vendo pela primeira vez. Até que subitamente eu percebi que aquela voz que estava saindo dos alto-falantes não era da Sula... Era minha! Aquela era a gravação que eu havia feito! A gravação que a Sula tinha me feito fazer! Então ela tinha armado tudo...

Sem pensar duas vezes, levantei de onde estava e comecei a gritar que ela era uma impostora, que aquela voz era minha! Algumas pessoas começaram a me vaiar por estar atrapalhando a apresentação e então a plateia inteira começou a me xingar, dizendo que eu era uma amiga falsa, que os havia enganado, pois tinham pensado que eu era uma boa pessoa... Em seguida, começaram a me ofender de verdade, mas eu não estava nem aí para aquelas palavras pesadas, só me importava o que uma pessoa estaria pensando naquele momento.

— Erico, você não está acreditando nessa história, está? — perguntei, me sentando novamente ao lado dele. — Fui eu que fiz tudo isso que ela falou! Eu te salvei na piscina! Fui eu que cantei pra você!

O Erico então estreitou os olhos e virou ligeiramente pra mim dizendo:

— Eu te perguntei agora há pouco sobre isso. Se você tinha cantado para mim... e você respondeu que *não*. Você mentiu e quer que eu acredite em você agora? Ou naquela hora não era mentira e dessa vez é?

— Eu ia te contar a verdade, estava só esperando ser autorizada a falar...

De repente notei que eu estava falando. E acho que todo mundo percebeu, pois começaram a gritar que eu tinha que ser desclassificada.

Ele então virou para mim e disse:

— É, agora você pode... Pena que eu não quero mais te escutar.

Em seguida se levantou e saiu andando depressa para a porta. Tentei ir atrás dele, mas algumas pessoas me seguraram, dizendo que devia deixá-lo em paz para ser feliz com a Sula, que era quem realmente o merecia.

Com a confusão, a música foi interrompida. A Sula ficou parada no meio do palco, como se não soubesse o que fazer, até que a tia dela apareceu e foi ao microfone:

— Boa tarde a todos, sou a supervisora chefe da Gincana Olímpica. Gostaria de aproveitar que o programa é ao vivo para comunicar que a Arielle Botrel está oficialmente desligada do *Linguagem do Amor* por ter desacatado a regra principal, que era não conversar com o Erico. Como ela era a última concorrente, esse programa não terá vencedores e por isso não será mais exibido. No lugar, vocês vão assistir aos momentos mais marcantes dos outros programas. Agora, por favor, sentem-se para continuarmos a semifinal do *The Atleta's Voice*. Sula, pode repetir sua música, por favor? Tenho certeza de que todos querem escutar sua linda voz! Tenho tanto orgulho de você ser minha sobrinha...

De repente, um tumulto começou a se formar lá atrás e com surpresa vi o meu pai se levantar dizendo que aquilo tudo era um absurdo, que não podiam me tratar assim, que era óbvio que aquela voz era minha e que ele podia provar. Ele continuou a falar outras coisas, mas ninguém quis ouvi-lo. Seguranças foram chamados e o tiraram do estúdio. Pouco depois fizeram o mesmo comigo.

— Pai! — falei assim que o vi. Ele estava me esperando no corredor.

— Filhinha... — ele veio correndo me abraçar. Ali, nos braços dele, comecei a chorar descontroladamente.

— A Sula me enganou, pai! O Lino me avisou sobre ela, mas eu não levei em consideração... Não imaginei que uma pessoa pudesse ser tão maldosa, o tempo todo eu acreditei que ela quisesse me ajudar! Fui eu que salvei o Erico, você sabe!!

— Eu sei, querida... Mas não se preocupe, a verdade vai aparecer. Aqui não tivemos chance, mas basta dar a nossa versão dos fatos e pronto. Esclarecemos tudo. As pessoas vão acreditar.

— Você não entende, pai... *Ele* não vai acreditar. Eu tive várias chances de contar o que realmente aconteceu! Ele me perguntou diretamente e eu menti... Fiquei planejando como contaria, esperando o melhor momento, em vez de simplesmente dizer direto a verdade! Eu mereço tudo que está acontecendo!

— Filha, claro que não merece! Você não fez nada de mais, estava participando de um jogo! Se esse garoto gostar mesmo de você, ele vai entender. Dê um tempo para o Erico esfriar a cabeça, se todo mundo está confuso, imagina ele... Mas se serve de consolo, eu tenho como provar que aquela voz é sua... É só mostrarmos algumas músicas da sua mãe. Sua voz continua exatamente igual à dela.

Quando ele disse aquilo, meu corpo inteiro paralisou. Com toda aquela confusão, nem tinha me lembrado do mais importante. Da razão de todo aquele segredo.

Parei de chorar e olhei pro meu pai assustada. Ele estava com a expressão tranquila, enquanto alisava o meu cabelo.

— Eu reconheceria aquela voz em qualquer lugar, meu bem. Durante todos esses anos me senti culpado, porque você adorava cantar! De todas as minhas filhas, você foi a que nasceu com mais musicalidade. Mas de repente parou... E eu sei que foi por minha causa. Lembro perfeitamente da sua preocupação quando a saudade que eu sentia da sua mãe ultrapassava o meu peito e vazava pelos olhos. Sei que você parou para não me causar infelicidade, mas sempre tive esperança de que uma hora você voltaria. O que você nunca entendeu é que te ouvir cantar não me deixa triste, e sim feliz! Assim eu posso matar a saudade da sua mãe através de você. Ela adoraria ver que sua caçulinha é tão parecida com ela. Especialmente cantando...

Eu o abracei mais forte e ele então disse:

— Vamos. Temos que pedir para o Sebastião convocar a imprensa. Temos várias novidades que os repórteres vão adorar ouvir... Especialmente a respeito de uma ex-nadadora que pelo jeito nunca superou uma rejeição...

— Do que você está falando? — perguntei, pensando que meu pai tivesse enlouquecido.

— Sinto muito, Arielle, mas a verdade é que a culpa disso tudo estar acontecendo com você é minha... Eu devia imaginar que ela ia querer usar você para me atingir. Lembra daquela mulher que eu sempre conto que quase conseguiu me separar da sua mãe por inventar mentiras? — assenti, e ele completou: — Ela é supervisora do programa... e pelo que entendi, também é tia da Sula.

E então, de repente, tudo fez sentido...

✦ Capítulo 30 ✦

A primeira coisa que fiz depois que saí da emissora foi procurar o Erico. Na verdade, o procurei lá mesmo, mas ele já tinha ido embora. Então implorei para a Nádia, a produtora que costumava acompanhar nossos encontros, para me dar o telefone dele. Ela me disse que infelizmente não poderia me passar, pois estava com muito medo de ser despedida também, o que fatalmente aconteceria se ele a denunciasse.

— Mas posso te mostrar em qual dos prédios do alojamento ele está hospedado e te falar o número do apartamento... — ela disse uns segundos depois. — Você pode falar que o viu entrando lá ou coisa parecida.

Eu a abracei agradecendo, e ela então pegou um mapa do alojamento e me mostrou exatamente onde ele estava. E foi aí que eu fiz o que deveria ter feito desde o início: fui até lá e toquei a campainha.

Um garoto que eu nunca tinha visto, provavelmente também suíço, atendeu. Perguntei em inglês se o Erico estava lá, mas ele respondeu meio desconfiado que o colega havia ido para a Gincana Olímpica, mas ainda não tinha retornado. E ainda perguntou se eu não devia estar lá também... Com preguiça de explicar tudo, apenas falei que já tinha acabado e que eu voltava depois.

Quando estava saindo, tive uma ideia. Perguntei se ele poderia anotar o telefone do Erico para mim. Ele achou meio estranho eu não ter o número, mas me passou sem problemas. Eu só esperava que ele não fosse despedido de nada por minha causa...

Comecei então a ligar pro Erico desesperadamente. O telefone estava desligado! Sem saber o que fazer, fui para o meu próprio apartamento. Eu ainda estava com a roupa que tinha usado na plateia do *The Atleta's Voice*, precisava me trocar e dar um jeito de devolver. Não queria ser acusada de roubo além de tudo...

Com surpresa, vi que o Lino estava me esperando na porta. Assim que me viu ele correu e me abraçou.

— Você está bem, Ári? Quero dizer, na medida do possível... Eu estava saindo com a Michelle para assistir à final do *Linguagem do Amor* da plateia, quando fiquei sabendo que o programa tinha sido cancelado. E o Sebastião me ligou há pouco contando tudo que rolou...

Eu suspirei nos braços dele e não precisei dizer nada. Meu amigo me conhecia o suficiente para me entender sem palavras. Pena que não existia um *Linguagem da Amizade*. Certamente seríamos os campeões.

Ele me abraçou mais forte e em seguida me levou pra dentro, sugerindo que eu tomasse um banho, pois tinha certeza de que eu me sentiria melhor. Fiz o que ele sugeriu, mas a tristeza não passou. Para piorar, assim que saí do banheiro ele me olhou com uma cara meio estranha e eu soube de imediato que era outro problema.

— O que aconteceu agora? — perguntei, apreensiva. — Não precisa tentar me poupar. Eu aguento.

Ele então respirou fundo e me estendeu o celular, onde pude ver uma notícia que um site tinha acabado de publicar.

INTERSEÇÃO DE PROGRAMAS

Reviravolta espetacular na Gincana Olímpica. Como já informamos, o *Linguagem do Amor* não teve um final feliz, mas pelo visto o *The Atleta's Voice* sim. Após se declarar para Erico Eggenberg ao vivo no programa desta tarde, a atleta de nado sincronizado Sula Benhur ganhou o coração do rapaz. Os dois foram vistos juntos pouco tempo depois em um restaurante no Recreio dos Bandeirantes e segundo testemunhas estariam se entendendo. Erico fazia tempo vinha procurando a garota que salvara sua vida ao retirá-lo desacordado de uma piscina em uma festa que aconteceu durante o Grand Prix da Suíça, e parecia feliz de finalmente encontrá-la. Já sua parceira na competição, Arielle Botrel, pelo visto não é uma boa perdedora. Ela foi vista saindo da emissora chorando e jurando vingança por ter sido desprezada.

Por sorte o Lino pegou o celular da minha mão antes que eu o arremessasse na parede! Minha vontade era quebrar o apartamento inteiro, de tanta raiva.

— Calma, Ári, você sabe perfeitamente o quanto essas notícias são distorcidas... Não deve ser nada disso. O Sebastião disse que seu pai já convocou uma coletiva de imprensa para contar o que realmente aconteceu. Mesmo que o Erico tenha acreditado na Sula, quando souber a versão real dos fatos vai te procurar. Tenha calma. Eu vi vocês dois juntos, está na cara que ele está gostando de você também...

— Eu estraguei tudo, Lino... — falei, me sentindo a pior pessoa do mundo. — Devia ter saído desse programa estúpido e contado tudo pra ele quanto tive chance.

— Ári, a culpa não é sua... Você não imaginava que a Sula ia jogar tão baixo. Odeio te falar isso, mas eu avisei...

Eu comecei a chorar descontroladamente. Ele me abraçou mais uma vez e talvez pelo cansaço e tensão que aquilo tudo tinha me causado, acabei adormecendo em seus braços.

Quando acordei, já havia anoitecido e eu estava deitada no sofá da sala. Por um tempinho me perguntei se havia sido um pesadelo, mas assim que peguei meu celular, várias mensagens me provavam que era tudo real.

> Ári, tive que ir pro treino, mas como você estava dormindo profundamente, coloquei seu celular no silencioso pra deixar você descansar e saí de fininho. Te ligo mais tarde! Segura firme aí! Lino

Filha, estou te ligando e você não atende. Vou falar com os repórteres daqui a pouco. Não se preocupe, tudo vai ser resolvido. Papai

Little sister, você está bem?? Estou ligando sem parar e seu celular só cai na caixa-postal! Estou preocupada, queria estar aí pra te dar colo! Dê notícias! Ágata

Arielle, vou pegar essa Sula pelos cabelos e bater tanto que ela vai se arrepender de ter nascido! Não vai sobrar um dente naquela boca! Alice

Arizinha, você precisa tomar um banho de sal grosso! Certeza que isso tudo foi inveja! Acende um incenso e reza! Seu anjo da guarda vai resolver tudo pra você! Amanda

Irmãzinha, sei perfeitamente que você deve estar trancada no quarto chorando. Para com isso agora, lava o rosto e deixa o mundo ver o quanto você é gata! Se esse Erico for bobo de te perder, azar o dele! Fã é o que não falta pra você! Aléxia

Ári, compramos passagens para o Rio, chegamos amanhã. Tivemos uma ideia fantástica, não se preocupe, vai dar tudo certo! Alana

Embora ainda arrasada, sorri ao ler as palavras das minhas irmãs. Cada uma com seu jeitinho próprio me oferecia apoio, e era reconfortante senti-las ao meu lado, mesmo a distância.

Procurei mais notícias na internet, mas ainda eram as mesmas. Suspirei e tentei ligar para o Erico mais uma vez. Eu precisava saber se ele estava mesmo com a Sula e, mesmo que estivesse, eu queria que ele me escutasse. Ele tinha que saber a verdade.

O telefone tocou umas cinco vezes, e, quando pensei que ia cair na caixa postal, ele atendeu.

— Erico, é a Arielle, posso falar com você um minuto?

Ele ficou mudo um tempinho, mas então disse, com uma voz triste, bem diferente da revoltada que eu tinha escutado mais cedo quando ele se afastou de mim no programa:

— Não posso conversar agora, mas mesmo que pudesse, não quero falar com você. Estou muito confuso em relação a tudo, só uma coisa é certa: você mentiu pra mim. E mentira é algo que eu não tolero. Fiquei triste, me senti enganado, estou decepcionado... Meu treinador pediu para eu me afastar de você e de tudo que possa atrapalhar meu foco para as Olimpíadas agora, e eu acho que ele está certo. Então, por favor, não me ligue mais. Fiquei sabendo que você veio aqui também. Não faça isso de novo, não vai adiantar, respeite minha decisão... Sinceramente, acho que você também devia se concentrar nos Jogos Olímpicos, falta só uma semana.

Tentei interrompê-lo para explicar, mas ele concluiu, dizendo:

— Estou saindo, tenho um jantar com um patrocinador. Tchau, Arielle... Quero esquecer tudo que aconteceu na última semana. Aquela menina que eu pensei que você fosse nunca existiu.

E em seguida desligou.

Fiquei uns segundos estática, olhando para o telefone. Pensei em ligar de novo, mas eu sabia que com esse ato apenas passaria para ele a impressão de ser uma chata, e eu realmente não precisava que o Erico acumulasse mais isso na lista de coisas negativas que pensava a meu respeito.

Eu já ia começar a chorar novamente, mas me segurei, pois aquilo só me deixaria mais triste. Por isso, fiz a única coisa que me acalmava. Troquei de roupa e fui para a piscina.

Depois de nadar mil metros, percebi que eu não estava mais calma... Mas pelo menos naquelas águas que sempre me acolheram, eu havia tido uma ideia que poderia fazer aquilo acontecer.

Agora eu sabia como fazer o Erico me escutar.

Denúncia na Gincana

O medalhista olímpico Teófilo Botrel, que dominou as raias nos anos 1980, acusou a também ex-nadadora Vânia Benhur e atual produtora-chefe da Gincana Olímpica de usar sua influência para favorecer uma atleta, sua sobrinha Sula Benhur.

Entenda o caso:

O programa *The Atleta's Voice* hoje, ao contrário dos outros dias, não teve uma banda tocando ao vivo para acompanhar os cantores. As apresentações foram todas com playback. Segundo a produção, isso aconteceu porque houve um imprevisto com os músicos. Porém, a nadadora Arielle Botrel (filha de Teófilo), que estava na plateia, interrompeu a performance de Sula alegando que ela estava usando uma gravação com sua voz. Como Arielle era participante do *Linguagem do Amor*, de acordo com o regulamento deveria ficar muda sempre que estivesse ao lado de seu parceiro na competição, Erico Eggenberg. Portanto, ela foi desclassificada e, como não havia mais nenhuma concorrente, esse programa não terá vencedores.

Teófilo Botrel então convocou uma coletiva de imprensa para denunciar que tudo começou anos atrás, quando ainda namorava a mãe de Arielle, a cantora Serena Shell, e Vânia era sua colega no esporte. Segundo ele, Vânia vivia fazendo declarações de amor e colocando-o em situações comprometedoras, o que quase atrapalhou sua vida pessoal. Quando se casou, Vânia se afastou, mas pelo visto nunca esqueceu.

"Pensei que tivesse superado, porém ela claramente usou sua posição na emissora para favorecer a sobrinha e atrapalhar minha filha. Ela inclusive demitiu os músicos, para que Sula pudesse usar a gravação com a voz de Arielle, que é exatamente igual à da minha falecida esposa. Graças a uma das produtoras do programa, já estamos com essa gravação em mãos e, se precisar, pediremos que façam uma perícia para analisar o material e provar de quem realmente é aquela voz."

A direção da emissora não quis se pronunciar, mas a polícia já está apurando os fatos e tomando as medidas necessárias para esclarecer o caso. ■

Fila de testemunhas

A lista de voluntários para testemunhar a favor de Arielle Botrel e contra Vânia Benhur só cresce. Tivemos acesso aos depoimentos de alguns deles, leia as melhores partes:

Sebastião Silva (técnico de Arielle e de outros atletas olímpicos): "Estive com a Arielle na Suíça e posso afirmar que foi ela que salvou o Erico na piscina. Ela só não esperou a polícia chegar porque eu pedi, pois tive receio de que aquela exposição toda não fosse boa para a sua carreira. E por isso também ela não contou para o Erico depois. É uma garota responsável e, apesar de fazer coisas erradas algumas vezes, como toda adolescente, nunca faria nada para prejudicar ninguém. Já a Sula Benhur tem fama de ser complicada. Conheço a treinadora dela e pelo que já escutei, sei que a Sula não poupa esforços para conseguir o que quer."

Yasmin (ex-produtora do Gincana Olímpica): "A Vânia Benhur me despediu sem justa causa, alegando que eu estava favorecendo alguns atletas em detrimento de outros. Mas eu ajudei igualmente a todos que pediram o meu apoio, o que não foi o caso da sobrinha dela, que só pedia a ajuda da própria tia. Inclusive, a Sula tentou prejudicar a Arielle várias vezes e eu impedi. Foi apenas por esse motivo que ela pediu que a tia me demitisse, e foi atendida prontamente."

MÚSICOS DO *THE ATLETA'S VOICE*: "Fomos despedidos injustamente pela Vânia Benhur. Nosso equipamento foi claramente adulterado para que houvesse um curto-circuito no momento da passagem de som antes do programa começar. Mas ainda assim não seria motivo para cancelar a nossa apresentação, nós tínhamos uma caixa de som extra. Porém, a Vânia disse que não estávamos preparados e não nos deixou participar. Temos certeza de que ela planejou tudo apenas para favorecer a sobrinha, que nem devia ter participado do *The Atleta's Voice* em primeiro lugar! Ela tem a maior voz de gralha..."

LINO LEMOS (nadador): "Conheço a Arielle desde os 5 anos, quando começamos a nadar no mesmo clube. Ela é incapaz de ferir os sentimentos de uma formiga! Tenho certeza de que não teria sequer se aproximado do Erico Eggenberg se alguma amiga estivesse interessada nele. Inclusive eu estava com ela na Suíça e posso afirmar que ela se apaixonou pelo Erico à primeira vista. Um dia depois da festa em que o viu e o salvou na piscina, ela não falava de outra coisa."

Belinha, dona do internacionalmente conhecido Blog da Belinha: "A Arielle é um amorzinho e nunca faria nada para prejudicar os outros. E pelo que pude perceber, ela gosta de verdade do Erico, se ocultou algo dele, com certeza ela tinha alguma razão para isso."

Clara Neves (estudante, prima da Belinha): "Minha melhor amiga é noiva do melhor amigo do Erico. Segundo ela, o Erico estava perdidamente apaixonado pela filha da Serena Shell, uma cantora que meu pai adorava. Ao conhecer a Arielle no dia em que fui ao cinema com minha prima, pude ver que ela se parece muito com a mãe! E a voz também deve parecer... Isso me leva a crer que se tem alguma sereia nessa história toda, só pode ser a Arielle."

Cintia Dorella (conhecida também como DJ Cinderela, a namorada do astro adolescente Fredy Prince): "A Arielle me ajudou em um momento complicado sem nem mesmo me conhecer. Ela é uma pessoa do bem e não acredito em nada do que essa Sula falou."

Fredy Prince (sensação adolescente, jurado do The Atleta's Voice): "A Sula é uma péssima cantora. Só virei a cadeira para ela no primeiro dia porque a produtora Vânia disse que precisávamos aprovar todos os atletas participantes, para incentivá-los. Porém, logo que a sobrinha foi classificada, ela disse que as regras tinham mudado e que a partir de então poderíamos aprovar apenas os que realmente merecessem... Quando a Sula dublou aquela música na semifinal do programa, imediatamente percebi que aquela voz de anjo não era dela."

De acordo com os advogados de Arielle, essas testemunhas são suficientes para incriminar Vânia por abuso de poder e também sua sobrinha, a nadadora Sula Benhur, por fraude. Caso seja provado, Sula até poderá ser impedida de participar das Olimpíadas e Vânia – que já foi afastada do cargo na emissora – corre o risco de ser condenada a vários anos de prisão. ■

Capítulo 31

Depois que minhas irmãs chegaram, tudo ficou melhor. Elas simplesmente não me deixavam ficar quieta e com isso não tive mais tempo de cultivar a tristeza... Quando eu não estava treinando, acompanhava os ensaios delas ou passeávamos pelo Rio de Janeiro. Mas todos os dias antes de dormir e de me levantar, a imagem do Erico ainda era a última que me vinha à cabeça. E não tinha uma só noite em que eu não sonhasse com ele. Eu ainda andava pelo alojamento ansiosa para encontrá-lo por acaso e mal podia esperar pelo início das Olimpíadas, pois sabia que na abertura eu o veria pelo menos de longe, apesar de saber que aquilo me faria sofrer ainda mais por vontade de chegar mais perto.

Mas eu ainda tinha uma esperança... A ideia que eu havia tido na piscina ainda seria colocada em prática e, como não dependia apenas de mim, eu estava impaciente pelo resultado.

Por isso, quando recebi uma mensagem um dia antes da abertura oficial das Olimpíadas, meu coração quase saiu pela boca.

Arielle, o seu texto já está no ar! Pensei bem e achei que hoje à noite seria a melhor ocasião para postar, pois todo mundo está ansioso pelo início dos Jogos e sedento por novidades... Acho que não vão encontrar uma melhor do que essa! Espero que você goste. Me dê notícias se o Erico te procurar! Te vejo amanhã. Boa sorte! Belinha

— O que houve, Arielle? — a Alice me perguntou, quando dei um gritinho com o celular na mão. As minhas irmãs estavam hospedadas em um hotel, mas cada dia uma delas dormia comigo no apartamento, pois não queriam me deixar nem um segundo sequer sozinha.

Em vez de responder, peguei o meu computador e fui direto para o blog da Belinha. A Alice então levantou as sobrancelhas e nos deitamos juntas na minha cama, para ler com calma.

Blog da Belinha

Olá, pessoal! Acho que todo mundo acompanhou a confusão que aconteceu na Gincana Olímpica no último fim de semana envolvendo a Arielle Botrel, o Erico Eggenberg e a Sula Benhur, não é? Se você esteve em Marte nos últimos dias, recomendo que entre no primeiro site de notícias que aparecer na frente e se atualize porque foi arrebatador! Mas depois volte aqui, para ler o que aconteceu em seguida... E isso não está nos jornais, fiquei sabendo nos bastidores, por fontes confiáveis! Eu estava lendo dois romances policiais e até larguei, porque esse suspense está muito mais interessante!

Depois que o pai da Arielle foi à imprensa para contar que na verdade tudo começou anos atras e que aquela confusão toda foi uma tentativa da tia da Sula de se vingar dele através da Arielle, varias pessoas começaram a aparecer para testemunhar. A Sula segue dizendo que não teve nada a ver com isso, que só se declarou pro Erico por amor... Um amor bem doentio, se querem saber minha opinião! Inclusive no dia em que isso tudo aconteceu, logo que o *The Atleta's Voice* terminou, ela meio que o "sequestrou", mais uma vez por intermédio da tia, que mandou o motorista levá-lo para um restaurante perto da emissora, onde a Sula estava esperando, em vez de ir direto para o alojamento como ele havia solicitado. Eles ficaram cerca de cinco minutos no local, apenas o tempo que o Erico precisou para pegar um táxi e ir embora. Porém, nesse curto período vários fotógrafos registraram os dois juntos, como se realmente fossem um casal! Alguns informaram posteriormente que foram avisados que eles estariam lá naquele momento... Quem será que avisou? Minha aposta é que o nome da pessoa tem quatro letras, começa com S e termina com A! Mas o fato é que depois disso o Erico ficou com raiva por estar no meio desse rolo todo, está achando que todas as brasileiras são malucas e nem deu chance para a Arielle se explicar! Ele inclusive desligou o telefone, não fala com repórteres e só sai do apartamento para os treinos.

Mas se tem uma coisa na qual eu sou boa é em ler as pessoas. Sim, além da leitura de livros, eu costumo fazer isso com quem eu acabo de conhecer. Basta trocar algumas palavras e minha intuição me diz exatamente o que eu preciso saber. E foi assim com a Arielle. Eu a conheci em um bar, no dia ela estava disfarçada simplesmente porque queria sair sem ser notada para se divertir como uma garota qualquer, sem que a imprensa espalhasse pela milésima vez que ela estava na gandaia quando deveria estar treinando exaustivamente. Mas apesar disso, a Arielle não hesitou em abrir mão do seu disfarce para ajudar alguém que tinha acabado de conhecer.

Por outro lado, quando fui apresentada para a Sula, eu a achei a maior puxa-saco! Ela inventou que era leitora do meu blog e amiga da Arielle... Só de olhar eu soube que ela não era nem uma coisa nem outra. Como se não bastasse, no dia seguinte ela me ligou oferecendo dinheiro para eu entrevistá-la! Dá pra acreditar, nisso? Claro que eu não aceitei! Mas infelizmente não são todas as pessoas que percebem que as aparências enganam... A nossa querida Arielle acabou caindo na lábia da Sula. Por ter sido constantemente protegida pelo pai e pelas irmãs desde que nasceu, e por ter se dedicado ao esporte desde criança, sem poder sair direito a não ser para a escola e para os treinos, ela acabou sem ter contato com pessoas maldosas e não notou que a Sula era uma delas... E assim acabou caindo nessa trama perversa que poderia ter lhe custado muito caro. Sim, "poderia", porque eu, romântica que sou, acredito em finais felizes e sei que o bem sempre vence! E é por essa razão que vou dar uma forcinha para isso acontecer...

Lembram que eu contei que a Arielle ia dar uma entrevista aqui para o blog? Ela me procurou há uns dias perguntando se poderíamos realizá-la o quanto antes, pois acredita que essa aqui é única fonte na qual o Erico confia, já que, quando me encontrei com os dois no cinema, na semana passada, ele contou que não perde uma postagem minha! Fiquei tão feliz e lisonjeada com isso, que resolvi fazer melhor... Em vez de uma simples entrevista, decidi dar para a Arielle o espaço inteiro para ela se explicar!

Então, hoje, queridos leitores, passo a palavra para a nossa princesinha das águas. E, desde já, conto com a torcida de vocês para que, através dessas linhas, ela consiga conquistar de vez o seu príncipe.

ERA UMA VEZ UMA SEREIA...
por *Arielle Botrel*

Você sabe qual é a sua lembrança mais antiga? Aquela passagem da sua vida que continua lá, independentemente de quantos dias você já viveu? Eu sei. Nunca me esqueci da primeira vez que entrei em uma piscina. Eu devia ter no máximo 2 anos, mas ainda me lembro da sensação da água gelada circundando meus pés e em seguida meu corpo inteiro. Meu pai estava me carregando e de repente me soltou. E então era só eu e a piscina. Aquela imensidão azul que me acolheu desde o primeiro instante. Meu hábitat natural.

Foi dentro de uma piscina que eu vivi os meus melhores momentos... e também os mais tristes. A sensação de chegar em primeiro lugar em uma competição pela primeira vez é indescritível, só quem já viveu pode saber. Mas perder também é memorável... Porque a diferença é muito pequena. As pessoas normalmente pensam que existe uma imensidão entre quem ganha uma medalha em um mundial e quem fica em último lugar. Mas o que separa um do outro são aproximadamente 37 centésimos de segundo. Sabe o que é isso? Tente dizer a frase "Eu te amo" bem rápido. O primeiro lugar alcançou a margem no "eu". O último, no "amo". São esses centésimos que definem uma competição. E toda a vida de algumas pessoas. Aqueles míseros instantes fazem com que você seja um super-herói ou um vilão, porque um atleta profissional nunca está disputando apenas para ele mesmo. As pessoas te pedem satisfação. Podem te amar ou te odiar apenas pela sua performance. Ninguém quer saber se você teve insônia, brigou com a família, comeu algo que lhe fez mal ou teve uma desilusão amorosa... Sua vida não pertence apenas a você. E por isso é tão difícil. A pressão permeia nossos dias, como uma sombra constante, como uma companhia silenciosa que se esqueceu de ir embora. Então, só se é atleta de verdade quando você passa pelos dois lados: pela vitória, mas também pelo fracasso. Porque a vontade de desistir é ininterrupta. Ela vive à espreita e fica ainda mais forte quando você não é classificado, fica em último lugar ou não atinge o índice desejado. E apesar disso ainda tem que dar satisfação para todo mundo, pessoas que nunca te viram levantar da cama às cinco da manhã em pleno inverno para treinar por horas e em seguida ir para a escola. Mas é isso que faz a diferença. É isso que te torna um atleta de verdade. É exatamente o fato de não desistir. É saber que, depois de uma derrota, você pode estar a apenas 37 centésimos de segundos de uma vitória. E que aquilo só depende de você.

Nesse momento, sinto que cheguei em último lugar em um torneio que eu nem sabia que estava disputando. Imaginei que teria a vida inteira para fazer um certo percurso e por isso planejei que poderia fazê-lo sem pressa, para conhecer melhor aquelas águas e escolher o melhor momento para cada tipo de nado... Porém, de repente me avisaram que meu tempo tinha acabado, quando pensei que ainda nem tivesse começado. Por 37 centésimos de segundo, engoli água, fiquei sem ar e fui desclassificada. Sim, eu poderia ter chegado em primeiro lugar. Mas pelo menos agora eu me sinto uma verdadeira atleta. Após essa grande derrota, pude vislumbrar o que antes não enxergava. Coloquei óculos antiembaçantes e estou preparada para encarar qualquer piscina que possa surgir.

Usei toda essa metáfora esportiva porque essas palavras estão sendo direcionadas para um certo atleta e sei que ele vai entender o que eu quero dizer. Assim como eu, ele já passou por altos e baixos e sabe bem como é difícil não alcançar uma meta E é especialmente para ele que eu quero contar uma história, para que, quem sabe, me ajude a ganhar esse torneio... Pois infelizmente ele só pode ser concluído a dois.

"Querido Erico,

Eu poderia escrever uma carta com tudo que eu queria te dizer. Com tudo que eu teria te dito logo após a final do Linguagem do Amor, *que não aconteceu. Mas acredito que você a jogaria fora sem ler. Então, aceitei a oferta da Belinha para escrever aqui, pois assim, mesmo que você não leia, tenho esperanças de que alguém te conte tudo que eu tenho para dizer...*

Quando eu nasci, um acontecimento trágico marcou a minha família. Sei que você sabe que estou falando da morte da minha mãe e prefiro não me prolongar nessa parte, pois além desse fato até hoje me deixar triste, não quero despertar a compaixão de ninguém. Apesar disso, tive uma infância feliz, cercada do carinho das minhas irmãs, do meu pai e da minha avó.

Assim como minhas irmãs, eu sempre gostei de cantar e fazia isso com frequência... Até que um dia percebi que aquilo enchia o meu pai de saudade. Ele dizia que eu o lembrava da minha mãe, e então acabei escondendo a minha voz, como se ela fosse a responsável por espalhar tristeza no mundo. Eu não parei de cantar, mas resolvi fazer isso nas poucas ocasiões em que estava sozinha.

Paralelamente a isso, comecei a me dedicar à natação. Ao contrário do canto, notei que aquilo deixava o meu pai feliz. E isso era tudo o que eu queria, compensá-lo de alguma forma, por ele ter perdido quem mais amava por minha causa. Meu pai me incentivou a ir cada vez mais além, mas muitas vezes isso me impediu de ter uma vida normal. A disciplina exigida no esporte sempre veio de encontro ao meu desejo de me aventurar. Por muitas vezes, pensei em desistir da natação, apenas por ter vontade de ser uma garota como as outras e poder fazer descobertas, correr atrás dos meus sonhos, errar e acertar quantas vezes fossem necessárias... Por muitos anos driblei essa vontade com algumas fugas ocasionais. Graças às minhas irmãs e ao Lino, conseguia escapar e viver feito uma adolescente normal por algumas horas... E foi em uma dessas ocasiões que eu te conheci.

Quando soube daquela festa na Suíça, através da Sula, dei um jeito de ir (mesmo que estivesse desobedecendo meu técnico). Eu pensava que seria apenas uma comemoração normal, mas realmente não contava com uma 'fatalidade'... Que naquele dia eu iria me apaixonar.

Quando te vi, poucos minutos antes de cantarem parabéns pra você, eu fiquei hipnotizada. Foi mais do que amor à primeira vista. Não sei se acredito em amor de outras vidas, mas caso exista, tenho certeza de que foi o caso. E aí você já imagina o que aconteceu. Eu te segui por toda a festa, você caiu na piscina, pulei atrás. Exatamente como a Sula te contou naquele programa. Eu tinha narrado a história toda para ela, quando ainda achava que ela queria me ajudar.

Pensando agora, acho que nem tenho raiva da Sula, foi graças a ela que fiquei sabendo da festa. Que fugi para ir àquela festa. Que eu te vi... Apesar de tudo que passei, não deixaria de viver aquele momento. Como estou me abrindo completamente, tem algo que eu ainda preciso confessar: eu não fiz mais do que minha obrigação ao salvá-lo. Tem um certo detalhe que a Sula não te contou, pois ela não sabe, eu não contei para ela. Foi por minha causa que você caiu... Ao te seguir, fiquei com tanta vontade de me aproximar que acabei abrindo a porta que você tinha cuidadosamente fechado. Eu estava tão concentrada te olhando que nem notei que seu cachorrınno estava lá, ansioso para chegar perto de você. E entendo, eu estava na mesma situação que ele... Mas foi por isso, por imprudência minha, que ele se soltou e que consequentemente você caiu na água. Seu cachorro inclusive ficou ao seu lado o tempo todo depois que eu te tirei da piscina, como se estivesse conferindo se você estava bem! Gostaria de ter tido tempo para brincar com ele... Queria ter atirado uma das bolinhas de tênis que eu notei que ele adora para ver se a traria de volta para mim! Gostaria que ele te trouxesse de volta para mim...

Sei que você sempre se perguntou por que a garota que o salvou sumiu... Nem eu sei responder direito. Na hora, eu estava assustada com as sirenes, com as pessoas se aproximando, com o risco de pensarem que eu havia te afogado, com o fato de ter desobedecido ao meu treinador e ao meu pai... Aliás, eu devia ter sido sincera com os dois desde o início. Mas meu pai pediu para eu não pensar em ninguém até o final das Olimpíadas, e o meu técnico achou que aquilo não seria bom para a minha imagem. Eu devia ter falado para o meu pai que não ia abafar aquele sentimento, o qual desde o primeiro instante havia sido tão forte. E devia ter avisado para o Sebastião que eu não me importava com o que os outros pensavam de mim... Agora vejo que só precisava ser eu mesma para agradar alguém.

Uma outra dúvida que eu sei que você tem é a respeito do motivo de eu ter cantado. Não foi à toa. Até o dia daquela final fatídica do The Atleta's Voice *ninguém sabia que eu gostava de cantar e eu estava feliz em manter isso em segredo. Porém você me pediu... Em sua alucinação pós-quase-afogamento, você me chamou de sereia e praticamente exigiu que eu cantasse. Não me pareceu sensato negar isso para alguém que estava delirando e então eu cantei a primeira música que me veio à cabeça... E foi aquilo que te manteve acordado por um tempo. Eu gostaria de poder cantar pra você de novo, não só para te acordar, mas por querer que você olhasse para mim outra vez como naquele primeiro dia. Com aqueles olhos que me deixaram com vontade de te proteger, de te conhecer melhor, de te amar...*

O interessante é que em certa parte de "The Sweet Escape", a música em questão, a letra diz:

I didn't mean for you to get hurt, whatsoever
We can make it better
Tell me boy now wouldn't that be sweet?[1]

1 *Eu não tinha a intenção de te machucar, ou o que quer que seja*
Nós podemos melhorar isso
Diga-me, garoto, isso não seria adorável?

Sim, eu nunca tive a intenção de te machucar. E se eu pudesse, nós começaríamos tudo de novo, para fazer melhor dessa vez. Wouldn't that be sweet? ☺

Espero que você me entenda melhor agora. Minhas sinceras desculpas por não ter te contado tudo isso antes. Eu não menti gratuitamente e de fato só estava esperando o melhor momento para te contar a verdade. Mas se isso serviu para alguma coisa, foi para aprender que não devemos adiar revelações importantes. Porque por apenas 37 centésimos de segundo, podemos perder o torneio mais importante da nossa vida... E uma história que poderia ser linda, corre o risco de ficar inacabada e não ter um final feliz...

Mil beijos e boa sorte nas Olimpíadas.

Continuarei sempre torcendo por você...

Arielle"

Ao terminar, olhei para a Alice que estava com os olhos cheios de água. Ela então me abraçou, deu um suspiro e falou:

— Vai dar certo. Aliás, já deu! Quer dizer que, além de esconder que cantava, você também estava ocultando o fato de escrever tão bem assim? — Fiquei sem graça, mas ela então completou: — Não tenho a menor dúvida de que o Erico vai te procurar quando ler isso. Acho melhor a gente dormir logo, para você estar bem linda amanhã na abertura das Olimpíadas.

Ela não precisou falar duas vezes. Eu me deitei imediatamente. Porém a ansiedade não me deixou dormir...

Fraude confirmada

A justiça hoje de manhã, exatamente no dia da abertura das Olimpíadas, reconheceu que de fato houve fraude no programa *The Atleta's Voice*, da Gincana Olímpica. A produtora chefe Vânia Benhur e sua sobrinha, a atleta Sula Benhur, foram consideradas culpadas. A justiça reconheceu que elas manipularam as circunstâncias, tendo inclusive prejudicado funcionários, os quais foram demitidos para que o plano pudesse ser concretizado.

A produtora será afastada definitivamente da emissora e terá que pagar indenização para os prejudicados. A principal empresa patrocinadora de Sula Benhur anunciou que não apoia o comportamento da atleta e que a partir de agora não quer mais seu nome vinculado a ela. A empresa anunciou também que tudo que investiam em Sula será revestido para a nadadora Arielle Botrel, maior prejudicada pela fraude. ■

• Capítulo 32 •

— Arielle, você vai entrar agora! — o Sebastião falou, chamando minha atenção.

Eu estava distraída, olhando a multidão. Nunca tinha ido ao Maracanã e estava embasbacada com a dimensão daquele estádio e a quantidade de pessoas. Embora apenas uma importasse...

Durante muitos anos esperei por aquele momento. Fui me preparando dia após dia, mês após mês, ano após ano. Cada técnica nova, cada aquecimento, cada pulo na piscina... a finalidade de tudo era aquele evento, o mais importante da minha carreira. Ou melhor, da minha vida! E de repente, ele chegou. Olhando para aquela tocha olímpica na minha mão, eu tinha dúvidas se aquilo não seria apenas um sonho.

— Preparada, Arielle? — uma moça da organização perguntou. Fiz que sim com a cabeça, mesmo sem ter certeza. Por ser a atleta mais jovem do Brasil, eu havia sido convidada para acender a pira olímpica na abertura das Olimpíadas. — Lembre-se, você deve levantar a tocha o mais alto que conseguir, dar uma volta, para que o estádio inteiro te veja de frente, em seguida ir até a pira e acendê-la. — Concordei e ela disse: — Então vai!

Respirei fundo e fiz exatamente como ela havia explicado. As pessoas aplaudiram tão alto que até senti o chão tremer. Minha vontade era sair correndo, mas aguentei firme, afinal, aquilo era uma honra! Quantas pessoas gostariam de estar no meu lugar... Enquanto rodava com a tocha, encontrei alguns olhares. Primeiro o do meu pai. Ele estava chorando... Tive vontade de abraçá-lo, mas eu já havia entendido que aquela emoção não significava tristeza. Agora eu sabia... Em seguida vi o Lino. Ele sorriu e me deu uma piscadinha, mostrando que eu estava indo bem. Sorri de volta pra ele e continuei. Foi quando dei de cara com a Sula. O olhar dela era de ódio, como se eu tivesse destruído sua vida. Ignorei completamente e continuei rodando. Eu havia aprendido da pior forma possível que pessoas feito ela não mereciam um segundo da minha atenção. Ela só continuava nas Olimpíadas para não desfalcar a equipe, mas eu sabia perfeitamente que sem patrocinadores, a carreira profissional dela no esporte estava acabada.

E então, quase no final da volta, meu olhar foi atraído por outro no meio da multidão de atletas. E de repente, tudo parou.

Já tinha uma semana que eu não via o Erico, mas foi como se nem um dia tivesse se passado. Ele estava me olhando fixamente, e nos poucos segundos que aquilo durou, não consegui definir o que a expressão dele queria dizer. O meu texto havia saído no Blog da Belinha na noite anterior, exatamente 24 horas antes, e todos os atletas que eu conhecia, e até mesmo alguns que eu nunca tinha visto na vida, estavam vindo me cumprimentar pelas palavras, dizendo que nunca tinham duvidado de mim, que sabiam que eu era uma boa pessoa e me desejando boa sorte. Porém, ao contrário do que minhas irmãs tinham me feito acreditar, o Erico não havia me procurado. Na verdade, eu nem sabia se ele havia lido, mas pelo número de visualizações, eu tinha certeza de que, mesmo sem ler diretamente, não havia como ele não ter ficado sabendo daquilo. Mas, pelo visto, eu não o deixara comovido...

Com tristeza, desviei meu olhar e fui em direção à pira olímpica. Assim que cheguei na frente dela, o maior silêncio tomou conta do local. Levantei a cabeça para ver as arquibancadas e percebi que todos os olhares estavam voltados para mim. Sentindo o coração bater mais forte, estendi a tocha em direção à pira e a acendi. Imediatamente uma nova chuva de aplausos retumbou pelo estádio. Aquilo realmente era assustador, era como estar no centro de um terremoto! Em seguida voltei para o palco, onde um apresentador me agradeceu.

Respirei fundo, feliz por ter dado tudo certo. Por vários dias fui assombrada por sonhos onde eu tropeçava e caía no meio do estádio, ou a pira por algum motivo não acendia, ou ainda que eu havia esquecido de me vestir e só me dava conta disso quando notava todos rindo ao me ver. Mas nada daquilo havia acontecido. Olhei depressa para a minha roupa, só pra conferir... Estava tudo certo com o uniforme que tinham me feito colocar, o mesmo que todos os atletas que iam prestar alguma homenagem na abertura estavam usando: short e blusa brancos com detalhes amarelos, verdes e azuis.

Desci do palco, enquanto o apresentador anunciava algumas pessoas importantes que iriam discursar, e fui direto para um dos camarins. Minhas irmãs estavam se preparando, pois o show delas começaria em poucos minutos. Assim que me viram, elas me abraçaram, dizendo que eu tinha feito tudo certo.

— Não nos deixaram ir lá fora, mas vimos tudo pela TV. — A Amanda apontou para um televisor suspenso. — Deve ter sido emocionante, né?

Assenti e disse:

— Mais do que isso, foi aterrorizante! Não sei como vocês conseguem encarar uma multidão e ainda cantar! — Elas riram, dizendo que eu fazia muito mais, pois nadar exigia muito mais fôlego. Sim, mas eu nunca tinha nadado com 80 mil olhares em cima de mim...

— Ári, agora já pode tirar esse uniforme sem graça, né? — a Alana falou, me olhando de cima a baixo.

— Ué, mas vou vestir o quê? — perguntei, sem entender. Eu realmente não tinha planejado me trocar, nem havia pensado em levar outra roupa... Mas pelo visto alguém tinha feito aquilo.

— Que tal isso aqui? — A Alice apareceu sorrindo, me estendendo o vestido rosa que eu deveria ter usado na final do *Linguagem do Amor*.

Olhei para ela, horrorizada.

— Onde você encontrou isso? Não é meu, é da TV! Eu tinha que ter devolvido, com toda aquela confusão acabei esquecendo!

— Achei dentro da sua mochila... — ela explicou. — Estava todo amassado, nós demos um jeitinho de passar. Mas não se preocupe, você foi autorizada a usá-lo.

— Autorizada por quem? — perguntei, sem entender.

— Por mim...

Olhei para trás e vi a Yasmin. Ela estava toda arrumada, com o cabelo preso, maquiagem e um vestido preto. Eu nunca a tinha visto tão bonita...

Corri para ela e a abracei. Pensei que nunca a veria novamente, e eu tinha inclusive tentando telefonar para ela algumas vezes, para dizer que sentia muito por sua demissão. Mas aquele deveria ser seu telefone de trabalho, pois sempre uma gravação dizia que o número era inexistente.

Falei isso para ela, que respondeu:

— Sim, o número era da emissora, tenho que te dar o meu pessoal.

— Arielle, você não sabe quem ela é? — a Ágata perguntou, se aproximando.

Franzi as sobrancelhas. Claro que eu sabia, ela era a Yasmin, a produtora que havia sido despedida por minha causa...

Porém, ao dizer isso, as duas riram e então a Yasmin explicou:

— Na verdade eu sou filha do dono da emissora e meu nome verdadeiro é Yasmine. Mas quase ninguém do núcleo da Gincana Olímpica sabia disso, eu pedi pra trabalhar como uma produtora normal, sem privilégios. No fundo, adorei ser demitida, acho que nunca teria passado por essa experiência se eu não estivesse "disfarçada". Mas sobre o vestido, ele é seu! Considere uma compensação por todo o estresse que você teve que passar com a Sula e a Vânia. Confesso que algumas vezes eu quis sair do meu papel de produtora e simplesmente mandá-las calarem a boca! Mas foi bom ter me segurado, para ver até onde elas iam chegar...

Eu mal podia acreditar naquilo! Era tão surreal... Eu devia ter imaginado. Ela era mesmo muito nova para ser uma produtora, tinha idade para ser no máximo estagiária.

— Eu não posso aceitar... — falei, olhando para o vestido ainda nas mãos da minha irmã.

— O quê?! — a Alice ralhou. — Se você não aceitar, eu aceito! Quer dizer, meu corpo não é lindo como o seu, mas posso mandar fazer uns ajustes...

— Tudo bem, eu aceito — falei, pegando o vestido enquanto todo mundo ria. — Mas não é muito chique para hoje? Todos os atletas estão com roupas normais...

— Você não é qualquer atleta — a Aléxia disse, se aproximando. — É a "princesa das águas", esqueceu? Tem que fazer jus a esse título!

— Além disso, é irmã das Mermaid Sisters! — a Alana acrescentou. — Você pode usar o que quiser!

Todos riram, mas eu ainda estava meio indecisa.

— Pensa no Erico... — a Yasmin, ou melhor, a *Yasmine*, falou de repente. — Lembre-se como você ficou deslumbrante com esse vestido, quando o experimentou. Você estava toda feliz porque o Erico iria te ver com ele! Provavelmente essa vai ser a última chance... Depois os jogos vão começar e acho que a partir daí ele só vai te ver de maiô, roupão e touca!

Aquilo foi o suficiente para eu concordar. Troquei de roupa depressa e quando me olhei no espelho, não entendi como eu havia tido dúvidas. Se pudesse, não tiraria aquele vestido nunca mais.

— Vou te maquiar! — A Ágata apareceu com um estojo.

— Ei, pra que tudo isso? — perguntei, tentando me afastar enquanto ela aproximava um pincel do meu rosto.

— Não dá pra usar um vestido desses de cara lavada! — ela ralhou. — Simplesmente não combina. Mas não se preocupe, você vai ficar natural, como gosta.

Acabei aceitando, não ia fazer diferença mesmo...

Pouco depois ela terminou a "obra-prima" e me levou até o espelho. Tive que admitir que ela havia feito um bom trabalho.

— Ei, olha quem chegou! — a Alice falou de repente.

Virei para trás e vi um garoto lindo entrando no camarim. Ele estava de mãos dadas com uma menina também muito bonita, e subitamente eu os reconheci!

— DJ Cinderela! — falei, sorrindo. — Quero dizer, Cintia! Quanto tempo...

Ela veio correndo me abraçar.

— Muito tempo mesmo! A Belinha te entregou a peruca? Desculpa, não achei uma exatamente no mesmo tom, mas acho que o estilo de penteado é o mesmo...

— Tudo bem, acho que não vou precisar mais de disfarce...

Eu e o meu pai havíamos conversado muito na última semana e eu acabei contando para ele tudo que me aborrecia, como eu gostaria de ter uma vida normal, de poder sair e me divertir como qualquer adolescente. Eu ia fazer 17 anos na próxima semana e achava que já tinha maturidade suficiente para conciliar a vida profissional, estudantil e pessoal. Como sempre ele chorou, disse que eu iria ser sua eterna bebê, mas concordou que dali em diante eu tomasse conta da minha própria vida.

— Conhece meu namorado? — a Cintia chamou o Fredy, que antes de me cumprimentar deu um beijo nela. Eu sabia que eles já namoravam havia alguns anos, mas pareciam tão apaixonados que era como se ainda estivessem no início.

— Você canta muito bem! — o Fredy falou de repente. — Eu fui jurado no dia que aquela menina dublou a sua gravação. Na hora vi que tinha algo errado, pois no programa anterior ela havia cantado muito mal! Mas a Cintia me explicou tudo o que aconteceu e que na verdade a voz era sua. Parabéns, acho que você devia seguir a carreira das suas irmãs!

Todos concordaram, e eu fiquei sem graça. Ainda não tinha pensado naquilo seriamente, mas agora, sem mais obstáculos, eu pelo menos poderia colocar em prática alguns planos que eu tinha, como aprender a tocar alguns instrumentos e começar a compor.

— Meninas, está na hora do show! — o empresário avisou.

Já fazia alguns anos que minha avó tinha contratado outra pessoa para gerenciar a carreira delas, pois, por causa da idade, ela não aguentava mais viajar tanto. Mas continuava acompanhando tudo e inclusive havia me ligado bem brava dizendo que, quando eu voltasse do Rio, iria ter uma conversa séria comigo por ter mentido para ela aos 7 anos, quando disse que não cantava.

Minhas irmãs deram uma última olhada no espelho e então combinaram com o Fredy que o chamariam para cantarem juntos a última música, e a partir daí ele assumiria o palco.

Elas saíram do camarim e eu fui atrás. Como planejado, eu iria assistir ao show de um camarote vip que ficava bem ao lado do palco.

Chegando lá, vi que a Belinha estava filmando tudo.

— Oi, você está linda! — ela me cumprimentou calorosamente.

— Você também! — respondi olhando para ela. Na verdade, eu havia custado a reconhecê-la.

Ela tinha tirado os óculos, estava com os cabelos castanhos soltos, que caíam em ondas sobre os ombros, e como eu, usava um vestido, só que amarelo.

Ela sorriu e disse:

— Obrigada! Pena que não tenho um namorado lindo como o seu para me admirar...

— Você sabe que o Erico não é meu namorado... — falei, sentindo uma fisgada de tristeza ao me lembrar dele.

— Ainda... — ela disse, dando uma piscadinha, e em seguida acrescentou: — Ah, olha, o show vai começar!

E então nem conseguimos mais conversar, pois assim que minhas irmãs subiram ao palco, o barulho dos aplausos e dos instrumentos preencheram tudo.

Algumas vezes olhei para o local onde tinha localizado o Erico, mas não o avistei mais. Então resolvi tirar aquilo da cabeça e, por meia hora, dancei e cantei cada música sem pensar em mais nada.

Quase no fim do show, a Alana foi para a frente do palco com o microfone e começou a conversar com a plateia. Vi que o Fredy Prince já estava se posicionando. Eu sabia que ela iria chamá-lo para que cantasse com elas a última música.

— Pessoal, vocês não imaginam a emoção de fazer um show na abertura das Olimpíadas e para essa plateia espetacular! Gostaríamos de parabenizar desde já a todos os atletas! O verdadeiro show vai ser feito por vocês! — Todos aplaudiram muito e ela então continuou: — Muito obrigada mais uma vez aos organizadores pelo convite! Com certeza vamos lembrar desse dia para sempre! Mas agora, vamos chamar aqui no palco uma pessoa que eu sei que todo mundo adora e que merece todos os aplausos... Nos dê a honra da sua presença... Arielle Botrel!

O quê?! Olhei para os lados, sem entender, mas a Belinha, que estava com a câmera na minha cara, filmando minha reação, disse:

— Vai logo, todo mundo está esperando! — E me empurrou para a saída do camarote. Um segurança já estava lá me esperando e foi me escoltando, enquanto eu olhava para os lados, sem entender nada.

Assim que cheguei ao palco, o público explodiu em palmas.

— O que significa isso? — sussurrei para a Alice quando passei pela bateria, que era o instrumento que ela tocava.

Minha irmã fingiu que não me ouviu e só fez sinal para que eu fosse logo para perto da Alana.

Ela continuou a falar assim que me aproximei:

— Ah, aqui está ela! Como sabem, a Arielle estava participando de um programa que não teve final... Mas não foi por culpa dela. Acho que todo mundo tem conhecimento do que aconteceu, mas nós achamos que vocês mereciam ver a Arielle mais uma vez antes de ela começar a arrasar nas raias, e por isso a chamamos aqui. Porque tem outro programa que ela merecia ter ganhado, já que a voz dela foi usada por uma das "cantoras", que pensou que podia enganar a todos. Mas é o que nós sempre dizemos... Quem sabe faz ao vivo! Por isso, nesse momento, o show é dela!

A Alana então me entregou o microfone e fez sinal para as minhas outras irmãs, que começaram a tocar "The Sweet Escape". Eu fiquei paralisada, olhando para todos os lados sem acreditar que aquilo estava acontecendo.

— Canta. — A Alana me beliscou, para que eu acordasse.

Minha vontade na verdade era sair correndo do palco, mas as minhas outras irmãs, talvez por notarem que eu estava prestes a fazer aquilo, começaram a cantar, me incentivando a fazer isso junto com elas. Então respirei fundo e passei a entoar os versos da música, bem baixinho, só porque sabia que, se fugisse, o que eu leria nos jornais no dia seguinte seria muito pior...

Porém, logo que soltei a voz, a plateia aplaudiu insanamente, e aquilo me deu confiança para cantar mais alto. Assim que fiz isso, minhas irmãs se calaram. Olhei para elas assustada, mas elas fizeram sinal para eu continuar, dizendo que estava indo bem. Eu continuei, bem tímida, mas de repente olhei para o camarote e vi que a Belinha, que continuava filmando, estava fazendo sinal para que eu olhasse para um ponto à esquerda do palco. Fiz o que ela falou e subitamente tudo se iluminou. O Erico estava lá, me olhando fixamente.

Um flashback tomou conta dos meus pensamentos. Lembrei da festa na Suíça, quando na piscina eu cantei aquela mesma música porque ele havia pedido. E talvez por estar mais uma vez hipnotizada pelo seu olhar, esqueci a plateia, onde estava, e continuei a cantar só pra ele. Era como se apenas nós dois estivéssemos ali.

E então, quando eu estava quase terminado a música, vi que ele sorriu para mim...

• Capítulo 33 •

— Muito obrigada, Arielle! Tenho certeza de que a partir de agora, além das piscinas, você também vai dominar os palcos! — a Ágata falou assim que eu terminei de cantar. — Mas nesse momento, a gente queria chamar outra pessoa aqui. Como a Alana disse, o *Linguagem do Amor*, o programa da Gincana Olímpica do qual a Arielle participou, não teve um final... Mas a gente acha que merecia ter, e vocês? — O público veio abaixo. A Ágata então continuou: — Erico Eggenberg, por favor, pode subir aqui?

Notei que o Erico ficou meio assustado, mas uns amigos que estavam ao lado dele começaram a empurrá-lo para o palco, incentivando-o a ir logo. Ele ainda estava meio resistente, mas de repente nossos olhares se cruzaram. Mais uma vez foi como se só nós dois existíssemos ali. E então eu me lembrei da primeira vez que chegamos perto um do outro, no *Linguagem do Amor*. E por não ter nada mais nada a perder, dei um suspiro e repeti o mesmo coraçãozinho com as mãos que havia feito naquele dia...

Imediatamente ele abriu o maior sorriso, assentiu para os amigos e veio em direção ao palco.

Alguns seguranças liberaram o caminho, e em poucos segundos ele chegou e começou a andar para perto de onde eu estava, mas a Alana fez sinal para que ele esperasse.

— Como vocês sabem, no último dia do programa, os dois finalistas deveriam dizer ao vivo se gostariam ou não de ficar juntos... E acho que, assim como nós, todos ficaram com essa curiosidade, não é?

O público mais uma vez aplaudiu. Eu estava morrendo de vergonha, mas ver o Erico novamente tão pertinho, quando eu achei que aquilo nunca mais aconteceria, me dava força para permanecer ali.

Minha irmã continuou:

— Mas como já tem alguns dias que os dois não se encontram, acho bom darmos um tempinho para eles recuperarem o fôlego! Enquanto isso, vamos chamar ao palco o maior astro juvenil da atualidade para cantar a última música com a gente! Com vocês, Fredy Prince!

O Fredy subiu ao palco e começou a cantar com minhas irmãs, e então finalmente o Erico veio em minha direção. Percebi que ele também estava nervoso.

Ele se aproximou devagar, sem tirar os olhos de mim.

— Você está linda... — ele disse, apontando para o meu vestido.

— Obrigada, Erico — falei, sentindo meu coração bater mais alto ainda que a música que estava saindo daquelas enormes caixas de som atrás de nós.

Ele levantou as sobrancelhas e então se aproximou mais, para que eu o escutasse:

— Sua voz realmente parece a de uma sereia... É estranho te ouvir falar em vez de só gesticulando, mas acho que posso me acostumar a isso.

Eu sorri e respondi:

— Que bom... porque tenho muito pra te contar.

Ele assentiu e disse no meu ouvido:

— Eu li o blog... Ia passar no seu apartamento hoje mais tarde, estava só esperando a abertura das Olimpíadas terminar, imaginei que você estaria muito ocupada por causa da tocha olímpica e tudo mais.

Eu nunca estaria muito ocupada para ele...

— Desculpa, Arielle... — ele continuou. — Eu devia ter dado chance para você se explicar, mas fiquei muito confuso com aquilo tudo, pensei que talvez você e sua amiga estivessem brincando comigo... — Ele parou um pouco quando viu que eu fechei a cara. — Ok, agora sei que ela não é sua amiga. Mas na hora eu não sabia, vocês andavam juntas, imaginei que estavam fazendo hora com a minha cara, que aquilo fosse uma espécie de jogo pra vocês.

— O único jogo que eu topei participar te envolvendo se chamava *Linguagem do Amor*... E eu só entrei nele porque...

Parei um pouco para respirar. Ele estava muito perto de mim agora.

— Por quê? — ele perguntou, passando a mão de leve pelo meu cabelo.

— Porque o prêmio era você.

Ele sorriu, se aproximou ainda mais e falou:

— Na verdade o premiado fui eu...

Em seguida ele colocou uma das mãos na minha nuca e a outra na minha cintura e me puxou bem devagar. Antes de fechar meus olhos, vi os dele tão perto, que aquele beijo foi como mergulhar no mar, naquele ponto exato onde o verde se torna azul...

E onde eu queria nadar para sempre.

Final surpreendente na Gincana

Apesar da Gincana Olímpica ter terminado há alguns dias, a emissora responsável resolveu considerar os atletas Erico Eggenberg e Arielle Botrel os vencedores do *Linguagem do Amor.* Os dois assumiram o namoro na abertura das Olimpíadas, o que causou mais euforia no público do que o início dos Jogos em si. Cada vez mais fã-clubes do casal surgem na internet e a hashtag #Erielle ficou mais de 24 horas nos trending topics mundiais do Twitter. Como resultado, o número de pretendentes a patrocinadores dos dois triplicou, todos querem vincular sua marca ao casal.

A organização informou que os ingressos para os jogos de Erico e as provas de natação de Arielle já estão esgotados. ■

Princesa sereia

Arielle Botrel, a princesa das águas, ainda está disputando as Olimpíadas, mas já ganhou uma prova que nem esperava. Após ter cantado com as irmãs — as Mermaid Sisters — na abertura dos Jogos Olímpicos, ela foi convidada por uma gravadora para lançar um álbum solo. O projeto mal foi anunciado e já bate recordes de pré-venda. Arielle disse que está muito feliz com isso tudo, pois cantar era um sonho secreto que tinha desde criança. Se depender da herança familiar, podemos esperar o surgimento de uma nova pop star. Aliás, os admiradores de sua mãe, a saudosa Serena Shell, estão comemorando, pois a voz de Arielle se parece muito com a dela. A pergunta que não quer calar é se Arielle conseguirá conciliar a carreira de nadadora com a de cantora... O tenista Erico Eggenberg, namorado de Arielle, ao ser indagado sobre isso, deu a sua opinião: "Claro que ela vai dar conta de tudo! A Arielle tem alma de sereia... Nasceu para nadar, cantar e encantar corações!"

Com um incentivo desses, não temos dúvida de que tanto no esporte quanto nos palcos, a princesa, que acaba de completar 17 anos, terá uma carreira longa e de muito sucesso! ■

• Epílogo •

Queridos leitores, finalmente os Jogos Olímpicos terminaram! Com certeza vou sentir falta dos atletas, das viagens, daquele agito todo, mas... confesso que também já estava morrendo de saudade de voltar um pouco para o nosso tema principal, o universo literário! Porém, para concluir o tema "Olimpíadas" com chave de ouro, aqui está algo que eu prometi para vocês há muito tempo... A entrevista com a querida Arielle Botrel! Mas sabe da maior? Nossa princesa das águas não veio sozinha... O príncipe dela veio junto!! Sim, e os dois vão contar tudinho pra gente!

Com vocês, Arielle Botrel e Erico Eggenberg!

CASAL CAMPEÃO

Belinha: Finalmente vocês se acertaram! Estou TÃO feliz! Acho que, assim como todo mundo, torci mais para vocês ficarem juntos do que pra ganharem medalhas pro nosso país! Ainda bem que vocês conseguiram as duas coisas! Mas vamos do começo... Como foi que perceberam que estavam interessados um no outro?

Erico: Pela Arielle foi no segundo dia da Gincana Olímpica. Eu não parei de pensar nela desde o primeiro instante em que nossos olhares se encontraram, no palco do programa... Parecia que eu tinha levado um choque!

Arielle: Ei, eu também levei um choque naquele momento!

Belinha: Nossa, ainda bem que vocês não morreram eletrocutados, senão a gente nunca saberia o final da história...

Erico: Mas na verdade, eu gostei dela muito antes, só não sabia que era a mesma pessoa. Você se lembra daquele caso que contei na outra entrevista? Sobre uma sereia ter me tirado da piscina? Então...

Belinha: Quando a Arielle escreveu para você aqui no blog e explicou tudo com detalhes, fiquei dando pulinhos de alegria, vocês super combinam e eu shippei o casal desde o primeiro instante!

Erico: Eu também fiquei muito feliz quando finalmente constatei que a Arielle era mesmo a menina que eu estava procurando.

Eu tinha torcido tanto para ser ela... Porque nesse dia no programa, na primeira vez que eu a vi, senti também um elo, uma familiaridade, foi como se já tivéssemos uma história. Mas depois que passamos um tempo juntos, percebi que ela também é meiga, encantadora... Tudo que eu sempre sonhei.

Belinha: Estou vendo corações nos seus olhos, Erico! Mas agora vamos falar de um tema um pouco desagradável... A Sula tentou separar vocês dois. Na opinião de vocês, ela fez isso por gostar do Erico mesmo ou por não querer a felicidade da Arielle?

Arielle: Na verdade, acho que a Sula foi instigada pela tia, que queria se vingar do meu pai, ela sim era apaixonada por ele muitos anos atrás e nunca o esqueceu, inclusive admitiu isso no depoimento que deu para a polícia. Ela achou que me deixando triste atrapalharia meu desempenho nas Olimpíadas e com isso me impediria de ganhar a medalha de ouro, que era o sonho do meu pai. Ela premeditou tudo...

Belinha: Então você acha que a Sula nunca quis o seu mal? Você realmente acredita que uma garota como ela — que é conhecida por não medir esforços para ser sempre a primeira em tudo e que inclusive foi expulsa da equipe por essa razão — não tem inveja por você ter uma carreira superpromissora, fãs, repórteres te procurando o tempo todo... Erico, dá pra abrir os olhos da sua namorada? Acho que ela continua muito ingênua!

Erico: Eu adoro isso nela... Esse jeito de ver o mundo com lentes coloridas e enxergar só o melhor nas pessoas.

Belinha: Ai, ai, nada como uma paixão para deixar o mundo cor de rosa, não é? Mas já que é assim, vamos falar do relacionamento de vocês! Agora, com o final das Olimpíadas e com a volta do Erico para a Suíça, como vão manter a chama acesa?

Arielle: Nós recebemos algumas propostas... Eu fui convidada por um clube da Suíça para nadar lá! E o Erico também recebeu um convite para jogar no Brasil! Estamos pensando o que fazer. Mas com certeza vamos dar um jeitinho de ficar no mesmo lugar.

Erico: Na verdade, já estamos dando um jeito, a Arielle na semana que vem embarca comigo para Zurique, onde vai ficar uns dias. Depois de muita conversa, o pai dela concordou, desde que as irmãs dela nos acompanhem... As meninas estão vibrando e inclusive já marcaram shows na Suíça e na França, aonde também iremos para que eu possa apresentar a Arielle para o meu melhor amigo! Tanto o Phil quanto a noiva dele, a Áurea, estão ansiosos para conhecer a Arielle! Aliás, meus pais e minhas irmãs também mal podem esperar...

Arielle: Será que o seu cachorrinho vai se lembrar de mim?

Erico: Não tenho dúvidas. É impossível te esquecer...

Belinha: Nossa, quantas novidades! Eu só espero que vocês resolvam se estabelecer no Brasil, afinal, precisamos da nossa princesa das águas aqui! Aliás, agora princesa dos palcos também, né? Arielle, você vai gravar um álbum, já atingiu um milhão de seguidores nas redes sociais e ainda ganhou a medalha de ouro nas Olimpíadas! Como está se sentindo?

Arielle: É tudo muito gratificante, mas o que me deixa mais feliz é saber que no coração do Erico eu também ganhei o primeiro lugar...

Pessoal, essa foi a minha entrevista com os queridos atletas que, além de medalhas de ouro nas Olimpíadas, conquistaram o coração um do outro! Tive que finalizar meio repentinamente porque depois da declaração da Arielle, os dois deram um beijo de cinema que eu nem quis interromper! Mas no meu canal do YouTube tem um recadinho deles para vocês e também a Arielle cantando na abertura das Olimpíadas!

Acabo de me tocar que esse é o segundo casal apaixonado que eu entrevisto, lembram da DJ Cinderela e do Fredy Prince? Se continuar assim, daqui a pouco vou ter que decorar meu blog todo com coraçõezinhos! ♥

Só tenho a desejar um amor tão lindo quanto o deles para vocês! E para mim também... ☺

Mas enquanto o meu príncipe não aparece, vou voltar para os meus amores literários!

Beijo para todos e até a próxima aventura!

Belinha

Este livro foi composto nas tipologias Adobe Jenson Pro,
Adorn Ornaments, Arial, Averia Serif, Bernard MT Condensed,
Bodoni Classic Chancery, Eye Catching Pro, FF Justlefthand,
Giddyup Std, Gill Sans MT, Helvetica Neue LT Std, Trajan Pro,
Verdana, Webdings, Wingdings, e impresso em papel off white, no
Sistema Cameron da Divisão Gráfica da Distribuidora Record.